U0262907

铁路货车状态修实践研究丛书

铁路货车状态修方法与实践

康凤伟　王洪昆　王　蒙　易　彩　著

科学出版社

北　京

内 容 简 介

  本书为"铁路货车状态修实践研究丛书"的第一辑，系统而全面地阐述了有关铁路货车状态修的基本概念、基础理论和实践路线。全书共8章，完整论述了铁路货车状态修的理论方法，包括学术思想、理论模型、求解方法、仿真方法、试验方法及评价方法等；详细介绍了铁路货车状态修的工程实践，包括零部件的寿命管理体系、货车状态性能监测系统、状态修工艺规程、状态修信息化建设以及状态修实践中的综合经济效益等；最后描述了状态修在铁路货车维护维修工程中的应用概况和发展趋势。

  本书适合交通运输工程专业的科研人员、设计人员及工程技术人员阅读参考，并可兼作高等院校车辆工程、铁道工程、载运工具运用工程等专业相关方向的教学用书。

图书在版编目(CIP)数据

铁路货车状态修方法与实践 / 康凤伟等著. —北京：科学出版社，2023.3
(铁路货车状态修实践研究丛书)
ISBN 978-7-03-075156-0

Ⅰ.①铁… Ⅱ.①康… Ⅲ.①铁路车辆-货车-车辆-检修-研究
Ⅳ.①U279.3

中国国家版本馆 CIP 数据核字(2023)第 044884 号

责任编辑：牛宇锋 纪四稳 / 责任校对：任苗苗
责任印制：师艳茹 / 封面设计：蓝正设计

科 学 出 版 社 出版
北京东黄城根北街 16 号
邮政编码：100717
http://www.sciencep.com
河北鹏润印刷有限公司 印刷
科学出版社发行 各地新华书店经销
*
2023 年 3 月第 一 版 开本：720 × 1000 1/16
2023 年 3 月第一次印刷 印张：18 1/2
字数：373 000
定价：198.00 元
(如有印装质量问题，我社负责调换)

"铁路货车状态修实践研究丛书"序

　　随着新一代信息技术的快速发展，状态修成为当今国际上最重要的铁路货车运用管理科技实践。截至 2018 年底，国家能源投资集团有限责任公司（以下简称国能集团）年运输煤炭总量达 3.5 亿 t，列车牵引总重最大达 2 万 t。国能集团的铁路货车保有量多（达 52492 辆）、运输周转率高、运营线路曲线多、坡度大且坡道长、铁路货车的检修体量大、工况多且体系复杂，实施状态修是提升国能集团铁路货车运用管理水平的必经之路；在无经验可借鉴的情况下，全面建设符合我国国情和国能集团铁路货车实况的状态修体系，面临极大的挑战，需要突破状态获取、零部件寿命管理与预测、状态综合诊断决策、修程修制建设等一系列关键技术，这也是其他重载运输国家和地区要实行状态修所面临的共性问题。"铁路货车状态修实践研究丛书"正是从研究逻辑搭建、理论成果先行、试验研究验证和方法实施落地等方面，详细介绍了具有典型重载运输特色的铁路货车状态修从方法到实践的全过程，便于广大学者学习研究。

　　该丛书以"神华重载铁路货车状态检修成套技术研究及装备研制"项目为依托，构建适用于我国重载铁路货车的状态修体系。项目通过对国能集团所属各分公司铁路货车检修集中调研，对铁路货车各车型车体、转向架、制动等主要零部件常见故障类型、故障部位及故障率进行检测和分析，详细掌握车辆关键零部件的磨耗及失效规律，为铁路货车状态修的实施提供重要理论支撑。在此基础上，通过大量试验研究，完成铁路货车状态修工艺规程体系编制，将铁路货车状态修具体细分为在线修、状态一修、状态二修、状态三修和状态四修五个修理等级；建立起列车健康状态诊断模型和状态监测与维修系统，可实时监控并追踪车辆运行健康状态，根据诊断决策报告，确定列车修程和施修内容。诊断模型通过大数据分析，在维修中不断自我修正与完善，持续优化零部件的失效规律和寿命预测模型。2020 年 4 月状态修全面试行和 2020 年 10 月 28 日智能运维状态一修整备线正式投入使用，标志着我国重载铁路货车检修实现了计划预防修到状态修的跨越，正式进入智能诊断、精准施修的智能运维新时代。至此，铁路货车状态修从理论研究到初步实践，真正探索出了一条适合我国重载铁路货车检修由计划预防修向状态修逐步改革的路线。项目的实施对于推动铁路运输行业发展以及我国经济社会发展具有重大意义。

铁路货车状态修体系的理论与技术取得重要进展，亟须通过一套系统全面的图书来呈现这些成果，以适应重载铁路货车检修制度改革的需要；同时，我国重载铁路货车状态修的研究人员一直缺乏一套具有系统性、学术性、先进性的丛书来指导科研实践。为了满足上述需求，"铁路货车状态修实践研究丛书"应运而生，从理论方法、模型构建到工程实践系统，全面地阐述铁路货车状态修体系的总体内容。丛书由三辑构成，分别为《铁路货车状态修方法与实践》《重载铁路货车健康状态综合判别模型》《大数据时代下的铁路货车状态修实践》。第一辑系统地介绍铁路货车状态修的研究方法与实践路线，第二辑详细地描述重载铁路货车健康状态综合判别模型的构建方法与工程应用，第三辑全面地阐述铁路货车状态修大数据实践运用的系统架构与应用过程。

目前正值我国经济体制改革发展之际，铁路货车修程修制改革势在必行。该丛书的出现，能为我国乃至世界重载运输在铁路货车修程修制改革方面提供成功的思路和案例，并在铁路货车状态修体系构建、零部件失效规律及寿命预测、健康状态获取与综合判别、智能运维及修程修制改革方面有很强的理论与技术指导作用。该丛书不但可以作为交通运输学科的专业教科书，而且是一部铁路货车运用、检修、管理人员和机车车辆工程技术人员的实用参考书。

中国科学院院士
美国国家工程院（外籍）院士
西南交通大学首席教授
2022 年 11 月 2 日

前　言

　　1949 年以来，中国铁路货车经历了三次大的升级换代，目前正在推进第四次升级换代。1956～1957 年，中国第一辆自主设计的 P13 型棚车在齐齐哈尔诞生和载重 30t 级货车在中国全面停产，标志着中国铁路货车实现了载重由 30t 级向 50t 级的第一次升级换代。1976～1978 年，载重 60t 级 C62A 型敞车在齐齐哈尔问世和载重 50t 级货车在中国全面停产，标志着中国铁路货车实现了载重由 50t 级向 60t 级的第二次升级换代。2003～2006 年，载重 70～80t 级新型提速重载货车研制成功和载重 60t 级货车在中国全面停产，标志着中国铁路货车实现了载重由 60t 级向 70～80t 级、速度由 70～80km/h 向 100～120km/h 的第三次大的升级换代。随着第三次升级换代，铁路货车在速度、载重和技术性能上有了质的飞跃，转 K2、转 K4、转 K5、转 K6 型等轴重 21t、25t 的 120km/h 转向架得到全面应用，DZ1、DZ2、DZ3、DZ4、DZ5 型等轴重 27t、30t 的 100km/h 转向架小批量应用，大秦线专用铁路货车开始采用 120-1 型空气控制阀、16 型和 17 型高强度车钩、不锈钢或铝合金车体等。

　　截至 2020 年底，我国铁路营运里程达到 14.63 万 km，铁路货车拥有量达到 91.2 万辆。铁路货运量逐年增加，货运总发出量于 2020 年达到 455236 万 t。目前我国铁路货车实行以计划预防修为主、状态修为辅的检修制度，很好地保证了货车在客货共线、提速重载客观条件下的运用安全，但同时存在着过度修和不足修的问题。随着货车大规模提速改造的全面完成和新型货车的投入使用，特别是铁路货车技术管理信息系统（HMIS）的功能不断拓展，修程的数量大幅度减少，修程的时间间隔或里程间隔大幅度延长，推进检修制度的改革势在必行。但我国铁路货物运输的现状是：①新型和旧型货车及其相配套的技术同时在使用，并且这种并存的情况将长期存在；②铁路运输能力紧张，对运输秩序和铁路货车使用效率的要求不可能降低；③货车的检修成本不会也不应该随修程数量的减少和时间间隔的延长而增加。因此需要逐步实施更为科学合理的检修制度。

随着移动互联网、大数据、云计算、物联网、人工智能等信息技术的快速发展，基于可靠性和系统安全理论、状态检测、故障预测与健康管理、以可靠性为中心的维修制度，状态修技术逐渐在轨道交通领域萌芽、发展，我国铁路货车已基本具备根据货车车辆技术状态综合其剩余寿命进行车辆状态修的条件。通过开展铁路货车状态修研究，可以实现车辆技术状态、零部件寿命管理及追溯、车辆生产调度指挥的可视化管理，完成对车辆检修与运用期间数据的综合管理与研判，实现车辆技术状态的实时监测与识别、智能评判与精准修理，突破目前我国铁路货车基于计划的定期检修方式，提高维修的经济性与可靠性，满足铁路运输行业快速发展需要与运输安全需求。

"铁路货车状态修实践研究丛书"共有三辑，本书作为第一辑，比较全面、系统地介绍高速重载货车状态修体系的基本概念、基础理论和实践路线，以基本概念为主，力求理论联系实际，抓住典型案例进行方法与实践解剖。本书力争重点突出、内容新颖、叙述全面，不但可以作为交通运输学科的专业教科书，而且是一本铁路货车运用、检修、管理人员和机车车辆工程技术人员的实用参考书。

全书共 8 章，第 1 章介绍铁路货物运输与铁路货车的基本情况，以及货车检修的必要性，展示世界各国在铁路货车维修管理方面的概况，进而引出我国铁路货车检修制度发展历程与现状，并分析货车检修技术的发展需求。第 2 章阐述铁路货车状态修的基本含义，提出状态修的基本原则，根据我国铁路货车运营与管理实际情况，构建铁路货车状态修体系，并说明实施状态修的优越性。第 3 章基于状态修需求重新划分铁路货车零部件类型，并进行零部件动态性能模拟和安全限值分析，介绍零部件失效规律分析和剩余寿命预测的方法，同时阐述状态修体系下货车零部件寿命管理方法。第 4 章介绍铁路货车状态性能监测系统，包括既有的监测系统和新增监测系统，详细说明铁路货车状态性能监测与识别方法。第 5 章总结铁路货车状态修工艺规程制定的依据与原则，介绍铁路货车状态修总体工艺规程与技术标准，展示铁路货车状态修基础设施布局，构建铁路货车状态修生产管理体系。第 6 章介绍铁路货车状态修综合评价与系统决策方法，建立铁路货车运行状态性能评分模型和状态修修程判别模型。第 7 章阐述铁路货车状态修信息化建设思路和方法，分析铁路货车状态数据与信息流，构建铁路货车状态修信息系统和自学习优化体系。第 8 章介绍国能集团铁路货车状态修实践情况，分析状态修在实际应用中的综合效益，并探讨未来铁路货车检修制度的发展趋势。

本书的出版得到了诸多的支持和帮助。首先要感谢国能集团对开展和实施铁路货车状态修的大力支持，中车齐齐哈尔车辆有限公司、中车长江车辆有限公司、北京京天威科技发展有限公司在状态修实践中的贡献，北京交通大学、西南交通大学在探索状态修基础理论方面的贡献，以及中国铁道科学研究院集团有限公司对开展铁路货车状态修试验的支持。特别感谢西南交通大学张卫华教授为本书贡献了智慧与指导。感谢北京交通大学史红梅教授、蒋增强教授、崔永梅教授,西南交通大学王开云研究员、康国政教授、曾京教授,以及其他参加铁路货车状态修项目研究的老师、研究生以及工程师,他们的研究成果极大地丰富了本书的内容,本书的成稿也是他们共同努力的结果。最后要衷心感谢科学出版社的领导和编辑,是他们的直接支持和辛勤工作促成了本书的及时出版。

铁路货车状态修体系形成时间还不长,还需要在实践中不断完善,限于作者水平,书稿并没有达到预期的要求,希望在以后的工作中逐步完善。如此种种,肤浅和粗糙之处敬请同行多多指教,书中疏漏或不足之处也敬请广大读者批评指正。

目　录

第 *1* 章

绪　论

1.1　铁路货物运输与铁路货车

1.1.1　铁路货物运输

　　铁路货物运输是指利用机车、车辆等技术设备沿铺设轨道运行的货物运输方式[1]，铁路货物运输是现代运输的重要组成部分，在我国现阶段的综合运输网中起着主导作用，被认为是我国国民经济的大动脉，担负着主要的货物运输任务。

　　铁路运输生产过程的主要内容，就货物运输而论是利用线路、机车、车辆等技术设备，将原料或产品以列车方式从一个生产地点运送到另一个生产地点或消费地点。在运送过程中，必须进行装车站的发送作业、途中运行以及卸车站的终到作业。为了加速货物运送和更合理地运用铁路技术设备，在运送途中有时还须进行列车的改编作业。为了保证装车需要，卸后空车也应及时回送到装车站。铁路货物运输生产过程可简要地用图 1.1 表示[2]。

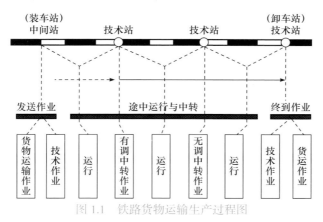

图 1.1　铁路货物运输生产过程图

1. 铁路货物运输的优缺点

与其他运输方式相比，铁路货物运输具有以下优缺点。

1）铁路货物运输的优点

铁路货物运输的优点如下：

（1）运输能力大，适合于大批量低值商品的中、长距离运输，单车装载量大，在运输能力方面，铁路货物运输能力远远超过公路货物运输，仅次于水路运输。

（2）运行车速快，在五种基本货物运输方式，即公路货物运输、铁路货物运输、水路货物运输、航空货物运输、管道货物运输中，铁路货物运输平均车速排第二位，仅次于航空货物运输。

（3）气候限制小，铁路货物运输由于具有高度导向性，受气候和自然条件影响较小，能保证运行的经常性和持续性。

（4）通用性好，由于车辆类型较多，可承运不同类型的商品，几乎可以不受重量和容积的限制，并可实现驮背运输、集装箱运输及多式联运。

（5）环境污染小，尤其是电力机车，不烧煤、不燃油、不污染空气；由于车辆机械运行阻力小，运输重量大，能源消耗量低，所以运输价格较低。

2）铁路货物运输的缺点

铁路货物运输的缺点如下：

（1）固定成本高，由于铁路线路的专用性，原始投资较大，建设周期较长，占用固定资产多，投资风险也相对较高。

（2）周转时间长，铁路按列车组织运行，在运输过程经过车辆装卸、列车编解、中转作业等许多环节，一方面会增加货损率，另一方面会延长周转时间。

（3）运输灵活性差，受轨道线路限制，通常需要依靠其他运输方式配合完成运输任务，难以实现"门到门"运输。

（4）设备维修不易，铁路货物运输设备十分庞大，机车、车辆、线路、站场、信号、供电等设备结构复杂、类型繁多、标准不同、服役环境不同，不易维修。

2. 铁路货物运输的类别

铁路货物运输具有运量大、运价低、全天候、安全、环保、路网站点分布广等特点。根据托运人托运货物的重量、体积、形状和性质等条件，铁路货物运输的形式可分为整车运输、零担运输、集装箱运输等多种货运服务[3]。

1）整车运输

整车运输是指根据一批货物的重量、体积、形状或性质需要一辆最低标记载重量及其以上货车运输的货物运输。整车运输是铁路货物运输的主要运输方式，在铁路总货运量中整车货运量所占比重最大。按整车托运的一批货物，除整车分卸外，还要求货物的托运人、收货人、发站、到站和装卸地点必须相同。并规定以下 7 类货物必须按整车托运：①需要冷藏、保温或加温运输的货物；②不易计算件数的货物；③蜜蜂；④某些危险货物；⑤易污染其他货物的污秽品；⑥未装容器的活动物；⑦单件质量超过 2t、体积超过 3m³ 或长度超过 9m 的货物。上述除①②③项的货物外，其数量不够一车，如托运人要求将同一路径上 2 个或 3 个到站在站内卸车的货物装在同一车内，做一批运输时，可按整车分卸托运。标准轨与米轨铁路之间只办理整车货物的直通运输，其一批货物的质量或体积应符合下列要求：重质货物质量为 30t、50t、60t；轻浮货物体积为 60m³、95m³、115m³。并规定不承运鲜活货物及需要冷藏、保温或加温运输的货物，罐车运输的货物，以及单件质量超过 5t、长度超过 16m 或体积超过米轨装载界限的货物。

2）零担运输

零担运输是指托运一批次货物数量较少、装不足或者占用一节货车车皮进行运输在经济上不合算，而由运输部门安排和其他托运货物拼装后进行运输。为了便于装卸、交接和保管，提高作业效率和货物安全，除应按整车办理的货物，针对单件体积最小不得小于 0.02m³（单件质量在 10kg 以上的除外），每批不超过 300 件的货物，均可按零担运输办理；而针对批量零散货物快运品类，一批质量不足 30t 且体积不足 60m³ 的货物，可按零散货物快运办理；对于非批量零散货物快运品类的货物，不足整车时，可按零散货物快运办理。

3）集装箱运输

使用集装箱运送货物或运输空集装箱，称为集装箱运输，多用于运输精密、贵重、易损的货物。集装箱运输具有标准化程度高、装卸作业快、货物安全性好、交接方便等技术优势，是多式联运的主要方式，也是中国铁路货物运输的重点发展方向。铁路集装箱运输类型包括铁水联运、国际联运、内陆铁公联运等，可为托运人提供"门到门"运输和全程物流服务，主要方式有集装箱定期直达列车和集装箱专用列车。

3. 中国货物运输及铁路货运

改革开放以来，我国经济快速发展，其中运输业发展成果显著。根据国家统计局 2021 年 2 月 28 日发布的《中华人民共和国 2020 年国民经济和社会发展统计公报》，2020 年我国货物运输总量 463 亿 t，货物运输周转量 196618 亿 t·km。其中铁路货物运输总量 44.6 亿 t，比 2019 年增长 3.2%，铁路货物运输周转量为 30371.8 亿 t·km。

在我国，经由铁路运送的货物类型中，煤炭为最重要的货物。盛产煤炭的地区位于西北和华北地区，包括山西省、陕西省及内蒙古自治区（西部、中部）等，而缺煤地区则位于东部和南部。根据"西煤东运"战略，我国有三个主要运煤通道，即北通道、中通道及南通道。在这三条运煤通道的铁路中，北通道的大秦铁路及朔黄铁路占据重要地位，原因是这两条铁路的货物运输量高，也配有相应的港口进行运煤支援。2019 年，大秦铁路的货物运输量最高，达到 43100 万 t。2019年，朔黄铁路货运量达 31600 万 t。

2021 年上半年国家铁路煤炭运量完成 9.61 亿 t，同比增长 12.4%。其中，浩吉、唐包、瓦日、大秦铁路煤炭运量分别同比增长 163%、54%、43%、11.5%。国家铁路煤炭、电煤日均装车 7.6 万辆车和 4.9 万辆车，分别同比增长 12.9%、19.4%。

随着高速铁路的发展及高速列车的普及，中国客运铁路运输已逐步转向高速铁路。这显示普速铁路的运力将逐步释放至铁路货运。此外，随着普速铁路更专注于铁路货物运输，客货混合运输将会逐步淘汰，这将进一步提高总货物运输效率，并增加总货物运输量。

1.1.2　铁路货物运输载体——铁路货车

货物运输是铁路运输的重要组成部分，将铁路上用于载运货物的车辆统称为铁路货车。为满足不同运输要求，出现多种不同结构类型的铁路货车，但基本特点和基本结构变化不大。

1. 铁路货车的种类

铁路货物运输的方式有很多，货物性质不同，在运送中的要求也不一样。为了适应货物的这些不同要求，装运货物的车辆分为通用货车、专用货车和特种货车[4]。

1）通用货车

通用货车适用于运输多种货物，包括下列几种：

（1）敞车。具有端墙、侧墙而无车顶的货车，该车型主要用于装运不怕日晒、不畏风雨的货物，供运送煤炭、矿石、矿建物资、木材、钢材等大宗货物使用，也可用来运送重量不大的机械设备。

（2）棚车。有侧墙、端墙、地板和车顶，在侧墙上有门和窗，用于运送怕日晒、雨淋、雪侵的货物，包括各种粮谷、日用工业品及贵重仪器设备等。

（3）平车。车体为一平板或设有活动的矮侧墙板和端墙板，可以当砂石车用。在装运长大货物时，可将侧墙板和端墙板翻下，主要用于装运重量、体积和长度较大的货物，包括木材、钢轨、汽车等机械设备。

2）专用货车

专用货车专供运送某些种类的货物，包括下列几种：

（1）罐车。车体呈罐形，专门用于装载液体状态的货物，也有少数用于装载粉状货物，按用途可分为轻油类罐车、黏油类罐车、酸碱类罐车、液化类罐车和粉状货物罐车。

（2）冷藏车。车体夹层装有隔热材料，车内装有冷却和加温装置，使车内能保持所需的温度，车体外部涂以银灰色，对阳光起反射作用，减少太阳辐射热传入车内，供装运易腐货物，如鲜鱼、肉类、水果、蔬菜等。冷藏车又称为保温车。

（3）煤车。车体一般与敞车相似，为装车方便设有各种结构不同的车门，如底开门等，可装运煤、焦炭、矿石等。

（4）砂石车。专供装运砂石、碎石使用，设有高度 0.8m 以下的车墙。

（5）矿石车。专供运送各种矿石使用。

（6）长大货物车。铁路运输中使用的一种特殊平车，供装运各种超长、超重和超限的货物使用，一般载重 90t 以上，长度在 19m 以上。

（7）其他。包括家畜车、水泥车、粮食车、通风车、活鱼车、守车、毒品车、特种车和集装箱专用车等。

3）特种货车

特种货车是供特种用途使用的车辆，包括下列几种：

（1）救援车。专供列车发生颠覆事故时，排除故障及修复线路使用。

（2）检衡车。供检查铁路上地秤的性能，地秤是测量车辆重量的设备。

（3）发电车。专供发电用，是能在铁路线路上流动的发电厂。

（4）除雪车。用于清除铁道上的积雪。

2. 铁路货车的基本特点

1）车辆可编组

铁路货车可以编组、连挂成组运行，在实际运营中，也可能有不同车型的货车进行混编的情况，以更好地实现货物运输与货车能力的平衡匹配，提高运输能力；装有牵引杆装置的铁路货车，车辆间通过牵引杆装置连接固定一组车辆，形成固定车组，固定车组有两辆一组、三辆一组、五辆一组等，便于在运营过程中快速高效地进行卸载作业。

2）车辆结构多样化

铁路货车按其用途不同，可分为通用货车和专用货车。通用货车是装运普通货物的车辆，货物类型大多不固定，也无特殊要求，车辆结构较为相似，铁路货车中这类货车占比较高，有敞车、平车、棚车等。专用货车一般是指只运送一种或很少几种货物的车辆，用途比较单一，大多以通用货车样式制造，对于特殊货物根据用途不同进行结构调整。专用货车有时在铁路上的运营方式也比较特别，如固定编组、专列运行。专用货车一般有保温车、罐车、集装箱专用车、长大货物车、毒品车、家畜车、水泥车、粮食车和矿石车等，多结构多类型的铁路货车满足了不同货物的运输要求。

3）严格的货物外形尺寸限制

铁路货车只能在规定的线路上行驶，无法像其他车辆那样主动避让靠近它的障碍物，因此需要制定限界，严格限制车辆及货物的外形尺寸以确保运行安全，以适应铁路的机车车辆限界，确保运行安全。

3. 铁路货车的基本结构

铁路货车发展至今，由于不同用途及运输条件，出现了各式各样的类型与结构，以满足不同的运输需求。车辆的种类虽然很多，结构却大同小异，主要在于车辆外形结构有所不同，但基本结构相差不大。一般来说，铁路货车的基本结构由车体和车底架、走行部、制动装置、车钩缓冲装置以及车辆附属设施五大部分组成[5]。

1）车体和车底架

车体一般和车底架构成一个整体，支撑在转向架上，其结构与车辆用途有关。车体钢结构是货车底架、侧墙、端墙、车顶钢结构的总称。

车体的主要功能是装载运输对象和整备品，也是安装与连接其他组成部分的基础。车体结构承载车体自重、载重、整备重量，由于轮轨冲击和簧上振动而产生的垂直动载荷，列车起动、变速、上下坡道时所产生的牵引和压缩冲击力等纵向载荷，以及包括风力、离心力、货物对侧壁的压力等侧向载荷。

车底架作为车体的重要组成部分，是由各种纵向和横向钢梁组成的长方形构架，承受车体以及装载的货物重量，并通过上下心盘将重量传递给走行部。在列车运行时，它还承受机车牵引力和列车运行中所引起的各种冲击力及其他外力。所以，车底架必须具有足够的强度和刚度，才能坚固耐用。

2）走行部

走行部介于车体与钢轨之间，引导车辆沿轨道行驶，承受来自车体及线路的各种载荷并缓和动作用力，是保证车辆运行品质的关键部件。走行部一般又称为转向架。通常货车转向架主要由轮对、侧架和摇枕、轴箱装置、弹簧减振装置、基础制动装置组成。

3）制动装置

制动装置是保证列车准确停车及安全运行必不可少的装置。为克服列车的惯性，保证运行中的车辆按需要减速或在规定的距离内停车，在车辆上安装制动装置，以提高制动力，减少制动过程中的纵向冲击力。铁路货车通常采用空气制动装置，在一些长大编组或速度较高的铁路货车上，有时采用电空制动装置减少纵向冲击力，同时可提高制动一致性。此外，车辆上还设有手制动装置，用于编组、调车作业时人力制动和调速。

4）车钩缓冲装置

车钩缓冲装置是用于使车辆与车辆、机车与车辆相互连挂，传递牵引力、制动力并缓和纵向冲击力的车辆部件。它由车钩、缓冲器、钩尾框、从板等组成一个整体，安装于车底架构端的牵引梁内，简称为钩缓装置或钩缓。

（1）车钩。它是用来实现机车和车辆或车辆和车辆之间的连挂，传递牵引力及冲击力，并使车辆之间保持一定距离的车辆部件。车钩按开启方式分为上作用式及下作用式两种。

（2）缓冲器。它用来缓和列车在运行中由于机车牵引力的变化或在起动、制动及调车作业时车辆相互碰撞而引起的纵向冲击和振动。缓冲器有耗散车辆之间冲击和振动的功能，从而减轻对车体结构和装载货物的破坏作用。一般缓冲器可分为摩擦式缓冲器、橡胶式缓冲器和液压缓冲器等。

5）车辆附属设施

一些能良好地为运输对象提供某种服务而设于车体内或车体上的装置统称为车辆附属设施。铁路货车由于类型和用途不同，附属设施也千差万别，如棚车中为运送大牲畜和人员所设的拴马环、床托等，保温车的制冷机组及电气设备，罐车下卸阀、人孔及人孔盖等。

4. 中国铁路货车基本现状

根据国家统计局公布的数据，2014～2019 年中国铁路货车拥有量总体保持增长趋势，2019 年中国铁路货车拥有量 877134 辆，比 2018 年增加 37921 辆。铁路货车产量上，2019 年中国铁路货车产量为 60330 辆。从进出口数量来看，中国铁道及电车道非机动有棚及无棚货车出口量远远大于进口量，2019 年中国铁道及电车道非机动有棚及无棚货车进口数量 3 辆，出口数量 5607 辆；2020 年 1～11 月中国铁道及电车道非机动有棚及无棚货车进口数量 18 辆，出口数量 4415 辆。目前铁路货车面临着激烈的市场竞争，在提高服务质量的同时，需要进一步降低运营成本，这样才能有效地提高市场竞争力，获得长久发展。

重载铁路可以充分发挥铁路在大宗货物运输中的优势，是实现交通运输高质量发展的重要途径。其发展目标是提高重载技术和设施设备水平，优化重载铁路集疏运组织模式。近年来，我国重载铁路呈现格局调整变化、需求集中程度增加、集疏运衔接优化、服务质量显著提高等新变化，对重载铁路集疏运提出了更高的要求。

1.2 铁路货车检修

高效、经济、稳定地提供铁路货物运输，成为全球铁路行业共同的目标，而围绕货车车辆维修制度的革新，各国都依据自身国情进行了一段较长时间的摸索和探讨，形成适合自身的检修模式，其最终目的都是利用最小的经济代价，换取最高的车辆运行品质和车辆运输效率。

1.2.1　铁路货车检修的必要性

1. 保持铁路货车运输能力

铁路货车运行的平稳性直接关系到货物运输的质量。合理的维修计划不仅可以消除零部件的未知故障或潜在危害，而且能够及时进行故障维修，从根本上杜绝安全隐患，使铁路货车运行系统始终保持在高度平稳的状态，在完成货物运输量的同时保证运输服务质量。

2. 提高铁路货车零部件可靠性

零部件在铁路货车载荷的反复作用，以及运营环境、设备老化等因素的影响下，随着时间的推移状态逐渐退化，可靠性不断下降，失效概率明显升高。通过有计划的维修活动可以恢复零部件的运行条件，延长各零部件使用寿命，防止故障发生。因此，制订合理的维修计划可以有效地提高零部件的可靠性。

3. 保证铁路货车安全运行

检修工作是铁路货车安全运行的重要保障。在现实工作中，车辆的检修工作与安全运营密不可分，检修工作中每一环节的疏漏都可能导致安全事故，造成重大伤亡。应科学分析零部件磨损及失效规律、评价零部件可靠性、评估健康状态、确定安全阈值、预测剩余寿命，并提升车辆动态、静态监测和检测技术，快速识别故障位置，及时做出合理有效的检修决策，实现车辆快速的专项治理，以保证铁路运输的安全性。

1.2.2　铁路货车的主要检修模式及特点

纵观全球，各国在铁路运营和货车检修管理方面都因国情和技术能力不同而存在各种差异。美国货车早期采用"日常检查、状态检修"，即基于状态的检修模式，后逐渐改变为以状态为主、兼顾时间的检修模式；俄罗斯货车早期采用"预防性计划修"的检修模式，20世纪末开始逐渐向基于实际运行里程的检修模式过渡；澳大利亚（三大矿业公司）、加拿大、南非的货车主要采用以状态为主、兼顾时间的"定期检查、状态检修"的检修模式，个别企业（澳大利亚PN公司）采用基于时间的"预防性计划修"检修模式。世界货运发达国家的发展经验表明，按运行里程有计划地实施状态修是铁路货车检修制度发展的主要方向[6]。

1. 美国铁路货车车辆检修模式及特点

1）美国铁路货车车辆检修模式

美国由于其经济发达程度高，拥有高度发达的高速公路网和航空网络，铁路运输主要承担货物运输，且采用私有化经营，所有的货车车辆都属于各私营铁路公司所有。各铁路货运公司拥有或租赁车辆，车辆采用由下属的车辆检修厂段负责或委外维修的模式。

总体来说，美国铁路货车的检修制度是在预防计划修的总前提下，以状态修为主的一种检修方式。除专用车辆和用于货物专列的车辆实行定期检修，其他车辆均在车辆通过大的车站、编组站或装卸作业点时，由列检人员现场检查确认车辆技术状态，按照文件的规定来决定是否甩车进行入库检修。检修过程一般分为重造、大修、厂做小修、段做小修四个修程以及日常维修作业。

（1）重造：该修程一般在原制造厂进行，属于在车辆寿命中期的一次全面恢复性修理。

（2）大修：车辆大修在专门的大修厂进行，大修作业的主要内容是提高车辆的技术等级，即对车辆大部分零部件进行换件修理，保证运行品质。同时，发生事故的车辆也在车辆大修厂进行大修处理。

（3）小修：车辆小修分为厂做小修和段做小修两类，主要是按照单次检修工作时间进行区分。小修的主要内容包含更换主要零部件如闸瓦、车钩、缓冲器、制动梁、各类拉杆等，检修空气制动系统，更换或补修车体钢结构部分等。

（4）日常维修：日常维修工作也由各列检负责，一般 1600km 进行一次检查。

2）美国铁路货车车辆检修主要特点

美国是率先开展状态修的国家，铁路货车采用状态修为主、状态修与定期修相结合的检修制度，按车辆的运行状态和服役情况确定是否需要维修。美国的铁路货车车辆检修制度，从管理和分工上，建立了一套完整的体系。

（1）集中化管理：维修中的一切重大问题由公司总部统一决策，权力高度集中，主要表现在生产计划集中管理、维修政策统一制定、货车运行集中调度、修理布局高度集中、技术管理相对集中、人员工资统一管理。

（2）专业化分工：美国铁路货车检修体系以提高公司总效益为前提，严格实行专业化分工，主要表现在厂段维修专业化、运用与维修解体、机务段只管维修不管运用、主要零部件生产和修理专业化。

（3）合理化制度：美国铁路货车检修广泛实行状态修、换件修和主要零部件的集中修相结合的检修制度，保证车辆运行品质。

2. 俄罗斯铁路货车车辆检修模式及特点

1）俄罗斯铁路货车车辆检修模式

俄罗斯拥有在世界上仅次于美国的铁路运输网络，铁路是俄罗斯的主要运输方式之一，承担着俄罗斯全国约 80% 的货物运输及 35% 的旅客运输任务，俄罗斯通过不断深化铁路改革，在铁路运营管理上取得了比较大的突破。

俄罗斯现行货车车辆检修分为计划修和日常维修，计划修按照维修程度分为大修和段修，日常维修主要是列检作业场的列车检查。由于实施按照运行里程的计划修制度，对各级修程也有不同的规定：

（1）对于新造车以及延长使用期的大修后的车辆，其下一次计划修里程规定为 21 万 km，但同时规定其运用时间不超过 36 个月，即在 36 个月后，无论运行里程是否达到定额的 21 万 km，均需进行下一次计划修。

（2）对于大修后的车辆，其下一次计划修里程规定为 16 万 km，但车辆运用时间不允许超过 24 个月。

（3）对于段修后的车辆，其下一次计划修里程规定为 10 万 km（其中特别规定敞车为 11 万 km，整修平车为 12 万 km），车辆运用时间同样规定为不允许超过 24 个月。

（4）对于运用过程中的重车达到计划修里程时，允许其超过定额的走行里程 1 万 km 再进行计划修。对于超定额运行的重车，车辆检车员有权利随时将存在故障的车辆暂停使用，并要求倒装后送修。若经过检查确认车辆能够在超运行公里数范围内安全运达卸车地点，则将该车辆划为不良车辆，并报请上级信息管理中心，当车辆到站后立即安排扣车进行计划修理。

2）俄罗斯铁路货车车辆检修主要特点

俄罗斯铁路货车车辆检修主要特点如下：

（1）检修合理化。通过多年的试验和实践，俄罗斯的铁路货车车辆检修制度已经从传统的按照时限修理改革为按照实际运行里程的检修制度，这种改变，使得达到计划修的车辆，其磨损程度及修复所需工作量基本保持在一个水平范围内，使得车辆检修成本基本趋于合理状态。

（2）检修及时化。通过采用庞大而先进的货车检修信息管理制度，配合车载及轨边车辆检测仪器，实现对车辆的数据跟踪，并通过信息网络实现提前下达检修作业计划，避免重车倒装作业，保障运用车的使用效率。

3. 澳大利亚铁路货车车辆检修模式及特点

1）澳大利亚铁路货车车辆检修模式

澳大利亚铁路货车车辆检修模式主要分为两类：以西澳三大矿业公司为代表，

铁路货车主要采用状态修的检修制度；以昆士兰铁路为代表，铁路货车主要采用定期修的检修制度。

（1）西澳三大矿业公司——状态修。澳大利亚 FMG、力拓和 BHP 三大矿业公司的铁路货车是车辆固定编组的形式，广泛采用定期检查、状态修的检修模式，即检修周期是一定的，检修内容看状态。

FMG 公司：车辆每 18 个月进一次检修车间，除车轮必须镟修，其他零部件实行状态修，需修理的零部件以换件修为主。由于 FMG 公司车辆运用时间比较短，目前还没有制订主要零部件（轴承、旁承、轴箱橡胶垫）的定期检修更换计划。

力拓公司：车轮 2 年镟修一次；轴承 4 年更换一次；弹性旁承体和心盘磨耗垫 6 年更换一次；10～12 年进行车辆大修。

BHP 公司：实行状态修的零部件主要包括车钩、钩尾框、钩舌、转向架。车辆运行约 18.7 万 km 进检修车间，进行车轮镟修，车钩、钩尾框、制动装置等检修工作，轴承更换周期约 80 个月。

（2）昆士兰铁路公司——定期修。昆士兰铁路公司运煤车一般为固定编组的形式，采用车辆定期检修模式，分为 L1、L2、L3 三级修程。

L1 修程：车辆每 8 个月进行 1 次不解体的全面检查修，主要检查内容包括钩舌裂纹、车轮踏面擦伤、缓冲器损坏、制动系统漏泄、更换闸瓦等。

L2 修程：车辆每 2 年进行 1 次入库检修，要将转向架与车体分离，对上下心盘、旁承等部位进行检修，对钩缓装置以及上下心盘等重点零部件进行磁粉探伤检查，对于不能短时间完成修理的零部件予以换件修。

L3 修程：车辆每 8 年进行 1 次彻底的检查（即大修），工作范围包括以下内容，即车体部分主要检查制动装置有无漏泄，转向架部分根据检查情况更换到限的摩擦减振器及配套侧架立柱磨耗板、摇枕斜面磨耗板，更换到限的心盘磨耗垫、承载鞍顶面磨耗板、滑槽磨耗板、闸瓦等，检查摇枕、侧架、车钩等大铸件有无裂纹并进行相应处理。

2）澳大利亚铁路货车车辆检修主要特点

澳大利亚铁路货车车辆检修主要特点如下：

（1）以车辆技术状态良好为前提。通过监测系统准确识别车辆运用状态，保证运用安全，通过定期检查集中识别零部件确定需要修理的部位。

（2）以零部件寿命管理为依托。零部件使用可靠、性能稳定是实施状态修的基础，通过零部件的寿命管理保证车辆运用性能。

（3）以及时性换件修为核心。对于达到使用寿命及状态不良的零部件进行换件修，快速修复车辆，缩短修理时间。

（4）以专业化集中修为保障。对转向架、钩缓装置、制动装置的关键零部件实行专业化集中修，保证修复质量。

（5）以健康信息系统为支撑。自动收集车辆的运用状态数据，自动预警不良状态，实时掌握车辆健康状态，不断优化检修程序。

1.3 我国铁路货车检修制度

1.3.1 我国铁路货车检修制度发展历程

我国铁路货车目前采用客货共线、无配属管理，大秦线专用货车实施配属管理。我国铁路货车的检修制度先后经历了五个阶段。

第一阶段：1949～1951 年，采取"修养并重，预防为主"的定期检修制度，按时间分为一般检查（36 个月）、甲种检查（18 个月）、乙种检查（6 个月）、丙种检查（60 天）四级定期修和列检检查（停车即检查）。该阶段主要受车轴润滑等技术结构和检修理念的限制，最短的定期检修间隔只有 60 天。

第二阶段：1952～1964 年，借鉴苏联铁路的检修制度，并结合我国铁路货车及厂段设备的具体情况，分为大修（8～12 年）、中修（4～6 年）、年修（1～2年）、制动检查（6 个月）、轴箱检查（3 个月）五级定期修和列检检查（50～100km），最短的定期检修间隔只有 3 个月，从各修程的检修范围来看，重叠严重，存在大量"过剩修"。

第三阶段：1965～1992 年，铁路货车修程设置分为厂修（4～5 年）、段修（1年）、辅修（6 个月）和轴检（3 个月）四级定期修和列检检查（100km 左右），从各级修程的检修范围和内容上来看，分工趋于合理，但检修频次高和修理不彻底的问题仍然突出。

第四阶段：1993～2004 年，主要实行"日常检查、定期检修"相结合的计划性预防修，修程主要包括厂修、段修、列车日常检查及临修。60t 级通用货车检修周期规定为段修 1 年或 1.5 年，厂修 5 年或 9 年。我国铁路货车修程设置逐渐趋于科学合理。

第五阶段：2005 年至今，2005 年 3 月 1 日起，新造铁路货车取消辅修修程，运用铁路货车在厂修、段修后陆续取消了辅修修程。目前，我国绝大多数铁路货车实行厂修、段修两级定期修和列检、临修相结合的检修制度。新一代 70t 级货车逐渐将段修周期延长至 2 年，厂修周期 8 年。

1.3.2 我国铁路货车检修现状

1. 铁路货车现行检修模式

现行的铁路货车检修制度以计划预防修为主，计划预防修是一种预防车辆发生故障的检修制度，其依据车辆主要零部件的使用寿命和失效规律，基于时间标准制定合适的修理修程，在发生故障前就对车辆进行修理。计划预防修是一种强制性的检修制度，不管车辆技术状态如何，只要到了维修时间或里程，都必须强制修理，这样有助于掌控修理时间和修理计划，也有利于统一组织管理工作，主要包含定期检修、按走行里程检修和日常维修。

1）定期检修

定期检修就是按照规定的检修时限，货车车辆每达到检修周期，就对车辆进行全部或部分的分解检修。主要是在车辆发生故障前，对车辆进行分解、检测、维修，消除各类故障隐患，属于事前修范畴。

（1）厂修。货车车辆的厂修修程通常在各车辆制造、维修工厂进行，对于满足检修条件的车辆段也允许实施入段厂修作业。厂修作业的主要内容是对车辆进行全面分解、检测和维修作业，全面恢复货车车辆的技术状态，达到接近新造车辆的要求。货车车辆厂修周期一般为 4 个段修周期。

（2）段修。货车车辆的段修一般在全路各货车车辆段的检修车间进行，目前也有部分车辆造修工厂承担了货车段修任务。段修作业的主要内容是对车辆进行全面检查，对主要零部件进行分解、检测和维修作业，着重对车辆钩缓装置、制动装置、走行部进行检修，保证车辆在到达下一个检修修程之前运用状态良好，技术性能达标。货车车辆段修周期一般为 1 年、1.5 年和 2 年。

（3）辅修。货车车辆的辅修作业一般在靠近编组场的各站修作业场进行。辅修作业的主要内容是对车辆的制动装置、钩缓装置进行全面分解检修，对车辆走行部进行分解检查，对车辆进行全面检查，保证车辆在到达下一级修程前运用状态良好。自 2005 年起，铁路开始进行了辅修修制改革，目前除了部分特种车辆及未经过提速改造的车辆，其余铁路货车车辆均已经取消了辅修修程。

2）按走行里程检修

由于我国大秦铁路运煤专线上车辆编组、走行距离、车种车型等均基本固定，在部分大秦铁路运煤专用车中试点开展了按照走行里程的检修模式，其检修修程分为大修、全面检查修和重点检查修，各级修程的作业范围和内容基本与通用货车的厂修、段修、辅修相同。

3）日常维修

货车的日常维修主要有两大类：第一类是运用维修，主要由遍布在铁路沿线的各列检作业场来完成，作业内容是对到达、中转和始发的货车进行基本的车辆技术检查，发现和消除货车车辆在运用中出现的各类故障；第二类是临修作业，主要由各站修作业场完成，内容是针对在列检现场故障无法处理，而未达到定期维修周期的车辆，由列检作业人员按照要求办理摘车修程序，将故障车辆送入站修作业场进行维修，维修作业过程中主要是对列检发现的故障进行处理，保证车辆在剩余定检周期内的运行技术状态，按照全面检查、重点维修的原则对车辆进行维修。

2. 铁路货车现行检修模式的不足

我国铁路货车的检修模式以"日常检查、定期检修"的计划预防修为主，较好地适应了铁路运输"高效周转、安全第一"的发展要求。但随着车辆技术装备不断升级，车辆零部件使用寿命与可靠性的大幅度提升，现行的检修模式需要不断更新，主要存在以下几个方面的不足。

1）维修周期过短，在修时间偏长

在铁路货车寿命周期内存在四级修程，检修频次多、时间长，铁路货车在运、停、留、取等环节产生了许多无效运行和线路占用，造成使用效率和经济性不高。

2）"过剩修"和"不足修"大量存在

由于铁路货车的使用频率存在差异，各主要零部件的检修周期和使用寿命也存在差异，检修前各铁路货车的技术状态也不相同，导致使用率低的铁路货车不断重复无效检修，使用率高的铁路货车则带"病"运行。此外，新技术、新工艺、新材料的大量投入使用，使新型铁路货车及零部件的可靠性有了明显提高，但执行的却是与旧型零部件基本相同的检修制度和标准。

3）状态修、换件修和专业化集中修范围小

厂修铁路货车进厂后，不区分各个零部件的状态和寿命周期，一律大拆大卸，把其中状态良好的零部件过早解体甚至报废，造成资源浪费。

4）专业分工不细，检修质量不高

现有的检修制度造成各级检修单位大而全或小而全的情况，各种设备、工具应有尽有，不同车型、维修难易程度不同的零部件都按同一标准作业，造成设备资源浪费，工艺落实不到位，检修质量不高，间接增加了列检作业的范围和频次。

5）不符合铁路货车检修向技术监测、状态修的发展方向

列车的安全取决于技术状态最差的铁路货车，引起事故的往往就是在最差的铁路货车的最薄弱环节，但定期检修制度无法保证技术状态最差的铁路货车得到及时、合理的检修。

1.3.3　货车检修技术发展需求分析

随着科学技术的进步，各种新技术、新材料、新工艺、新装备大量应用，使得车辆性能得到不断改善，车辆零部件的使用寿命与可靠性得到大幅度提升，车辆检修技术和安全监控设施取得显著进步，原有的检修制度已不再适应快速发展

的运输要求。计划预防修中的各个修程大多基于时间标准制定，且强制执行，但每个车辆的使用频率不同，运行里程差异较大，运行条件也不尽相同，导致车辆检修与车辆技术状态不一致，造成检修工作的不及时或者浪费。

21 世纪以来，我国铁路货物运输技术显著提高，以重载铁路运输综合集成、系统创新为主要发展方向，开展了一系列技术创新，来实现铁路货物的运力提升、安全保障、铁路信息化和节能环保，以朔黄铁路为代表的重载运输技术体系已经进入世界先进行列。

目前铁路货车检修体系还存在着自动化、智能化水平不高的问题，铁路技术装备在检修运维方面的压力随着运量的增加和长编组大轴重重载列车的规模化而急剧上升，制约了铁路运输的进一步发展。因此，货车检修技术的发展势在必行，制定快、准、省的检修模式，是满足重载铁路货物运输需求的必然举措。

1. 检修足够“快”

构建智能化铁路货车检修系统，使整个编组、运输、检修过程达到可测、可控、可视、可响应，以最快速度检测故障、以最快速度识别故障、以最快速度检修故障，并以最快速度投入运行，实现智能感知、智能诊断、智能决策、协同互动。

2. 检修必须“准”

研制可进行状态检测并且具有自感知、自诊断、自决策能力的检测维修设备，达到铁路货车状态评估准确、故障定位精准和检修程度合理，综合保障铁路货车运用、检修、维护全过程的智能管理，提升检修效率。

3. 检修合理“省”

建立跨业务、跨职能的检修管理业务协同工作平台，合理分配人力、财力、物力、运力资源，实现省时间、省成本、省人力，力争达到综合周转率最优，优化资源配置。

随着铁路货车的快速发展，重载、提速技术的不断进步，相应的检修制度的逐步改善，现代检修技术的不断更新，零部件制造质量的显著提升，管理制度的逐步调整，铁路货车检修体系需要不断革新来适应我国铁路运输事业的快速发展，检修工作正在向规模化、集约化、自动化、智能化的状态修模式发展。

参 考 文 献

[1] 赵跃华. 运输管理实务[M]. 郑州: 河南科学技术出版社, 2009.
[2] 郑时德, 吴汉琳. 铁路行车组织[M]. 2 版. 北京: 中国铁道出版社, 1988.

[3] 金戈, 吕亚君. 运输管理[M]. 南京: 东南大学出版社, 2006.

[4] 孙明, 王学锋. 多式联运组织与管理[M]. 上海: 上海交通大学出版社, 2011.

[5] 严隽耄, 傅茂海. 车辆工程[M]. 3 版. 北京: 中国铁道出版社, 2012.

[6] 肖斌. 基于保障运输秩序的铁路货车维修机制优化研究[D]. 北京: 中国铁道科学研究院, 2015.

第 2 章

铁路货车状态修理论

2.1 铁路货车状态修基本含义

由于铁路货车车辆性能的不断提高，车辆检修技术和安全监控技术显著进步，原有的检修制度无法适应快速发展的运输要求。将状态修的理念逐步应用到铁路货车的检修中，可及时高效地进行铁路货车零部件的检修，并构建良好的铁路货物运输环境，更好地满足货物运输的需求。

2.1.1 铁路货车状态修的定义

铁路货车状态修是指运营单位以安全、可靠、环境、成本等为基础，根据铁路货车零部件具体状态，对铁路货车实施差异化的针对性检修，预防和减少铁路货车故障，提高铁路货车可靠性和利用率，延长使用寿命，降低铁路货车检修维护费用，改善铁路货车运行性能，提高铁路货车的经济效益。

2.1.2 铁路货车状态修的特点

从检修前的准备工作、检修中的现场工作到检修后的预防工作，状态修模式涉及检修的方方面面。当然，由于铁路货车自身的特点，铁路货车状态修有其特殊性。

铁路货车状态修的特点如下：

（1）状态修之前的准备工作——状态分析，充分利用监测和历史状态信息，进行系统可靠性分析和风险评估，最大限度地把握货车的实时状态，发现问题于萌芽状态，避免问题向严重化发展，依此制定合理的检修维护策略，提高货车运行可靠性。

（2）状态修之中的现场工作——车辆维修，利用车辆检测及监控装置，准确诊断零部件故障及位置，并进行故障预警，合理确定修理等级和检修范围，减小检修人员的现场定期检修和测量的工作量，有效降低运维成本。通过适当的维修来避免重要设备失效，保证零部件充分发挥效能，最大限度地减小过度修，避免不必要的拆、测、修、装等维修作业。

（3）状态修之后的预防工作——寿命管理，正确预测关键零部件的剩余寿命，评估车辆和零部件健康状态，提高货车零部件的最大可用性，从而更有效地存储和安排零部件储备量，节省大量备品经费，提高货车监督管理水平。

铁路货车状态修的特殊性如下：

（1）实施虚拟编组。为了提高运输能力，铁路货车通常编组、连挂成组运输货物，且通过车辆与机车、车辆与车辆间的钩缓装置可以实现列车的灵活编组。铁路货车运用频次不同，主要零部件的检修和寿命周期也存在很大差异，因此在铁路货车的状态修中首先需要对车辆进行虚拟编组，并对成组车辆进行管理和控制，尽量避免使用频率低的铁路货车重复检修，使用频率高的铁路货车检修不足。

（2）地面监测设备。铁路货车通常由一台或几台机车牵引几十辆或上百辆车辆成列运行，且牵引电机和电气设备全部布置在机车上。因此，铁路货车车辆无车载的采集和监测设备，主要采用地面监测设备和轨旁监测设备，只能通过地面监测数据和轨旁监测数据推演铁路货车零部件及系统性能状态。

（3）车辆结构简单。铁路货车结构简单，零部件大部分为钢材质，其间主要为刚性接触，摩擦环节多，服役环境复杂，导致零部件状态差异性大、性能不稳定，加大铁路货车状态修中最关键的一步——状态识别的难度，需要通过更加先进的手段来提高状态识别的精度。

（4）维修成本低。相比于铁路客车，铁路货车结构简单，维修方便，零部件结构简单，制造成本低，且维修周期长，因此铁路货车在进行状态修的过程中，也需要做到低成本维修，不可为了检修而检修，导致此消彼长，应平衡运输能力和维修费用，使综合周转率最优。

（5）零部件性能离散性大。铁路货车零部件众多，制造工艺简单，且运行服役环境复杂，导致零部件质量性能离散性大，性能一致性差，在铁路货车状态修中，针对关键零部件需要重点监控，避免木桶效应的出现，保证货车安全运行。

2.1.3　铁路货车状态修基本原则

1. 安全性原则

制定的修程应能保证车辆的技术性能满足运输发展需要，同时要保证车辆运行安全、运输畅通、运营高效。

2. 先进性原则

铁路货车状态修应符合运输管理特点，满足铁路货车修程修制的改革发展需要，具有先进性、科学性、引领性和权威性。

3. 精准性原则

应统筹兼顾寿命管理和健康综合评价两大要素，合理设置修程及修理等级，定期、批量恢复性能，体现状态修精准性、一致性、集中性的特点。

4. 经济性原则

修程设置应合理规划检、测、拆、探、修范围，减少过度修，实现少修车、快修车、多用车的目标，降低检修成本，提高运输效益。

2.2　铁路货车状态修体系

2.2.1　铁路货车状态修主要内容

铁路货车状态修是以零部件剩余寿命和失效规律为基础，集成创新零部件剩余寿命预测模型、失效规律判别模型、车辆运行状态的模拟仿真、零部件寿命管理、车辆运行状态在线准确监测、大数据采集存储应用、基于大数据的铁路货车状态监测维修系统、状态修策略及规程等关键技术，搭建管理网络化、信息集成化、决策科学化、诊断精准化的状态修技术平台，建立历史信息可追踪、修理信息可预测、综合安全可评估的全新车辆检修维护体系，建立重载铁路货车状态修行业标准，最终在重载铁路货车全面实施状态修，从而实现"实时监测、科学评判、精准修理、降低成本、加快周转、提高运输效益"的目标，引领铁路货车状态修修程修制改革发展方向。铁路货车状态修的具体内容包括五个方面：状态数据获取，零部件寿命预测与管理，状态修诊断、评价与决策，检修机制建设，信息系统建设。

1. 状态数据获取

列车状态数据的获取主要通过两条途径：一是通过车载监测系统获取车辆运行时的性能数据；二是通过追溯零部件初始化的基本信息，完善零部件结构参数、运行里程、使用年限、检修情况等数据。

为了更加有效地获取货车运行性能状态数据，需要在货车运行线路上装配若干套路边-轨下监测系统。传统货车监测系统包括红外线轴温监测系统（trace hotbox detection system，THDS）、货车滚动轴承早期故障轨边声学诊断系统（trackside acoustic detection system，TADS）、货车运行故障动态图像监测系统（trouble of moving freight car detection system，TFDS）和货车运行状态地面安全监测系统（truck performance detection system，TPDS）。随着智能监测技术的发展，多种类型的智能化轨边安全监控系统得以应用，如具备故障智能识别及安全报警功能的智能 TFDS，能够全方位对车辆进行拍摄、实现车辆入段预检、落成图像化验收及装卸车监控功能的全方位 TFDS，能够实时在线检测轮对外形尺寸与踏面损伤情况的轮对状态在线综合检测系统，车辆高速运行时对闸瓦尺寸进行拍摄和更换预警的闸瓦安全监测系统，可在曲线上检测货车通过动力学性能的曲线通过性能监测系统（C-TPDS）等。通过一系列车载及轨边安全监控系统的协同保障，构建一套智能化的车辆运行安全监控体系，结合线路既有监测系统布局进行设备布局调整与补充，形成符合状态修模式的检测设备布局方案，为后续减少人工技检、加强机检、全面实现状态修提供安全监控基础。

通过建立完整的电子化一列一档、一车一档、一件一档记录，为既有货车的装用零部件和新投入使用的零部件创建身份，完成状态修追溯零部件初始化的基础工作。初始化后对追溯零部件第一次建档是重要的信息起点，各项数据需要完整、准确、采集及时，第一次采集后若其他次修程需要对基本信息进行修改，则需要建立修改审批机制，保证追溯零部件数据的准确性。车辆首次转换为状态修时，需对车列、车辆、寿命追溯零部件进行初始化，车列初始化需要确认车次、辆序、黄标方向等信息。车辆初始化需确认车种车型、车号、同组车号、制造日期、制造单位、载重、自重、容积、换长黄标方向、车号自动识别系统（automatic equipment identification，AEI）安装位置等基本信息及运行里程信息。寿命追溯零部件初始化信息包括当前装车配件的唯一标识（identification，ID），装车车号、装车位数、制造时间、制造工厂、制造编号、型号、材质等。对库存旧件和新收入零部件需要初始化制造时间、制造工厂、制造编号、型号、材质等信息，同时需要绑定唯一标识标签。将初始化数据录入、上传至货车状态监测维修系统（information system of HuoChe condition based maintenance，HCCBM）形成完整的电子化一列一档、一车一档、一件一档记录。寿命追溯零部件在进入状态修修程时进行首次初始化，采集该零部件的基本信息，包括制造日期、制造单位、制造编号等，将其作为诊断模型的重要指标数据，对于首次初始化无法采集完整数据的零部件，则需要现场根据零部件实际情况完善信息，该数据初始化后不允许为空。

2. 零部件寿命预测与管理

铁路货车零部件各式各样，针对不同的零部件使用情况，采用不同的寿命预测方法：①历史使用寿命的统计。这种方法是建立在车辆零部件有完整的使用寿命样本的基础上，通过对样本分析，给出基于统计意义的不同可靠度下零部件的寿命，再根据已服役的时间进行寿命预测。②已知载荷和状态的预测。目前金属结构件的疲劳寿命预测已经比较成熟，关键是要准确掌握零部件的服役载荷，这样就可以通过不同运行条件下的载荷工况，进行零部件的全寿命预测，当然这同样是在不同可信度下的寿命预测值。有了全寿命和已经服役的时间（当然也可以是里程），就可以计算剩余寿命。③在途实测状态下的动态预测。对于寿命分散度大对行车安全又十分重要的零部件，如轴承，采用在途实时监测载荷（或者相关状态量）的条件下，进行动态的实时寿命预估，以实现更加准确的寿命评估。

零部件寿命管理的核心是采集货车状态监测维修系统中关键零部件的关键指标参数，实现信息化管理和大数据自我学习，提高车辆状态综合判别的准确性和科学性，实现零部件的动态管理机制，零部件寿命管理主要由三大模块组成：寿命管理决策支持系统、全寿命周期管理、故障预测与健康管理（prognostic and health management，PHM）。而对寿命进行管理前须对零部件进行寿命预测，常用到的预测方法有裂纹萌生寿命预测方法和裂纹扩展寿命预测方法。

3. 状态修诊断、评价与决策

状态修综合判别模型总体路线包括以下两个层次内容：一方面，依据铁路货车零部件失效规律和基于状态修的铁路货车零部件寿命管理体系，实现对全寿命零部件、使用寿命零部件的寿命管理，并对关键零部件进行剩余寿命预测；另一方面，依靠先进的车辆综合检测技术与装备体系，掌握车辆零部件技术状态，对车辆状态进行综合评估。将剩余寿命预测模型与车辆技术状态检测模型相融合，实现对零部件状态的综合评分，进而对车辆、车列进行评分，建立智能化的状态修诊断与决策信息系统，对车辆健康状态进行综合研判，指导修程的合理判定。

4. 检修机制建设

检修机制建设，应充分结合铁路货车检修、运用实际状况，综合考虑列车及车辆的不同技术状态，包括三部分内容：修程设置、检修工艺建设和检修方式构建。

1）修程设置

针对状态修修程，结合铁路货车检修运用实际状况，根据列车及车辆的不同技术状态，基于列车运行过程中车辆及零部件发生规律性和离散性故障特点，将修程设置为在线修、状态一修、状态二修、状态三修、状态四修五个修理等级，分别简称为在线修、Z1 修、Z2 修、Z3 修和 Z4 修；各修理等级的检修工艺能力的设定原则为：在线修关闭影响安全的故障，Z1 修关闭重要故障，Z2 修和 Z3 修保持车辆运行性能，Z4 修系统恢复车辆初始性能；状态修方式采用"全面检、单件修"和"全面检、批量换"的方式。

在线修主要是在线路条件下，对在线检测设施预报的故障进行确认和处置；Z1 修是在专用整备线上，对轮轴、制动装置、钩缓装置的零部件进行状态检查，更换闸瓦；Z2 修和 Z3 修在检修基地中进行，Z2 修以更换轮轴、钩舌和制动阀为主，Z3 修增加了寿命到期件的更换；Z4 修将转向架、制动装置、钩缓装置全部分解，采用修竣件重新组装。状态修的原则是各级修程的检修内容逐级递增，但原则上货车同一部位均执行统一的检修工艺与质量标准，各修程中更换下的零部件的修复则在目前检修工艺的基础上，采用更为高效的集中修模式。

2）检修工艺建设

状态修工艺是通过快速换件修，对需修理的零部件进行集中修复，从而达到快速修的目的。检修工艺的原则是快修、少修和适度检，根据铁路货车具体的运用特点，充分利用铁路沿线广泛应用的在线检测设施，按照状态修的要求对检修工艺措施进行提升。

快修不仅是单纯地提高具体零部件的修理速度，而且要提高整个检修作业的效率，除了开发新型的高效修理和换件设备，还在修理方式、修理内容上进行了创新。少修是在总结运用经验的基础上，识别出没必要的处理内容和性价比不高的修理内容。适度检是对状态修中新增的检测方法及现有的检测方法进行对比分析，识别其中重复的和不必要的检测项目，对货车检修中的检测工艺方法进行优化。

3）检修方式构建

检修过程全面采用车辆换件修、零部件集中修工艺，取代原有的车辆检修与零部件检修一体的工艺，解决零部件与车辆检修互相影响造成的效率低下、检修质量监控不可靠的问题。零部件的检修工艺细分为检测工艺和修理工艺，非磨耗零部件配置检测流水线，磨耗零部件配置修理流水线，并且检修过程充分利用故障推送数据，故障零部件直接进行修理，可提高检修效率；提升了站修库外线路上的检修工艺能力，车体和制动故障可在线路上快速修复，无须再进入站修库，减少了调车作业，可以实现定期整备，从而恢复整列车的技术状态。

5. 信息系统建设

状态修信息系统是铁路货车开展状态修的处理中枢，不仅为货车零部件寿命、整车运行状态提供数据入口，也为用户提供展示出口，为失效规律分析、可靠性分析积累数据来源，并对检测技术及装备研制、状态修诊断模型与评价、修程修制制定、经济效益分析等提供大数据分析支撑，是状态修模式在应用生产方面的落地实施不可或缺的环节。

车辆技术状态监测数据中心作为系统的架构核心，不断地梳理清洗既有系统历史信息，时刻更新输出真实数据源，也可简称为数据中心。沿线、车载检测设备数据，为车辆及主要零部件的运行状态检测、各系统数据综合研判提供数据支撑。铁路货车技术管理信息系统、检修系统、运输管理系统、物资管理系统等业务系统，高度集成货车公司可用数据源，进行车辆运行里程及零部件运行里程的计算，为整车及关键零部件的寿命预测及失效规律分析提供数据依据。状态修诊断决策系统作为管理的核心，以车辆技术状态数据中心的数据为依据，运用多维度状态修诊断、决策评判信息模型进行综合研判，为车辆提供经济、可靠的运用维修策略，实现对运用检修工作的作业指导和车辆健康的综合评价。状态修生产指挥系统将诊断决策落地到实际生产中，利用数据中心联动通道，实现状态修新模式下运用检修作业的合理安排。

2.2.2　铁路货车状态修总体制度

为实现状态修实时监测、科学评判、精准修理、降低成本、加快周转、提高运输效益的目标，同时为保证修程设置更加科学、合理，修程判定及修程开启时机更加合理，制定的规程实用性、指导性、可操作性更强，充分结合计划修和预防修的优势，根据我国铁路货车运营与管理实际情况，制定了货车状态修的总体技术框架，如图 2.1 所示。

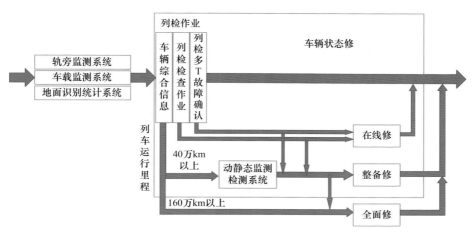

图 2.1　状态修总体技术框架

铁路货车状态修即通过检测设备的故障预报和预警,通过检测设备对车辆动、静态的监测，再对监测数据进行大数据分析，对检测车辆的健康状态进行综合、科学的量化评判，对每一辆车出具健康诊断报告，依据诊断报告精准施修，主要进行快速的单项修理或换件修，以最快速度恢复车辆的技术状态。

状态修修程是依据列车状态综合评判结果，对整列车规律性故障的针对性修理，兼顾离散性故障的针对性修理，对不同批量失效的零部件进行合理匹配，建立状态修、全面修相结合的两级检修体系，状态修又分为在线修和整备修，目的是减少过度分解、检测和修理工作。根据整列车的不同技术状态，整备修具体细分为 Z1 修、Z2 修、Z3 修和 Z4 修，各级修程对应的车辆技术状态、维修方式、维修主要内容、维修场所等详见表 2.1。

表 2.1   修程设置及检修范围汇总表

修理等级	车辆技术状态	维修方式	维修主要内容		维修场所
			批量（固定）修	状态（弹性）修	
在线修	针对个别车辆技术状态不良	常规外观检查，结合系统预报，故障确认处置，应急处理，信息归档	卸空及装重人工检查	针对途中预报的故障进行核查处置	列检所
Z1 修	针对整列车闸瓦磨耗集中到限的状态及个别车辆技术状态不良的情况	不架车、不分钩（车辆间车钩连挂不解开），包括临修；所有检修信息归档	批量更换闸瓦	结合系统预报的个别故障进行针对性修理，处理关门车、破损车、轮轴和钩缓等故障	作业场
Z2 修	针对整列车轮对磨耗集中到限的状态及个别车辆技术状态不良	架车、分钩；转向架和钩缓装置不分解；所有检修信息归档；作业内容覆盖 Z1 修	批量更换轮轴，钩舌探伤、制动阀、空重车阀分解检修	结合系统预报和人工检查发现的个别故障进行针对性修理	检修基地
Z3 修	针对整列车转向架和钩缓装置中关键零部件寿命、磨耗集中到限状态及个别车辆技术状态不良	架车、分钩；分解转向架和钩缓装置；所有检修信息归档；作业内容覆盖 Z2 修	批量更换转向架、钩缓装置、制动装置中寿命到限和检修到期的零部件	结合系统预报和人工检查发现的故障进行针对性修理	检修基地
Z4 修	针对整列车关键大部件探伤集中到期状态	架车、分钩；车辆各部位全面分解；所有检修信息归档；作业内容覆盖 Z3 修	对车辆及各部位进行全面分解、除锈、探伤、检测、试验等，全面恢复性能	结合系统预报和人工检查发现的故障进行针对性修理	检修基地

1. 在线修

依据 HCCBM 故障诊断报告和轨边监测设备预报信息，对装重卸空后的车列技术状态进行人工检修及信息及时采集存档，以保证列车运行循环周期内车辆技术状态良好；列车运行途中，对预报和突发的严重故障，采取针对性检查和应急处置，包括信息及时采集存档。在线修针对列车运行过程中的离散性故障进行处置，主要体现在对个别技术状态不良车辆的处理。

2. Z1 修

依据固定编组列车闸瓦磨耗到限监测数据、HCCBM 故障诊断报告、轨边监测等级预报记载，对入线车列实施全面检查。主要修理范围为：①针对整列车闸瓦集中磨耗到限的状态，须整列车入线进行批量检修；②对系统诊断报告故障进行确认与修复，对系统预报的关门车、车门破损、轮对和轴承、钩缓零部件等主要故障进行专项修理（包括摘车修）；③对非主要故障进行针对性修理；④结合系统监测设备预报的历史数据、诊断报告等信息，对技术状态不良的车辆进行检查确认并处理，对运用车列摘车修的回送车辆及扣修车辆进行专项修复。采用不架车、不分钩的修理方式。

3. Z2 修

依据固定编组车列轮对踏面磨耗到限监测数据、HCCBM 故障诊断报告、轨边监测等级预报记载，对入基地车列实施全面检查。主要修理范围为：①对系统诊断报告故障确认与修复，对于整列车轮对踏面集中磨耗到限的状态，须整列车入检修基地进行批量检修，不分解转向架，仅对到限轮对批量更换；②针对钩缓装置，不分解更换钩缓故障配件；③结合系统中的监测设备预报历史数据、诊断报告等信息，对技术状态不良的车辆进行全面检查确认并修复；④针对非主要故障进行针对性修理，采用架车、分钩修理方式。该修程作业内容覆盖 Z1 修。

4. Z3 修

依据固定编组车列寿命管理零部件的规律数据，如转向架及配件（包括心盘、上旁承、制动杠杆等）、钩缓装置、制动缸、制动梁、基础制动拉板、拉条等零部件的磨耗情况和非金属件的老化信息，以及 HCCBM 故障诊断报告、轨边监测等级预报记载，对入基地车列实施全面检查。主要修理范围为：①针对整列车转向架和钩缓装置中关键零部件寿命、磨耗集中到限状态，整列车入检修基地进行批量更换和检修；②结合系统中监测设备预报历史数据、诊断报告等信息，对技术状态不良的车辆进行全面检查确认并修复；③对非主要故障进行针对性修理，采用架车、分钩的修理方式。该修程作业内容覆盖 Z2 修。

5. Z4 修

根据固定编组车列摇枕、侧架、车钩、钩尾框、交叉杆等探伤到限数据，车体及底架牵引梁前后从板等磨损状态，HCCBM 故障诊断报告，轨边监测等级预报记载，对入基地车列实施全面检查。主要修理范围为：①针对整列车主要大部件探伤集中到限状态，整列车入检修基地进行批量更换和检修；②对各部件分解检查和恢复功能，重点针对寿命零部件如摇枕、侧架、车钩、钩尾框、交叉杆等进行专项探伤，采用架车、分钩的修理方式。该修程作业内容覆盖 Z3 修。

2.2.3　铁路货车状态修的优越性

状态修模式下修程合理设置，检修作业范围合理制定，减少了过度检、测、拆、探、修等情况，提高了车辆检修效率，减少了检修资源的浪费，提高了车辆综合利用率，降低了检修维护成本。

（1）列检技检作业内容和范围的合理设置，实现列检人员配置的合理优化，人工技检作业内容减少约 40%。

（2）检修工作量降低，检修效率提高。Z1 修与既有站修相比检修内容减少约 60%，Z2 修与段修相比检修内容减少约 70%，Z3 修与段修相比检修内容减少约 30%，Z4 修与厂修相比检修内容减少约 20%。

（3）零部件寿命、检修周期匹配一致后，杜绝了过度拆、检、探、测、修情况，实现了少修车、快修车、多用车目标，降低了检修成本，提高了运输效益。

（4）修程设置体现了状态修精准性、一致性、集中性的特点，依据 HCCBM 实现对车辆维修的精准计算、分析和指挥，减少了零部件库存，解决了成本积压问题。

（5）检修工艺方法的变化，检修流程适度压缩，使流程更加紧凑，人力资源配置更加合理，检修效益更加明显。

（6）检修规程制定时充分结合零部件的失效规律，构建零部件寿命管理体系，在保证运输安全的前提下，在检修时机、检测内容、探伤时机、检修限度、修理限度等方面实现了技术突破，具体如下。

①检修时机调整。通过对关键零部件服役性能的研究，重新梳理归纳了零部件适宜分解检修时机，同时对关键零部件检修时机的匹配性、一致性进行了合理划分，避免过度拆、检、修，提高检修效率，缩短车辆在修时间。计划预防修和状态修模式下主要零部件种类、既有检修周期、状态修周期及对于检修周期的精简程度见表 2.2。

表 2.2　主要零部件分解检修时机对照表

零部件名称	既有检修时间	状态修周期	一个 Z4 修周期内减少分解检修次数
轴箱橡胶垫	2 年或 40 万 km	80 万 km	1
滑块磨耗套	2 年或 40 万 km	80 万 km	1
主摩擦板	2 年或 40 万 km	160 万 km	3

零部件名称	既有检修时间	状态修周期	一个 Z4 修周期内减少分解检修次数
斜楔	2 年或 40 万 km	160 万 km	3
制动梁组成	2 年或 40 万 km	80 万 km	2
承载鞍	2 年或 40 万 km	80 万 km	2
弹簧	2 年或 40 万 km	160 万 km	3
转向架基础制动装置	2 年或 40 万 km	80 万 km	2
制动软管连接器	2 年或 40 万 km	80 万 km	1
钩体	2 年或 40 万 km	80 万 km	2
牵引杆	2 年或 40 万 km	80 万 km	2
钩尾框	2 年或 40 万 km	80 万 km	2
缓冲器	2 年或 40 万 km	80 万 km	3
前后从板座	2 年或 40 万 km	80 万 km	2
转动套	2 年或 40 万 km	80 万 km	2

②检测内容调整。基于车辆实际运用和检修情况，通过失效规律分析、剩余寿命预测，合理规定各零部件不同修理等级下的检测内容，去除过度拆、检、测，提高检修效率。状态修相较于既有的段修在检查内容上做了必要的精简，提高了检修效率，降低了检修成本，详见表 2.3。

表 2.3　主要零部件检测内容对照表

零部件名称	既有段修检查内容	Z2 修、Z3 修检查内容
摇枕	裂损，斜楔槽、摇枕挡、弹簧圆脐、安全链吊座等磨耗检测	裂损
侧架	裂损，导框、顶面、中央方框、旋转止挡等磨耗检测	裂损
主摩擦板	裂损、掉块、磨耗深度检测	裂损、掉块
斜楔	裂损，磨耗检测	裂损
立柱磨耗板	裂损，磨耗检测	裂损
斜面磨耗板	裂损，磨耗检测	裂损
钩体	裂损，磨耗及尺寸检测	裂损
牵引杆	裂损，磨耗及尺寸检测	裂损
钩尾框	裂损，磨耗及尺寸检测	裂损
缓冲器	裂损，磨耗及尺寸检测	裂损

零部件名称	既有段修检查内容	Z2 修、Z3 修检查内容
前后从板座	裂损，磨耗及尺寸检测	裂损
制动梁组成	裂损、全长、中心距、L 差、倾斜度、瓦托磨耗等检测	裂损
承载鞍	裂损，顶面厚度、导框、鞍面、推力挡肩等磨耗检测	裂损
弹簧	裂损和折断，弹簧高度及腐蚀、磨耗检测	裂损

③探伤时机调整。通过分析关键零部件失效规律、故障规律，重新规定制动梁、交叉杆、钩尾框、钩舌销、钩尾销和转动套等零部件探伤检查时机，状态修相较于既有的段修适当延长了探伤周期，提高了检修效率，降低了检修成本，详见表 2.4。

表 2.4   零部件探伤时机对照表

零部件名称	既有探伤时间	状态修探伤时机	对应修理等级
制动梁（瓦托滑块根部）	2 年或 40 万 km	160 万 km	Z4 修
交叉杆	一个厂修期内 2 次探伤：第一次 6 年或 120 万 km，第二次 8 年或 160 万 km	160 万 km	Z4 修
钩尾框	2 年或 40 万 km	80 万 km	Z3 修
钩舌销	2 年或 40 万 km	80 万 km	Z3 修
钩尾销	2 年或 40 万 km	160 万 km	Z4 修
转动套	2 年或 40 万 km	80 万 km	Z3 修

④检修限度和修理限度调整。为实现关键零部件检修时机匹配、一致，通过分析磨耗规律、失效规律、故障规律，结合铁路货车实际运用要求，状态修相较于既有的段修适当对车轮、钩体、牵引杆等零部件的检修限度进行适度突破，提高了检修效率，降低了检修成本，详见表 2.5。

表 2.5   主要零部件检修限度对照表

零部件名称	检修项点		既有检修限度/mm	状态修限度/mm
车轮	圆周磨耗深度不大于		3（段规 5）	3.5
	车轮踏面擦伤及局部凹陷深度不大于		0.2	0.5
	车轮踏面剥离长度	1 处不大于	15	20
		2 处（每 1 处均不大于）	8	10
轮对	同一轮对两轮径差不大于		1	经镟修者 1、未经镟修者 2

续表

零部件名称	检修项点	既有检修限度/mm	状态修限度/mm
弹性旁承	旁承磨耗板组装后平面度不大于	0.5	1
	旁承磨耗板组装后与顶板局部间隙不大于	0.5	1
轴箱橡胶垫	橡胶与金属上下衬板黏结处（上侧或下侧）裂纹深度不大于	5	10
	橡胶表面裂纹深度不大于	5	10
立柱磨耗板	磨耗深度	0.5（段规 3）	2
斜面磨耗板	磨耗深度	0.5（段规 3）	2
中梁、侧梁	中梁、侧梁在枕梁间下垂	15（厂规）	30
	中梁、侧梁左右旁弯	13（厂规）	30
牵引梁	牵引梁左右旁弯	10（厂规）	20
前后从板座	工作面磨耗深度	2（厂规）	3
	其他部位磨耗深度	8（厂规）	6
冲击座	变形超限	10（厂规）	20
侧柱	侧柱外胀	10（厂规）	30
端墙板、侧墙板	侧墙板内凹、外胀	20（厂规）	30
	端墙板内凹、外胀	20（厂规）	40
17 型钩尾框	钩尾框销孔磨耗	≥2 恢复原型	≥4 更换
从板	长度、厚度	2	取消
钩舌	所有磨耗尺寸	执行厂规、段规	取消
钩体	钩尾销孔上下部及中部长短轴磨耗不大于	2	取消
	钩尾端部与钩尾销孔后边缘距离	≤83 恢复原型， ≤77 报废	≤83 报废
	钩耳孔磨耗	2	取消
	钩身长度	≤567 恢复原型， ≤561 报废	取消
牵引杆	钩尾端部与钩尾销孔后边缘距离	≤83 恢复原型， ≤77 报废	≤83 报废
转动套	前端到上下销孔边缘距离	≤39 恢复原型， ≤34 报废	≤34 报废
	外径	≤260 恢复原型， ≤254 报废	≤254 报废

注：车体和钩缓装置其余按既有段规限度执行。

⑤部分检修试验调整。制动软管包含内胶层、中间骨架纤维层、外胶层三层复合结构，制动软管风水压试验中，其充排气动作导致内外层间体积发生变化，由于中间骨架纤维层不具有密封性，纤维间部分空气从软管端部溢出，产生断续气泡现象，容易误判为软管漏泄。改用单车试验中的全车漏泄试验对制动软管漏泄进行判定。

⑥大修时机调整。闸调器分解大修周期由目前的 6 年调整为 160 万 km（Z4修）。既有规程规定闸调器装车满 6 年进行大修，厂修时须大修，造成部分闸调器 6 年大修后间隔 2 年又需重新大修，检修周期混乱，存在严重的过度修。根据对 ST2-250 闸调器进行的疲劳试验结果，闸调器可正常作用 37 万次，远高于 160 万 km 服役期限内的动作次数，具备将大修周期延长至 160 万 km 的条件。

闸调器大修周期延长至 160 万 km 能够解决既有检修周期混乱、过度修的问题，使闸调器与其他制动部件（制动阀除外）检修周期一致，减少过度拆、检、修，降低检修成本。

⑦检修工艺调整。全面采用车辆换件修、零部件集中修工艺，取代原有的车辆检修与零部件检修一体化的工艺，零部件的检修工艺细分为检测工艺和修理工艺。对检修工艺流程和工序进行优化调整，使其具有布局合理、工序衔接紧凑、检修效率高等特点。制定的检修记录表单与现有检修记录相比进行适度优化缩减，减少现场检修作业量和劳动强度，提高检修效率。

第3章

铁路货车零部件失效规律与寿命管理方法

3.1 铁路货车主要零部件及分类

目前我国铁路货车零部件按照既有分类方式分为关键零部件和重要零部件，关键零部件包括车体钢结构、车轴、摇枕、侧架、车钩、牵引杆、钩尾框等，重要零部件包括车轮、交叉杆组成、制动梁、制动阀、空重车阀、制动缸、闸调器等。状态修对零部件的检修规程进行了重新调整，因此需要对零部件重新归类和划分。状态修模式下的零部件分类方式，主要考虑零部件故障对行车安全的影响程度、是否有强制报废期要求、是否可修复及是否具备修复价值、检修成本与采购成本、使用周期长短等因素，综合上述因素将铁路货车零部件重新划分为全寿命零部件、使用寿命零部件和易损零部件，三类零部件共计 123 种，全寿命零部件 25 种、使用寿命零部件 64 种、易损零部件 34 种，统计结果见表 3.1。

表 3.1　状态修模式下三类零部件统计表　　　　（单位：种）

系统组成	全寿命零部件	使用寿命零部件	易损零部件	合计
车体	1	28	16	45
转向架	18	18	14	50
制动装置	1	10	2	13
钩缓装置	5	8	2	15
合计	25	64	34	123

1. 全寿命零部件

全寿命零部件可以在寿命期内尽量减少维修频次，到寿命期时采用换件修，进一步提高零部件使用可靠性，大幅缩减检修时间，降低检修成本，检修模式最经济。

全寿命零部件的分类原则如下：

（1）故障形式对行车安全或车辆性能有重大影响，有强制报废期的零部件。

（2）采购、检测、检修成本高，运用中故障率较低且维修成本较高的零部件。

（3）到达一定使用周期时故障率高、性能指标集中大幅降低、难以修复的零部件。

（4）具有较强失效规律，可以预测到达失效阈值里程的零部件，使用寿命零部件可以动态地转为全寿命零部件。

按照状态修模式下全寿命零部件的分类原则，铁路货车全寿命零部件包括：车体钢结构；转向架系统的摇枕、侧架、车轴、轴承、轴端螺栓、轴向橡胶垫、轴箱橡胶垫、弹性旁承体、心盘磨耗盘、滑块磨耗套、主摩擦板、旁承磨耗板、交叉杆 U 形或 X 形弹性垫、交叉杆扣板（螺栓连接结构）、斜楔、立柱磨耗板、卡入式滑槽磨耗板、斜面磨耗板；制动装置的制动软管连接器；钩缓装置的钩体、钩舌（铸造）、牵引杆、钩尾框、缓冲器。全寿命零部件多数为关键零部件，部分是具有强制报废期的零部件。

2. 使用寿命零部件

使用寿命零部件指存在一定故障率，且检修工作量大，检修成本占比较高，是需要重点关注的零部件。对于使用寿命零部件，一是尽量延长检修周期，二是根据状态修失效规律和剩余寿命分析，以及运维数据积累逐步转化为全寿命零部件管理。

使用寿命零部件的分类原则如下：

（1）具有可修复的固有属性，需要定期修复，且修复后能够达到性能指标要求的零部件。

（2）寿命周期较长、修复价值高的零部件。

（3）故障形式对行车安全或车辆性能有一定影响，需要在二级整备修或者全面修时进行检查的零部件。

（4）需要重点追踪检测服役周期内尺寸、性能、参数等演变规律的零部件，结合剩余寿命、失效规律分析，部分零部件可以转化为全寿命零部件。

按照状态修模式下使用寿命零部件的分类原则，铁路货车使用寿命零部件包括：车体系统的撑杆组成、车门组成、缓解阀拉杆、拉杆、制动杠杆、控制杠杆、制动主管、制动支管、链条组成、滑轮座组成、拉杆导架、防脱导框、滑轮组装、手制动滑轮（XBLPA 型）、钩尾框托板组成、车钩安全托板、车钩托梁组成、支撑座、支撑弹簧、车钩提杆、车钩提杆座、开钩框及开钩框座（16 型车钩）、上旁承体、上心盘、心盘座、冲击座、前后从板座、车辆标签；转向架系统的车轮、制动梁组成、上下交叉杆组成、支撑座、交叉杆扣板（铆接结构）、交叉杆端头螺栓、下心盘、承载鞍、支点座、制动杠杆、中拉杆、弹簧、旁承座、旁承滚子及滚子轴、横跨梁组成、前盖、后挡、挡键；制动装置的 120/120-1 阀、闸瓦间隙自动调整器、KZW-A 阀、不锈钢组合式集尘器、球芯塞门、制动缸、储风缸、脱轨自动制动阀、手制动机、防盗罩；钩缓装置的钩锁、上锁销组成、下锁销组成、钩尾销托、钩舌推铁、从板、钩尾销、转动套。使用寿命零部件多数为重要零部件。

3. 易损零部件

易损零部件没有固定的检修周期，随寿命零部件进行检修。

易损零部件的分类原则如下：

（1）没有固定的检修周期，分解寿命零部件时需要拆除该类零部件，为保证检修效率，采用破坏性拆除，直接报废零部件。

（2）故障形式不会对行车安全造成影响或者影响不大，能够保证车辆较长时间运用直至回送到检修车间的零部件，便于监测设备发现其故障的零部件。

（3）非主要承载件，运用中存在一定故障率，需要及时处理的零部件。

（4）针对特定故障形式可以做简单修复，修复后能够恢复基本功能的零部件。

按照状态修模式下易损零部件的分类原则，铁路货车易损零部件包括：车体系统的金属磨耗板、非金属磨耗板、调整垫板、搭扣、扶手、圆销、绳栓、牵引钩、紧固件、高强螺栓（车钩托梁、钩尾框托板、安全托板和撑杆处螺栓）、拉铆钉、拉铆销、拉簧、衬套、车钩止挡铁、制动管吊；转向架系统的闸瓦、施封锁、防松片、双耳垫圈、磨耗垫板、调整垫板、安全索、衬套、圆销、拉铆销、折头螺栓、螺栓（挡键）、锁紧板、标识板；制动装置的压紧式快装管接头、法兰接头；钩缓装置的防跳插销、钩舌销。易损零部件多数为一般零部件。

在状态修模式下，需要对三类零部件实行动态管理机制，在掌握零部件对应里程的失效规律后，使用寿命零部件可执行到报废里程，转为全寿命零部件，对故障频发的易损零部件，可转为使用寿命零部件进行寿命跟踪，通过对零部件的分类便于实行对零部件的动态管理。

3.2　铁路货车零部件动态性能模拟与安全限值分析

对于货车零部件实施状态修，首要任务是研究零部件在服役过程中的动态行为及固有特征，为状态检测、诊断与决策提供理论支撑。考虑货车关键零部件的结构属性及损伤机制，通过先进的计算机模拟技术探究其动态行为、应力特性及响应规律，并通过相关的动力学测试验证和修正仿真模型。基于计算机模拟技术，一方面可以分析零部件性能劣化对整个系统的影响规律，计算其损伤限值；另一方面可以快捷高效地得出零部件服役状态与动力学响应指标的映射关系，进而为状态修精确诊断提供数据和理论支撑。

3.2.1 铁路货车车辆动态性能的计算机模拟技术

运用计算机模拟与评估技术分析铁路货车车辆在轨道上运行行为是进行货车车辆动力学性能评价的基础。对车辆进行计算机模拟应当符合车辆实际服役环境与特征，铁路货车大轴重、长编组、强非线性等特征导致其计算机模拟与其他轨道交通车辆的仿真存在差异，可从宏观及微观两方面描述。

宏观上看，铁路货车编组于列车之中，其动态性能除了与自身关键部件的服役状态相关，也和长大列车自身的动态特性有关，因此铁路货车计算机模拟必须既能反映车辆自身动态特性，又能反映列车运行状态变化对车辆动力学性能的影响；另外，由于铁路货车运行区间跨度较大，平纵断面复杂，铁路货车计算机模拟也应当考虑到货车运行区间的复杂线路条件，如小半径曲线、长大坡道、桥梁、隧道等复杂断面。

微观上看，铁路货车自身结构中有较多非线性结构，如承载鞍与轴箱橡胶垫之间摩擦定位特性、斜楔滞回特性、减振弹簧变刚度特性等，这些特性也导致货车动态特性复杂多变，与其他轨道交通车辆显著不同。

针对铁路货车车辆动态性能的计算机模拟技术，下面对其总体框架及主要模块进行介绍。

1. 车辆动态性能的计算机模拟技术的总体框架

从重载铁路动力学仿真计算的角度来看，铁路货车计算机模拟技术涉及列车纵向动力学、车辆系统动力学、轨道系统动力学等诸多方面。目前，列车纵向动力学分析和重载列车-轨道相互作用分析逐渐成为重载铁路旧线改造、新线规划建设及开行更大轴重列车必要的研究内容。重载货车动态性能模拟主要体现在三个方面，即列车纵向动力学、三维列车系统动力学和列车-轨道耦合动力学，三者分别侧重于重载列车的纵向冲动问题、重载货车系统动力学问题和列车与轨道的相互作用问题[1]。列车纵向冲动作用及轮对上的牵引、制动力矩对货车动态性能、轮轨动态相互作用均有显著影响，同样车辆和轨道自身的服役状态变化也会影响货车间的纵向冲动。列车在轨道上运行时，会对轨道结构产生动力作用，引起轨道振动，而轨道结构的振动又反过来会影响列车的运行姿态，从而影响列车运行安全性。不同于单节车辆及其他短编组列车，长大编组的货物列车在复杂操纵工况（牵引、制动等操纵转换工况）下存在着剧烈的纵向冲动，由此而产生的冲动作用力可通过车辆系统传递到轮轨接触界面，进而影响车辆、轨道结构间的耦合振动。因此，在计算机模拟模型中必须能够综合反映各方面的耦合作用。

1）重载列车-轨道三维耦合模型总体框架

考虑到现代长编组、大轴重重载列车与轨道的应用现状及发展趋势，在车辆-轨道耦合动力学模型的基础上，将重载列车与轨道作为一个整体大系统，充分考虑各子系统的振动特性与相互影响关系，通过模块化的方法，建立重载列车-轨道相互作用模型[1]，如图 3.1 所示。整个系统主要包括列车操纵子模块、列车子模块、轮轨关系子模块和线路子模块四部分，其中，机车车辆和轨道间的相互耦合作用通过轮轨相互作用关系实现，机车之间、货车之间及机车与货车之间的相互作用通过车间相互作用关系实现，轮轨关系将列车系统与线路系统耦合成一个相互作用、相互反馈的系统，列车操纵子模块作为整个列车-线路耦合系统的运行控制模块，用于控制列车的操纵状态，线路子模块依据重载列车实际运行区间进行设置。

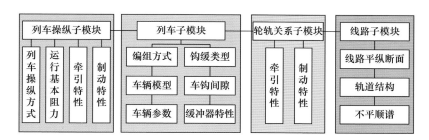

图 3.1 重载列车-轨道三维耦合振动模型的模块化建模

2）计算机模拟过程遵循的基本原则

由于重载列车自身服役状态多变、实际运行环境复杂，通过计算机模拟重载列车运行不可避免地要对车辆及轨道结构进行假设和简化。各模块的计算机模拟过程中，所遵循的基本原则分别如下：

（1）车辆采用多刚体动力学建模方法，详细考虑车辆各部件的三维运动，完整构建货车悬挂系统，并考虑机车牵引、制动等操纵状态的影响。

（2）钩缓系统作用力模型采用具有迟滞非线性的力元进行模拟，考虑纵向力在横向和垂向产生的分力，以反映钩缓系统三个方向上的动态相互作用力。

（3）轨道系统采用离散点支承梁模型，反映钢轨-垫层-轨枕-道床-路基的动态响应关系，钢轨采用 Timoshenko 梁模型。

（4）机车的牵引力和电制动力通过牵引特性曲线获得，空气制动力则通过实测空气制动特性转换获得。

（5）轮轨切向力计算模型中采用变摩擦系数，该方法可以描述操纵状态变换过程中车轮与钢轨间可能发生的大蠕滑状态。

2. 车辆动态性能计算机模拟的子模块

通过计算机模拟技术构建重载列车-轨道三维耦合系统模型，分析车辆系统动态性能。整个系统主要包括列车子模块、列车操纵子模块、轮轨关系子模块和线路子模块四部分。

1）列车子模块

列车子模块是重载列车动力学分析的核心，主要包括重载货车模型和车钩-缓冲器模型，如图 3.2 所示。

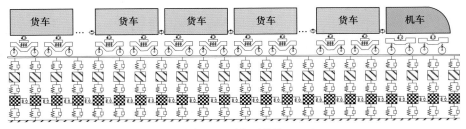

图 3.2　列车子模块

重载货车由于设计功能偏重不同，其结构外形与普通货车存在一定差异。但就其组成部件而言，主要还是由车体、转向架及分布于其中的悬挂元件组成，其走行装置通常采用三大件式转向架，结构形式上基本相似，包括摇枕、侧架和轮对三部分。一些新的技术措施应用于货车转向架以改进铁路货车的动力学性能，如在侧架和轮对之间安装橡胶垫，在两个侧架之间安装交叉支撑装置等[2]。此外，对于列车动力学，货车轮对上还可能作用有制动力，车体两端也存在车钩力，这些因素均在三维货车动力学模型中予以充分考虑。基于重载货车在结构和部件的受力特点，建立货车动力学模型，由车体、轴箱、摇枕、侧架、轮对等 11 个刚体组成，如图 3.3 所示。其中，车体、侧架、摇枕、轮对均考虑 6 个方向的自由度，轴箱只考虑其绕轮对转动自由度。在摇枕和车体间考虑心盘磨耗盘回转摩擦副以及旁承平面摩擦副；侧架和摇枕之间考虑摇枕弹簧的垂向、横向与纵向刚度以及楔块的摩擦学特性；轴箱悬挂在横向和纵向考虑轴箱间隙，在轴箱间隙范围内，用一个弹簧阻尼来模拟；当轴箱与侧架接触后，采用弹簧阻尼与大刚度的线性弹簧止挡并联进行模拟；侧架间的交叉支撑拉杆简化为扭转刚度。弹性旁承采用变刚度弹簧-阻尼力学模型表征其不同工作状态。

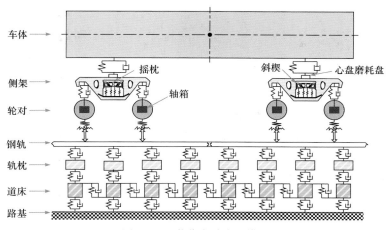

图 3.3　重载货车动力学模型

　　货车间通过钩缓装置相互连接，我国重载货车中，一般采用非刚性的自动车钩。两个连挂的车钩间允许垂直方向上有相对位移，车钩间存在一定的自由间隙，车钩在水平方向相对于钩尾销上允许有一定的自由摆角。图 3.4 为钩缓系统示意图和钩缓系统力学模型。钩缓装置主要包括车钩钩体、钩尾销、钩尾框、缓冲器等部件，如图 3.4（a）所示，其中，车钩用于实现车辆之间的连挂，并传递纵向的牵引力和冲击力[3]。目前，货车采用的缓冲器有 MT-2、HM-1、HM-2 等类型，缓冲器借助压缩弹性元件来缓和冲击作用力，并利用缓冲器内部的摩擦、阻尼作用吸收冲击能量，以达到减轻货车间纵向冲动的目的[4]。

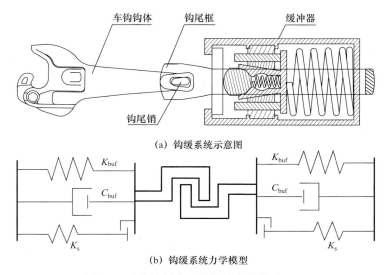

（a）钩缓系统示意图

（b）钩缓系统力学模型

图 3.4　重载钩缓装置结构及力学模型

钩缓系统的动力学建模是准确分析车间作用力的关键。在列车纵向动力学分析中，通常将相邻的一对钩缓器综合起来研究，可将其简化为如图 3.4（b）所示的模型，其中 K_{buf} 和 C_{buf} 分别表示缓冲器的刚度和阻尼，K_s 为车体的结构刚度。但 K_{buf} 和 C_{buf} 往往呈非线性变化，不易获得，为此缓冲器对振动的缓冲和衰减特性可以采用其阻抗特性表示。由数值积分计算求得相邻车间的相对位移及相对速度，即可确定车钩纵向力的大小。

2）列车操纵子模块

列车操纵状态由机车控制，常用的操纵状态有牵引、惰行、动力制动、空气制动等。列车运行过程中因车辆载重大、线路条件复杂，往往需要转换操纵方式以保证车辆运行安全。与匀速、惰行工况不同，由列车操纵转换引发的轮轨力增大问题、列车纵向冲动问题直接影响列车运行的安全性。列车在纵向冲动作用下，除了钩缓装置，每个车辆自身也是纵向作用力的承载体和传递体。与缓冲器较高的能量吸收率相比，车辆结构及其悬挂系统在纵向的缓冲和减振能力很弱，因此一般在列车纵向振动研究中，可视每个车辆为一个质量整体，忽略车辆及其零部件的纵向力传递细节。但实践证明，列车纵向冲动引起的结构破坏不仅发生在车端连接处，牵引梁的下垂、胀鼓，心盘立棱的凹坑和裂纹等也是由纵向冲击引起的典型损坏现象。因此，在列车动力学分析模型中，应着重关注机车操纵状态及货车中纵向冲动较大部位的车辆。下面以 HXD2 型电力机车为例，从列车牵引特性、动力制动特性、空气制动特性三个方面进行介绍。

（1）列车牵引特性。

列车牵引力由机车驱动装置产生，驱动列车运行并可由驾驶员根据需要调节的外力。机车牵引力由其牵引特性确定，机车的牵引特性是指牵引力随速度的变化曲线，这与特定的机车类型紧密相关。机车在低速时的牵引力最大，但受轮轨黏着的限制。图 3.5（a）为准恒速条件下不同牵引力级位机车牵引力与机车速度的关系曲线。机车起动时充分利用了黏着，此时牵引力最大。超过一定速度后，

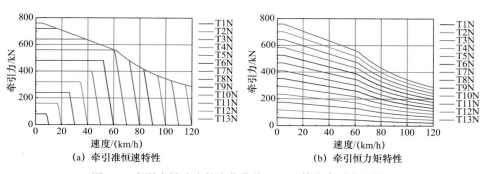

图 3.5 牵引力随速度的变化曲线（T1N 等指牵引力级位）

机车牵引力受牵引电机功率的限制。图 3.5（b）为不同恒力矩条件下不同牵引力级位机车牵引力与机车速度的关系曲线。机车牵引力的大小由机车当前的运行速度和把位决定，其计算方法是对应于每一时刻，根据该时刻机车的运行速度和把位，由牵引特性曲线插值计算出对应的列车牵引力。

（2）列车动力制动特性。

动力制动只存在于机车中，又称电制动，电制动过程可视为牵引的逆过程，电制动时，通过转换牵引电机的工作方式至发电状态，则可将列车运行的动能转化为电能，并反馈给电网。电制动力的计算方法与机车牵引力基本类似，同样可通过对机车设计电制动特性曲线进行拟合，根据列车运行的速度和级位计算电制动力。图 3.6 为不同制动力级位下机车在准恒速条件下制动力与机车速度的关系曲线，制动特性采用恒力矩方式，通过机车运行速度、操纵级位即可获得机车电制动力。

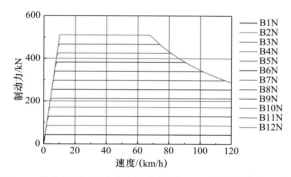

图 3.6　机车设计电制动特性曲线（B1N 等指制动力级位）

（3）列车空气制动特性。

列车的空气制动系统结构如图 3.7 所示。空气制动系统中充满压缩空气，由空气压缩机供应整个系统所需的压缩空气，当制动管减压时，分配阀使风缸中的压缩空气进入制动缸，通过制动装置中的杠杆作用使闸瓦紧压车轮踏面，从而实现列车制动。在仿真列车制动力时，首先需要建立机车车辆数据库中有关的空气制动参数模型，并设置必要的初始条件，如列车管压力、列车编组辆数等。列车管压力和各节车制动缸压力值及其随时间的变化，可根据车辆制动试验台的试验结果以及线路静置和运行试验实测结果进行曲线拟合。由制动缸的压力值、车辆速度和闸瓦摩擦系数等计算每节车的实际制动力。

列车制动力包括机车和车辆所有起制动作用的闸瓦所形成的制动力总和。因为不同类型的机车车辆制动条件下，闸瓦压力各不相同，摩擦系数也不同，所以需要分别求解各种车辆的制动力后再计算它们的总和。

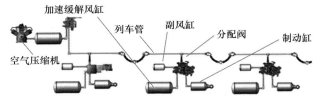

图 3.7　列车空气制动系统结构

3）轮轨关系子模块

轮轨动态相互作用的计算是列车-轨道耦合动力学模型的核心环节，图 3.8 给出了轮轨动态作用力的总体求解流程。轮轨动态相互作用计算包括求解轮轨接触几何关系、计算轮轨法向力和蠕滑力等重要环节。对于编组列车，蠕滑力的计算需进一步考虑列车制动及牵引过程中轮轨间可能发生的大蠕滑情况及摩擦系数变化情况。轮轨接触力的具体求解流程：在每一个积分步下，首先，选取对应车辆的车轮型面数据和钢轨型面数据，并读取轮轨的运动状态；其次，采用迹线法寻找各车轮处轮轨接触位置，求解接触点处的轮轨接触几何参数；再次，依据 Hertz 理论计算轮轨法向力，再通过轮轨运动状态与接触几何参数计算蠕滑率等，进而得到当前蠕滑速度下的轮轨动态摩擦系数；最后，通过轮轨法向力、轮轨动态摩擦系数及蠕滑理论求解轮轨蠕滑系数、蠕滑力。

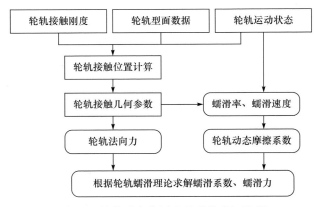

图 3.8　轮轨动态作用力的总体求解流程

4）线路子模块

目前，重载货车运行区间内基本为有砟轨道。有砟轨道由钢轨、扣件、混凝土轨枕及路基等组成[5]。在重载列车载荷作用下，钢轨及轨下结构都将参与振动并对车辆振动产生影响。为了充分反映钢轨及轨下结构系统与重载货车的相互作用关系，在计算机模拟过程中，将整个轨道系统模拟为离散点支承梁模型，如图 3.9 所示。其中，将钢轨简化为有限长简支梁模型，考虑在车辆轮轨载荷作用下的垂向、横向振动以及扭转振动。轨枕简化为刚体并考虑轨枕垂向、横向及转动自由度，钢轨与轨枕以及轨枕与道床之间通过线性弹簧和黏性阻尼连接。考虑道床垂向振动并按照轨枕实际间距离散成质量块，轨枕与道床以及道床与路基之间同样通过线性弹簧和黏性阻尼连接，通过道床之间的剪切刚度和阻尼来模拟道砟的相互作用。

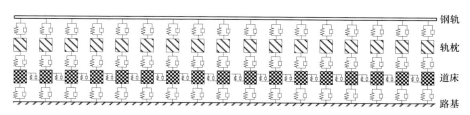

钢轨

轨枕

道床

路基

图 3.9　有砟轨道力学模型

列车动力学建模的另一个重要方面是对线路平纵断面的考量。铁路线路因地形、地势变化会设计成坡道、曲线等形式，重载列车因其长编组特点，在运行途中可能会跨越数条曲线或坡道。线路条件变化引起的列车内部冲动作用及轮轨动态相互作用是不容忽视的。在三维列车-轨道动力学分析中，一个重要环节是基于实际线路的空间位置建立能够用于动力学分析的线路平纵断面模型。通常，铁道线路的空间位置是用线路的平面图和纵断面图来表示的。

线路的纵断面则显示出线路的坡度变化，如图 3.10 所示。线路纵断面变化的数学表述是线路坡度 i（‰）随线路长度的变化，在纵断面建模中，将实际线路纵断面简化为线路坡度 i 沿线路长度 l 变化的函数，即 $i=f(l)$。图 3.10 为坡道与竖曲线（半径 R_{vc}）的几何关系。竖曲线切线长 $L_{ta} \approx R_{vc} \cdot \Delta i / 2000 (\Delta i = |i_1 - i_2|)$，竖曲线长 $L_{vc} \approx 2 L_{ta}$，竖曲线上任一点的竖距为

$$\begin{cases} h \approx \dfrac{x^2}{2R_{vc}}, & x \leqslant L_{ta} \\[2mm] h \approx \dfrac{(L_{vc} - x)x^2}{2R_{vc}}, & L_{ta} < x \leqslant L_{vc} \end{cases} \tag{3.1}$$

则竖曲线处的坡道可表示为

$$\begin{cases} i_x \approx i_1 + h' = i_1 \pm \dfrac{x}{R_{vc}}, & x \leqslant L_{ta} \\[2mm] i_x \approx i_1 + h' = i_2 \pm \dfrac{L_{vc} - x}{R_{vc}}, & L_{ta} < x \leqslant L_{vc} \end{cases} \tag{3.2}$$

其中，对于凸、凹形竖曲线，分别取−和+。

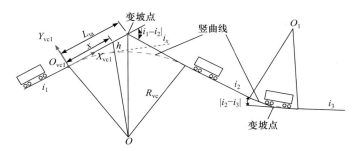

图 3.10　坡道与竖曲线的几何关系

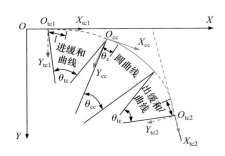

图 3.11　平面曲线坐标

线路平面图表示线路的曲直变化，如图 3.11 所示。线路平面的几何要素是直线和曲线，其中曲线又包括缓和曲线和圆曲线。由本章的动力学模型可知，超高和线路曲率会直接影响车辆的运动特性，线路的平面坐标则决定了车间的相对位置，对车间横向相互作用有重要影响。综合考虑以上因素，有必要对线路平面进行详细建模。

对于一段平面曲线，设进、出缓和曲线长度均为 l_h，缓和曲线的偏角为 $\theta_{tc}=l_h/(2R)$，同时假设圆曲线偏角为 θ_{cc}。各段缓和曲线及圆曲线起点处建立局部坐标系，如图 3.11 所示，其中，OXY 为平面曲线的总体坐标系。

考虑到我国常用的缓和曲线线型为放射螺旋线，在进缓和曲线的局部坐标系 $O_{tc1}X_{tc1}Y_{tc1}$ 中，缓和曲线的坐标可表达为

$$\begin{cases} x'' = l - \dfrac{l^5}{40(Rl_h)^2} \\ y'' = \dfrac{l^3}{6Rl_h} \end{cases} \qquad (3.3)$$

在总体坐标系中，考虑直线部分的坐标增量 x_{se}，则进缓和曲线的坐标变为

$$\begin{cases} x'' = l - \dfrac{l^5}{40(Rl_h)^2} + x_{se} \\ y'' = \dfrac{l^3}{6Rl_h} \end{cases} \qquad (3.4)$$

在圆曲线局部坐标系 $O_{cc}X_{cc}Y_{cc}$ 中，圆曲线区段上各点的坐标为

$$\begin{cases} x = R\sin\theta_x \\ y = R - R\cos\theta_x \end{cases} \tag{3.5}$$

将其旋转一个角度（在该坐标系中，顺时针旋转角度为正，反之为负），并移动到缓和曲线末端，得到在总体坐标系中的坐标：

$$\begin{Bmatrix} x'' \\ y'' \end{Bmatrix} = \begin{bmatrix} \cos\theta_{tc} & \sin\theta_{tc} \\ -\sin\theta_{tc} & \cos\theta_{tc} \end{bmatrix} \begin{bmatrix} R\sin\theta_x \\ R - R\cos\theta_x \end{bmatrix} + \begin{Bmatrix} x_{tce} \\ y_{tce} \end{Bmatrix} \tag{3.6}$$

式中，x_{tce} 和 y_{tce} 分别为缓和曲线起点的横、纵坐标。

对于出缓和曲线坐标，需综合考虑进缓和曲线及圆曲线偏角的影响（图 3.12）。缓和曲线需从位置 1 平移到位置 2，再经过一个角度的旋转，得到所示的位置 3，再对其进行平移连接到圆曲线末端，便可得到最终出缓和曲线在总体坐标系中的坐标数值。

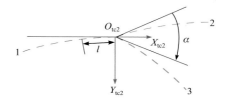

图 3.12　出缓和曲线段的坐标变换

在出缓和曲线的局部坐标系 $O_{tc2}X_{tc2}Y_{tc2}$ 中，缓和曲线的坐标表达为

$$\begin{cases} x = -\left(l - \dfrac{l^5}{40(Rl_h)^2} \right) \\ y = \dfrac{l^3}{6Rl_h} \end{cases} \tag{3.7}$$

将其整体平移至位置 2 后得到

$$\begin{cases} x' = -\left(l_h - \dfrac{l_h^5}{40(Rl_h)^2} \right) - \left(l - \dfrac{l^5}{40(Rl_h)^2} \right) \\ y' = \dfrac{l^3}{6Rl_h} - \dfrac{l_h^3}{6Rl_h} \end{cases} \tag{3.8}$$

旋转的角度为

$$\alpha = 2\theta_{tc} + \theta_{cc} \tag{3.9}$$

旋转并平移后得到

$$\begin{Bmatrix} x'' \\ y'' \end{Bmatrix} = \begin{bmatrix} \cos\alpha & \sin\alpha \\ -\sin\alpha & \cos\alpha \end{bmatrix} \begin{bmatrix} x' \\ y' \end{bmatrix} + \begin{Bmatrix} x_{cce} \\ y_{cce} \end{Bmatrix} \tag{3.10}$$

式中，x_{cce} 和 y_{cce} 分别为圆曲线起点的横、纵坐标。

其余线路区段按上述方法计算即可。

3.2.2 铁路货车关键零部件的动态性能特征

铁路货车服役过程中各部件性能逐渐退化，如踏面磨耗、橡胶垫老化、弹簧变形等。货车部件运用状态变化会影响车辆的动力学性能及部件间的动态载荷，进而影响车辆运行安全，降低车辆的使用寿命。因此，通过分析货车部件运用状态变化后的动态特征的演变，全面揭示通用货车服役性能演变规律及其关键影响因素，对于保障货物运输安全、制定合理的维修周期、改进货车设计具有重要意义，对重载货车的状态检测及故障诊断十分必要。铁路货车关键部件服役状态主要包括几何状态、形位状态、性能参数变化。几何状态是指关键部件表面随服役里程增加而发生磨耗、破损、变形等变化，如踏面磨耗、出现轮径差、承载鞍表面磨损、减振弹簧永久变形等；形位状态是指关键部件间的安装位置发生变化，主要包括转向架形位偏差、旁承纵向间隙、旁承预压量不足等；性能参数变化是指关键部件自身动力学参数随服役里程增大而发生变化，偏离初始出厂设定参数，如轴箱橡胶垫、旁承橡胶体老化导致刚度变大等。

轮径差是货车服役过程中频繁出现的问题。轮径差是指同一轮对两侧车轮名义滚动圆半径的差值，货车运用过程中两侧车轮磨耗速率不一致，进而导致轮径差问题，理想的标准转向架各车轮滚动圆直径不应该存在差异，但实际运行中并不能保证列车转向架四个车轮滚动圆直径完全相同。根据空间分布方式，轮径差可以分为四种，分别为前导向轮轮径差、后随轮对轮径差、等值同相轮径差、等值反相轮径差，如图 3.13 所示。

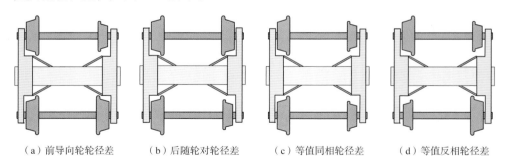

（a）前导向轮轮径差　　（b）后随轮对轮径差　　（c）等值同相轮径差　　（d）等值反相轮径差

图 3.13　轮径差空间分布方式

三大件转向架在安装了交叉支撑后，左右侧架被弹性固定。转向架正位状态在车辆运用过程中可能发生变化，导致同一转向架两轮对之间平行度出现偏差。轮对之间平行度的偏差会造成轮对的定位中心偏差，这种偏差称为形位偏差。根据轮对偏差的分布方式，转向架形位偏差可以分为四种，如图 3.14 所示[6, 7]。虽然形位偏差的表现形式各不相同，但基本都可由前轮对偏转、后轮对偏转、前后轮对同向偏转、前后轮对反向偏转四种典型形式组合得到。

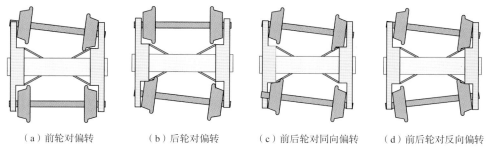

（a）前轮对偏转　　　（b）后轮对偏转　　　（c）前后轮对同向偏转　　　（d）前后轮对反向偏转

图 3.14　形位偏差形式

　　货车关键部件服役状态变化必然导致车辆运动状态变化，进而造成车辆各部件间相互作用载荷变化，导致车辆动力学性能恶化，零部件服役寿命下降。以 C80 货车空车 80km/h 直线惰行状态下前导向轮轮径差及前轮对偏转形位偏差为例，从运动状态演变、轮轨相互作用及磨耗特性演变、轮轨接触状态演变三个方面进行分析。

1. 运动状态演变

　　图 3.15 和图 3.16 分别为轮径差对轮对运动状态的影响以及存在轮径差状态下转向架运动姿态的演变。由图可知，车辆运行过程中，同一轮对两轮存在轮径差时，该轮对会向小轮径一侧横移并带动相邻轮对横移，横移量随轮径差增大而增加；同时两轮对向相反方向偏转呈"八"字形，摇头角随轮径差增大而增加。轮对横移量受轮径差影响较为显著，轮对摇头角变化较小，因此可以通过轮对横移量对轮径差进行检测诊断。

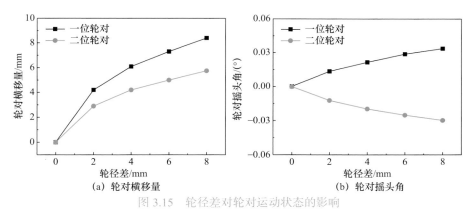

（a）轮对横移量　　　　　　　　　　　（b）轮对摇头角

图 3.15　轮径差对轮对运动状态的影响

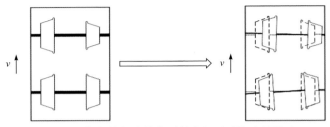

图 3.16 存在轮径差状态下转向架运动姿态的演变

图3.17和图3.18分别为形位偏差对轮对运动状态的影响以及形位偏差状态下转向架运动姿态的演变。由图可知,若一位轮对存在偏角,则车辆运行过程中该轮对会向一侧横移并带动相邻轮对横移,一位轮对横移较大,相邻轮对横移较小,横移量随形位偏差增大趋于稳定。一位轮对偏转并不会引起相邻轮对偏转,轮对横移量受形位偏差影响较为显著,相邻轮对摇头角变化较小。转向架运动状态变化以轮对偏转及其引发的轮对横移为主。

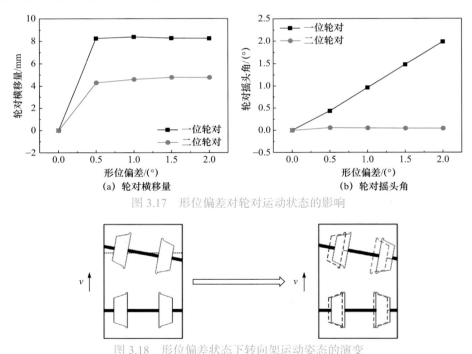

图 3.17 形位偏差对轮对运动状态的影响

图 3.18 形位偏差状态下转向架运动姿态的演变

2. 轮轨相互作用及磨耗特性演变

图3.19为不同轮径差下对轮轨垂向力、轮轨横向力及轮轨磨耗指数变化情况。由图可知,轮对存在轮径差时小轮径(一位轮对右轮)一侧车轮减载,另一侧(一

位轮对左轮）增载，两侧车轮的轮轨横向力均随轮径差增大而增加。两侧轮轨磨耗指数均随轮径差增大而增加，小轮径一侧轮轨（一位轮对右轮）磨耗指数明显大于大轮径车轮（一位轮对左轮）的轮轨磨耗指数，导致两轮磨耗速率出现差异，进而使轮径差在车辆长期服役过程中持续增大。

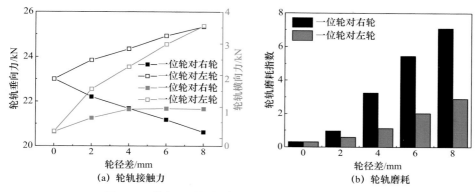

图 3.19　轮径差对轮轨接触力及轮轨磨耗指数的影响

图 3.20 为形位偏差对轮轨接触力及轮轨磨耗指数的影响。由图可知，轮轨垂向力受形位偏差影响较小，轮轨横向力随形位偏差增大而显著增加，轮对存在偏转角会引起同一转向架相邻轮对横向力增大；轮轨磨耗指数与形位偏差呈正相关，轮对偏转导致两侧车轮轮轨磨耗指数显著增大。

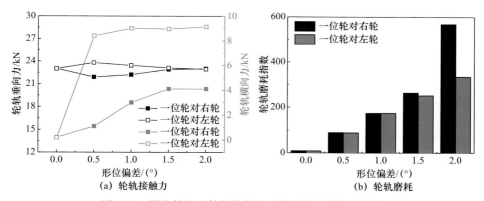

图 3.20　形位偏差对轮轨接触力及轮轨磨耗指数的影响

3. 轮轨接触状态演变

图 3.21 为轮径差对轮轨接触的影响，包括不同轮径差状态下轮轨接触位置、接触斑外形及钢轨表面法向接触应力状态。由图可知，随轮径差增大，小轮径一侧轮轨接触斑向轮缘侧移动，轮径差过大会导致踏面磨耗向轮缘区域发展，加剧

轮缘磨耗。轮轨接触斑外形受轮径差影响相对较小，钢轨表面应力随轮径差增大而明显增加，不利于车辆长期服役。图 3.22 为不同形位偏差下轮轨接触位置、接触斑外形及钢轨表面接触应力变化情况。由图可知，随着轮对偏转角度（形位偏差）增大，接触斑向轮缘侧移动，当偏转角度过大时出现轮轨两点接触，轮缘贴靠钢轨，导致轮缘磨耗加剧。

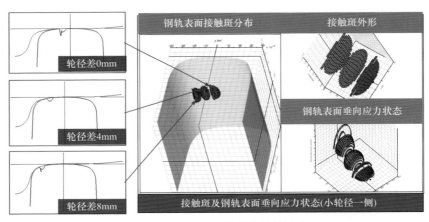

图 3.21　轮径差对轮轨接触的影响

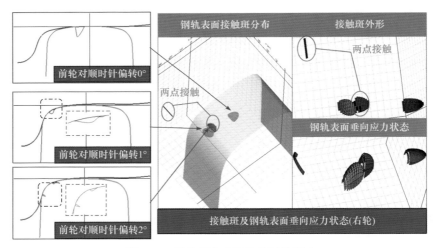

图 3.22　形位偏差对轮轨接触的影响

3.2.3　铁路货车关键零部件缺陷状态的安全限值

铁路货车关键零部件缺陷状态的安全限值支撑了定期修向状态修的修程修制改革，对于充分利用零部件的使用能力、延长车辆服役寿命、减少过度维修、节约成本具有重要意义。铁路货车关键零部件缺陷状态的安全限值主要通过车辆的动力学性能指标进行评判，依据动力学性能指标的限值确定关键零部件的运用限值。下面从国内外铁路车辆运行安全评判标准和铁路货车关键零部件缺陷状态的安全限值两方面进行介绍。

1. 国内外铁路车辆运行安全评判标准

长期以来，世界各国铁路部门和科研人员开展了大量脱轨理论与试验研究，但是由于脱轨问题的复杂性及研究的困难性，直到目前这一问题仍未得到很好的解决，一方面目前还不能有效地预测和控制脱轨，另一方面实际脱轨事故原因复杂甚至评判脱轨的标准仍然需要进一步研究。

国内外评判车辆是否脱轨的基本指标是脱轨系数 Q/P，即轮轨横向力 Q 与轮轨垂向力 P 之比[5]。中国和日本等国家除采用脱轨系数，还将轮重减载率 $\Delta P/\overline{P}$ 作为辅助评价指标，ΔP 为轮重的减载量，$\overline{P}$ 为左右平均静轮重。根据自身情况及应用经验，各国采用了不尽相同的脱轨评价标准。最早对列车脱轨的研究可追溯到19 世纪末，法国科学家 Nadal 于 1896 年根据车轮悬浮时轮轨一点接触处的法向力、切向摩擦力与车轮横向力、垂向力的关系，提出临界脱轨系数[8]，并以此作为车轮开始脱轨的判断依据，计算公式如下：

$$\frac{Q}{P} = \frac{\tan\alpha - \mu}{1 + \mu\tan\alpha} \qquad (3.11)$$

式中，μ 为钢轨与车轮接触面的动摩擦系数；α 为轮缘角。

虽然 Nadal 准则一直被广泛采用，但是它具有很大的保守性。美国在机车试验中发现轮缘接触处的车轮脱轨系数达到 2 时，列车仍没有脱轨。中国铁道科学研究院在货物列车脱轨试验中，发现大量脱轨系数超出危险限值 1.2 但整个试验过程中试验列车安然无恙，并未出现脱轨事故的情况。例如，中国铁道科学研究院在大秦线、南津浦线货物列车脱轨试验中曾大量测出脱轨系数超出 1.2，如表 3.2所示[5]，其中最大达到 4.98，但试验列车安全运行。

表 3.2　南津浦线货物列车脱轨试验中脱轨系数最大值汇总

速度/ (km/h)	试验方案 1				试验方案 2				试验方案 3			
	C62A	C62B	X6A	GAL	C62A	C62B	X6A	GAL	C62A	C62B	X6A	GAL
65	1.05	0.47	1.76	0.67	1.15	0.77	1.80	0.84	1.08	0.56	1.04	1.42
70	0.94	1.43	2.18	1.39	—	—	—	—	1.13	1.43	2.49	1.16
75	1.14	1.90	2.11	1.64	1.80	1.54	4.98	1.68	0.97	1.45	2.67	1.59
80	2.24	1.94	3.51	2.04	1.62	1.80	4.83	2.07	1.52	1.60	3.51	1.63

1984 年，美国铁路运输试验中心的 Weinstock 在研究中发现，综合考虑非贴靠轮和轮缘贴靠轮上的横向力与垂向力，可以更好地判断列车是否发生脱轨，认为脱轨并不仅仅取决于轮缘贴靠侧车轮的力平衡关系。因此，他建立了单轮对仿真模型，针对单轮对脱轨标准进行了研究，提出采用同轴两侧车轮 Q/P 的绝对值之和作为评判指标[9]。他提出的准则是，整轴两轮脱轨系数之和不超过轮轨摩擦系数（非轮缘贴靠侧车轮）和 Nadal 临界值（轮缘贴靠侧车轮）之和，即

$$\sum |Q/P| \leqslant \mu + \text{Nadal} \qquad (3.12)$$

Weinstock 标准被认为在小的或负的冲角下比 Nadal 标准具有较小的保守性，并且对摩擦系数变化不敏感。然而，对于瞬时出现的极大值，Weinstock 标准仍然避免不了冲击力的作用时间问题。1987 年起，美国铁路协会（Association of American Railroads，AAR）在进行货物安全鉴定试验中综合采用单轮对限度和整轴 Weinstock 限度：

$$\begin{cases} Q/P < 1 \\ \sum |Q/P| < 1.5 \end{cases} \qquad (3.13)$$

20 世纪 60 年代末到 70 年代初，日本应用轮轨滚动接触理论，针对单轮对脱轨问题进行了大量的理论分析与试验研究，区分了动态跳轨脱轨和稳态爬轨脱轨的不同作用性质[10]。这一评判标准考虑了横向力作用时间对轮对脱轨的影响，用公式表示为

$$Q/P \leqslant \begin{cases} \lambda, & t \geqslant 0.05\text{s} \\ \dfrac{0.05}{t}\lambda, & t < 0.05\text{s} \end{cases} \qquad (3.14)$$

式中，t 为横向力的作用时间，s；λ 为脱轨系数目标值。

根据 λ 值的不同，式（3.14）中区分了危险限度（λ=0.8）和最大容许限度（λ=1.0）两类标准。

欧洲西部各国通过列车运行试验测得轮重及横向力，并以此结果为基础进行车辆运行安全评价。除特殊的线路条件情况，对脱轨安全性采用 2m 移动平均值脱轨系数 Q/P <0.8 的指标进行评价[11]。法国、德国及瑞典等国铁路部门根据试验研究结果，将下面的数据分析方法作为欧洲铁路交通联盟的准则进行脱轨系数的评价：

（1）求解步长 0.5m、窗口长 2m 的移动平均值；

（2）求解在一定距离内的累积频次，计算出相当于累积发生概率 99.85% 的值；

（3）绘制 99.85% 值与运行速度的关系图形，确认速度效果。

部分国家采用综合脱轨系数与轮重减载率来评价车辆运行安全性。例如，日

本新干线现场试验结果表明，轮重减载率大时往往比脱轨系数大时更容易出现脱轨。日本根据小半径曲线上的脱轨试验结果及单轮对脱轨仿真计算，确定 0.6 为静态轮重减载率的标准值[5]。静态轮重减载率的含义是：在缓和曲线上轨道存在钢轨表面不平顺、车辆扭曲、乘客和装载货物的偏载以及曲线上的过超高等因素引起的比较缓和的轮重变化，即静载荷引起的轮重变化。北美规定的动态轮重减载率标准值为 0.9。德国高速列车试验中，采用的轮重减载率限度也为 0.9。在车辆实际运行试验中经常出现因阵风、局部不平顺引起的动态轮重减载率超出限值，甚至出现轮对悬空，在南津浦线货物列车脱轨试验中由系统测出车轮悬浮已不是个别现象，严重时达到总车轮数的 10%～20%，如表 3.3 所示[5]。

表 3.3　南津浦线货物列车脱轨试验中车轮悬浮数统计

试验情况		试验方案 1	试验方案 2	试验方案 3
65km/h	悬浮数	无	16	20
	其中大悬浮数	无	无	1
70km/h	悬浮数	1	—	38
	其中大悬浮数	无	—	3
75km/h	悬浮数	5	35	89
	其中大悬浮数	无	4	6
80km/h	悬浮数	11	39	122
	其中大悬浮数	1	6	8

注：大悬浮数指浮起量在 17mm 以上。

轮轨动态作用力是衡量车辆对轨道动态作用最重要的指标，包括轮轨垂向作用力和轮轨横向作用力。目前，关于轮轨垂向作用力，一般沿用英国铁路（BR）所定义的轮轨垂向作用力 P_1、P_2 作为衡量车辆对线路动力破坏效应的指标[12]。P_1 是由钢轨质量与机车车辆簧下质量之间所发生的高频接触振动所引起的冲击力，由于其频率高、衰减快，来不及向车上及轨下传递，引起钢轨和车轮强烈振动，从而导致轨头破损、车轮扁疤、鱼尾板折断及螺栓孔裂纹。P_2 是整个机车车辆系统与轨道线路系统受脉冲激励而出现的中低频响应力（其频率通常在 30～100Hz 范围内），它能直接向轨下部件传播，因而对轨道变形及轨下基础破坏起主要作用。显然，P_1、P_2 是评价轮轨垂向动力作用的两项关键指标。1992～1995 年加拿大国铁利用轮轨冲击力检测装置来检测运输线上损伤轮对轨道的冲击载荷，将报警值定为 80000lb（356kN）；美国铁路协会从 1993 年 1 月开始以冲击力作为衡量车轮踏面擦伤程度的新标准，最初规定踏面擦伤车轮的冲击载荷超过 85000lb（378kN）将被扣修。2003 年 1 月 1 日生效的《交互作业手册》第 41 条规定，踏面对轨道的单轮冲击不得超过 90000lb（400kN）[13]。轮轨横向力是导致轨排横移、轨距扩大、曲线横向变形的主要根源。当今铁路轨道已普遍采用混凝土轨枕，欧美铁路根据试验，一般取静轴重的 40% 作为横向力的允许限度[5]。

世界各国根据自身情况及运营经验，制定了符合各自条件的动力学评价标准。我国尚未制定专门用于重载列车的评价标准，车辆安全性和线路稳定性评价中，试验和理论计算结果主要依据《机车车辆动力学性能评定及试验鉴定规范》（GB/T 5599—2019）[14]。GB/T 5599—2019 规定的脱轨系数安全标准是脱轨系数 $Q/P<1.0$ 为允许限度，$Q/P<1.2$ 为危险限度。轮重减载率规定：当试验速度 $v \leqslant 160$km/h 时，$\Delta P / \overline{P} \leqslant 0.65$。轮轴横向力评价标准为 $H \leqslant 15 + P_w / 3$，其中 P_w 为车辆静轴重。

实际中，车轮常常受到钢轨表面微小幅度的高低、轨向等不平顺激扰而产生高频冲击振动，引起轮轨垂向力或者横向力在极短时间内产生较大波动，从而导致脱轨系数在短时间内大幅度增大，有时可达脱轨系数安全限值的几倍，随后又迅速恢复正常，并没有脱轨危险。我国的专家和技术人员为了比较准确地找出脱轨系数临界值，针对该问题进行了大量研究。曾宇清等[15]在 Nadal 脱轨系数公式的基础上引入轮轨纵向力，并进行单轮对脱轨仿真试验，通过结果分析得到了修正的脱轨动态安全限度，他认为修正的动态安全限度能正确地提高脱轨系数限值，并有效地减小脱轨系数的误判率。薛弼一[16]用蠕滑力替换该公式中的摩擦力，提出脱轨系数由蠕滑力表示的改进公式，其优点在于可以考虑如摩擦系数、冲角和载荷对称性等影响因素。翟婉明[17, 18]在单轮对脱轨仿真研究的基础上，提出了评价车辆脱轨的新准则，即轮重减载率的最大持续作用时间均应小于 0.035s 作为车轮脱轨的安全限度。

综合并借鉴国内外施行标准及研究结论，从货车的运行安全性、平稳性和轮轨动力相互作用三个方面来分析评价列车的运行安全性能。安全性指标包括脱轨系数、轮重减载率和倾覆系数，平稳性指标包括车体垂向加速度和车体横向加速度，轮轨动态相互作用指标包括轮轨垂向力、轮轨横向力、轮轴横向力及车轮抬升量，各指标汇总见表 3.4。

表 3.4　列车运行安全性能评定标准

评价指标	限值
脱轨系数	1.2
轮重减载率	$\dfrac{\Delta P}{P} \begin{cases} \leqslant 0.65, & t \geqslant t_0 \\ > 0.65, & t < t_0 \end{cases} (t_0 = 0.035\text{s})$
倾覆系数	0.8
轮轨垂向力	250kN（用于非擦伤状态下） 356kN（用于擦伤状态下）

续表

评价指标	限值
轮轨横向力	$Q < 0.4P_w$
轮轴横向力	$H \leqslant 15 + \dfrac{P_w}{3}$
车轮抬升量	27mm
车体横向加速度	0.3g
车体垂向加速度	0.5g

2. 铁路货车关键零部件缺陷状态的安全限值

基于动力学性能和车辆状态的关键零部件缺陷状态的安全限值分析，关键在于建立货车动力学评价体系，并据此对不同服役周期内的铁路货车车辆状态及动力学性能指标进行评估。车辆动力学研究方法可以分为利用计算机动力学软件的仿真分析、借助大型综合试验设备的台架试验及线路动力学试验。车辆动力学数值仿真的模型和结果需要线路动力学试验的验证，而线路动力学试验需要仿真分析的指导，两者相互支撑、相互促进，保证了铁路货车在整个服役过程中的运行安全性和可靠性，货车动力学性能评价技术在我国铁路货车提速和重载发展过程中发挥了重要作用。但限于实际条件及运营风险，难以完全通过线路动力学试验对铁路货车关键零部件缺陷状态的安全限值进行研究。因此，利用计算机的仿真分析是关键部件缺陷状态安全限值分析的主要技术手段。

针对铁路货车，通过调研充分了解不同服役周期内铁路货车关键部件的主要运用问题以及各车型的特点，为后续仿真分析提供输入条件。然而，并非所有零部件缺陷均对车辆动力学性能产生影响，如车体腐蚀难以反映到车辆动力学中，着重介绍能影响车辆动力学性能的关键部件缺陷状态，主要包括车轮缺陷（圆周磨耗、踏面剥离、局部凹磨、踏面擦伤等，如图 3.23 所示）、转向架缺陷（形位偏差）、悬挂元件缺陷（轴箱橡胶垫老化、斜楔磨耗、旁承预压量不足等）。

铁路货车关键零部件缺陷状态的安全限值技术路线如图 3.24 所示。首先，以现役货车主要车型（C80、C70、C64、KM98）、货车运行线路条件、运行速度、轨道状态作为输入条件，基于多体动力学原理建立三维铁路货车车辆-轨道系统动力学模型库，并将模型作为输入建立重载列车动力学分析模型。其次，考虑重载列车运行过程中不同操纵方式，通过纵向动力学分析模型仿真分析列车不同操纵状态下车辆纵向冲动特性，并将其输入重载列车动力学分析模型中。再次，针对铁路货车关键零部件不同运用状态，如踏面圆周磨耗、轮径差、斜楔磨耗、旁承

（a）圆周磨耗

（b）踏面剥离

（c）局部凹磨

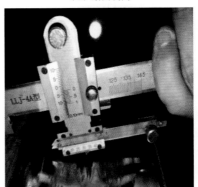
（d）踏面擦伤

图 3.23　车轮常见缺陷

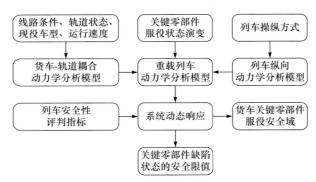

图 3.24　铁路货车关键零部件缺陷状态的安全限值技术路线图

预压量变化等，在理论计算模型中设置相应的参数进行表征，采用实测的铁路轨道谱进行动力学性能仿真，通过大量的动力学性能仿真，获得货车动态响应，详细分析关键零部件缺陷状态与货车动力学性能的映射关系，确定不同关键零部件运用状态的影响规律。最后，基于列车运行安全性评价指标体系，从确保行车安全性能、运行平稳性能，以及对轨道的动力作用角度，确定关键零部件缺陷状态的安全限值以及货车关键零部件服役安全域。

基于铁路货车车辆系统动力学模型库、轨道模型、线路模型库、激励模型库和轮轨模型库，进行动力学性能仿真研究，详细分析结构和尺寸参数、悬挂元件特性参数、不同服役条件对动力学性能的影响规律，并结合实际线路的动力学性能计算结果，确定各结构参数、悬挂元件特性参数、形位尺寸误差和磨耗程度的安全限值范围。

3.3　铁路货车零部件失效规律与剩余寿命预测

铁路货车状态修很重要的一项工作就是零部件的寿命预测，只有寿命预测准确，才能实现更加精准的状态修，用最小的维修量和维修成本实现能力和性能的保持。然而，失效规律分析往往是服役寿命预测的前提和关键。通过开展各种复杂服役环境中零部件失效规律分析，在此基础上建立零部件服役寿命预测、验证理论和方法，进而为建立有效的维修策略奠定基础。

3.3.1　零部件失效规律分析的重要性

在工程实际中，由于设备的复杂性不断提高，一般很难直接监测退化变量且监测成本过高。在此条件下，能够反映设备实际状况的物理模型往往过于复杂甚至无法获得，较难实现实际工况下的状态预测。因此，基于设备运行维修数据的寿命预测方法发展迅速。从数据驱动的角度建立合理的性能退化模型，进而在退化模型基础上对设备进行可靠性评估和寿命预测，可以实现通过设备的状态检测数据确定失效规律，预测未来一段时间内的失效情形，进而指导下一阶段的检修策略。

开展零部件失效规律分析，可以降低现有修程修制下的过度修等情况，使零部件质量保证期得到充分利用，平衡货车检修修程结构设置，制定合理的检修范围，达到有效控制铁路货车检修成本、提高货车运用检修效率等。

另外，不论简单的结构还是庞大复杂的机械系统，都由基本的零部件和元件组成，其中任何一个零部件失去应有的原有功能都可能导致系统整体失效。因此，将零部件作为失效规律分析的基础，展开以典型机械零部件为主体的各类零部件失效分析，对整体进行分类解释同类失效形式的本质，比较和鉴别各类失效形式具有重要意义。

失效规律分析是指通过全面梳理主要车型的货车零部件的使用数据，结合失效形式深度挖掘失效数据，建立铁路货车零部件基于里程的失效演变过程，系统总结零部件失效规律，并通过试验验证规律的准确性，最终建立零部件失效规律模型。在铁路货车零部件失效规律的基础上，准确预测零部件剩余寿命，以最大限度地发挥零部件使用潜能，指导状态修的开展。根据三类零部件的影响特点确定各自分析目标。

全寿命零部件决定修程修制，如闸瓦决定 Z1 修修程，车轮决定 Z2 修修程。通过确定零部件的整体退化趋势和退化范围，为制定平均修程提供依据；并根据个体零部件的状态预测剩余寿命，为修正实际修程提供依据。

使用寿命零部件的失效影响行车安全和性能。通过确定零部件整体的失效分布，获得基于里程或时间的瞬时失效率，为零部件综合评判提供依据；同时根据不同部位和不同失效模式下零部件的失效分布，确定不同修程的检修工艺。

易损零部件的失效影响检修物料管理，通过确定零部件更换率，为检修生产管理体系研究提供物料管理支撑；同时为易损零部件向全寿命、使用寿命零部件转换提供依据。

3.3.2　铁路货车零部件失效规律分析

1. 主要分析方法

当前失效规律分析方法种类繁多，大体可分为基于统计数据的分析方法和基于物理模型的分析方法，此外还有一些基于经验的分析方法和混合方法等。

基于物理模型分析零部件失效规律主要依据设备机械动力学原理和设备状态检测数据，对设备的剩余寿命进行预测。经典应用包括裂纹扩展模型、动力学模型等，主要用于设计阶段的规律研究。随着设备的复杂程度不断增加，能反映设备实际状况的物理模型往往过于复杂或无法获得，因此基于设备运行维护数据的数据分析方法发展迅速。针对轨道交通行业，运行维护数据主要包括设备基本信息、检修履历数据、寿命数据、零部件性能退化数据、运行环境数据等。由于管理、技术、维修策略等影响，运行维护数据呈现多删失截断、多环境扰动的特点，折射出复杂的运维环境。基于运维数据的铁路货车零部件失效规律分析方法可以从定性和定量两个方面进行。

1）定性分析方法

定性研究（qualitative research）的定义常以定量研究（quantitative research）的定义作为参考对比，也常被看成与定量研究方法或统计学方法的对立。定性研究被用来挖掘人们对事物现象的主观理解，其研究方法不是用来寻求量化与数理化，更不是用来精确测量。常用的定性分析方法及其适用范围见表 3.5。

表 3.5　常用的定性分析方法及其适用范围

方法名称	适用范围
故障树分析法	事故调查分析、系统危险性评价、事故预测、安全措施优化决策、系统安全性设计等（也可用于定量分析）
失效模式及影响与危害性分析	设计阶段、生产阶段、维护阶段，改善产品品质
共因失效分析	针对复杂系统，同一原因引起多部件失效情况；安全性分析
功能危险分析	方案论证阶段、设计阶段、对可靠性、维修性及安全性的判断

失效模式及影响与危害性分析（failure mode, effect and criticality analysis, FMECA）方法采用"自下而上"的逻辑归纳法，从系统结构的最低级开始，根据对每个功能单元故障模式直到系统级的跟踪，决定每个故障模式对系统功能的影响[19]。故障树分析（fault tree analysis, FTA）法是演绎推理，通过从上到下的方式，分析复杂系统初始失效及事件的影响。

在铁路货车零部件失效规律分析中多涉及 FMECA 方法，利用该方法可以明确系统中每个零部件可能产生的所有故障模式及其对系统造成的所有可能的影响，并按每种故障模式的严重程度、检测难易程度以及发生频度进行分类，用于评估并综合分析故障的发生概率、影响和检测度，对故障进行优先级排序，从而为后续的定量分析奠定基础。

2）定量分析方法

为系统深入地研究零部件失效形式与失效规律，揭示铁路货车零部件失效演变过程与里程的对应关系，在完成基础的数据采集与处理后，按照模型建立、模型参数求解、模型优化与验证的逻辑顺序展开后续分析，得到可计算的零部件运用情况。

（1）模型搭建方法。

在利用 FMECA 方法明确零部件主要失效模式、失效部位和失效机理后，从数据情景来看，针对零部件在使用中的不同特点，失效规律模型可以分为失效模型（寿命分布函数模型）和退化模型两大类。其中失效模型主要针对转向架大部件、钩缓零部件等使用寿命较长的零部件；退化模型主要针对车轮、闸瓦等存在持续磨耗的零部件。

① 零部件失效模型搭建。

服役过程中零部件因磨耗、冲击、时间、温度等因素的作用，丧失其规定的功能，该现象统称为失效。对于如车钩、缓冲器等零部件，只能获得指标合格与否的信息，如个体是否磨耗超限、是否有裂纹，该类指标均为二维，可转化为 0-1 变量，并根据个体是否失效及其寿命长度计算其寿命分布。而由于铁路货车检修制度的特点和零部件设计使用寿命的特点，从现场收集的寿命数据中常包括截断删失数据情况。

截断是数据抽样总体分布的一种属性。由于某些现实条件或模型本身的性质，只有当随机变量的值超过下限或保持在上限时才能被观察到（在铁路货车行业，这些限制多体现为里程或运行时间），可细分为左截断、右截断和双截断三种类型，在轨道交通领域，左截断的情况比较常见。

图 3.25 以观测时间为基准展示了左截断数据，图中观测开始时间即左截断点，由于零部件个体 a、b 的投入使用时间及失效时间均发生在观测开始前，运用数据不可得，即造成数据出现左截断。而零部件个体 c、d 投入使用时间在开始观测时间前，从左截断分布中抽样所得。零部件个体 e 自投入使用至失效均发生在观测区域内，因而其寿命数据为完整观测数据。

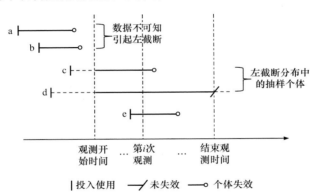

图 3.25　左截断示意图（以观测时间为基准）

删失是指诸多现实情况限制导致研究人员在观测时间内不能完全观测到所有研究事件的发生。将某零部件失效作为研究事件，左删失是指仅知个体研究事件在首次观测时已发生，不知其确切发生时间；右删失是指仅知个体研究事件在末次观测时仍未发生，不知其确切发生时间；区间删失是指仅知个体研究事件在两次观测间发生，不知其确切发生时间。

图 3.26 以检修次数为基准，将所有个体拉回同一使用起点，针对服役时长进行分析，该图展示了不同的删失数据类型。此处以 16H 型钩舌为例进行说明，该零部件在段修及厂修中均需探伤检查，即每两年检修一次。观测其三次检修过程，其中个体 a 在第一次检修时发现其已失效，则其寿命数据为左删失数据。个体 b 在第一次检修时完好，在第二次检修时发现其已失效，则其寿命数据为区间删失数据。个体 c 为第三次检修时仍未失效，即截至观测结束仍可继续使用，则其寿命数据为右删失数据。

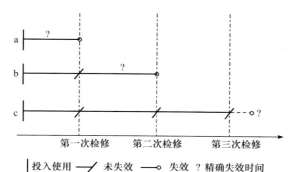

图 3.26　删失示意图（以检修次数为基准）

　　综上所述，截断的本质是一种条件抽样分布，删失的本质则是用模糊信息代替精确信息。截断删失数据下失效规律的技术路线如图 3.27 所示。在利用 FMECA方法确定零部件主要失效模式、失效部位及失效机理后，通过现场采集数据、查询历史数据，追溯零部件使用全过程，从而构成寿命数据。对数据进行预处理，并依据实际情形对不完整数据的类型进行定义，数据建模可大致分为非参数模型及参数模型两类。非参数模型利用寿命表，通过失效率统计对数据累积失效概率进行估算，而后建立联立置信区间。参数模型则通过建立似然函数，通过比较拟

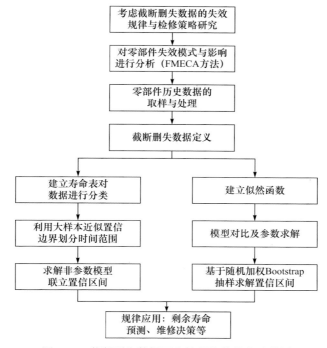

图 3.27　截断删失数据下失效规律的技术路线图

合情况选择统计分布，通过参数估计方法进行参数估计，并通过随机加权自举（Bootstrap）抽样对参数置信区间进行求解。对两种方式求解的结果进行对比，保证求解的正确性，在得到相关失效规律模型后，可将其作为输出支撑后续维修决策研究等内容，如基于蒙特卡罗仿真的思想，开展个体寿命预测及总体失效数量预测。

②　零部件退化模型搭建。

退化一般是指在外力作用下，零部件受到损伤，并随着工作时间的增加，损伤不断累积，当损伤累积达到极限时，零部件失效损坏。对于高可靠、长寿命产品，传统的寿命试验甚至加速寿命试验都很难在相对较短的时间内获得失效时间数据。对于如车轮、闸瓦等零部件，某些指标在一定时间跨度内，可以以一定的间隔获取该指标的实际状态值，并且是可以持续跟踪的，如车轮踏面磨耗量、闸瓦上中下部剩余厚度等。对于此类零部件指标，可以构建零部件退化模型描述演变过程，利用零部件性能退化数据估计其可靠性与寿命。

通过监测设备对零部件相应的性能数据进行检测与收集，部分性能指标随着时间的推移呈现一定规律的变化。当性能退化到一个临界水平时，系统或零部件被定义为退化失效。在此过程中采集到的零部件性能变化数据即退化数据。按照能否直接表征零部件健康性能状态，这些数据可以分为直接检测数据和间接检测数据。

退化建模基于失效机理，对零部件退化轨迹进行建模，其最重要的特点是能够记录总体中每个个体的多重退化量，在个体未失效时展开分析，且退化数据能够提供更真实的退化过程信息，进而找到更合适的退化函数关系式，模型更加贴近实际的失效机理。

目前广泛应用的退化模型主要包括退化轨迹模型、退化量分布模型、累积损伤模型、Gamma 过程模型以及 Wiener 过程模型等[20]。本书采用退化轨迹模型进行数学建模，表征零部件磨损退化失效规律，其基本原理是退化型故障具有不同形式的退化轨迹图像，当零部件退化发展到既定的失效阈值时就会发生故障。

针对退化型失效的零部件，并根据目前零部件历史退化失效数据的可得性，可以按照以下三种方法进行退化建模：一是线性回归模型；二是广义线性模型；三是混合效应模型。

线性回归模型：对于无零部件个体跟踪退化数据，靠单次现场加测零部件的退化数据，采用线性回归模型进行退化过程的拟合，寻找最优的模型描述零部件退化过程。线性回归模型适用于一个或多个自变量（X）和因变量（Y）为线性关系，可以用一条直线来近似拟合的情况，如对承载鞍、斜楔、心盘磨耗盘、旁承体橡胶垫、滑块磨耗套等磨耗件的拟合。

广义线性模型：对于可追踪个体退化信息且满足基本的非线性退化、个体之间离散性强、个体差异大、存在明显的异方差等特性的零部件，则可以基于以上非线性退化数据特性而采用广义线性模型进行退化建模。广义线性模型是线性回归模型的拓展，它的拓展性具有双重意义。首先，对于退化表征量所满足的分布不再局限于正态分布，而是拓展到了离散数据、二分类数据、逆高斯分布等指数族分布，适用于更复杂的数据结构；然后，不用要求响应变量的均值与自变量为直接的线性关系，只要求它基于联结函数可以实现线性关系转换，给予数据建模更大的灵活空间。

混合效应模型：对于有零部件个体跟踪退化数据记录的，可以实现单个零部件退化信息的跟踪，但是在现实情况下，不同零部件个体重复性测量下的退化数据存在着一定的不平衡性，每个个体测量时刻以及测量次数不一致，在这种情况下可以采用混合效应模型来处理这种退化数据。混合效应模型由固定效应模型和随机效应模型两部分组成，优势是利用固定效应参数描述研究对象的确定性模型和平均行为，利用随机效应参数来刻画个体之间的序列相关性和差异性，反映个体之间的差异。通过随机效应、自相关结构和异方差结构的添加考虑个体差异、重复性测量数据的时间序列相关性以及非独立性测量误差等不确定性因素，更准确地实现总体和个体的退化图像拟合，通过拟合指标计算选择最优的模型来刻画零部件的退化过程。混合效应模型可以分为线性混合效应模型、非线性混合效应模型和广义线性混合效应模型。

（2）参数求解方法。

零部件退化模型多属于参数化模型，模型参数的准确求解（即参数估计）直接影响失效规律的准确性，常用的参数求解方法及其变形如下。

① 极大似然估计方法及相关似然函数。

最大似然估计（maximum likelihood estimate，MLE）方法也称为最大似然估计。当样本数量增加时，其收敛性能更好，且利用了分布函数的形式，得到的估计量的精确性较高。因此，MLE 方法是用于获得模型中各有关参数估计值最常用的方法。

最大似然估计方法：似然描述的是结果已知的情况下，该事件在不同条件下发生的可能性，似然函数的值越大说明该事件在对应的条件下发生的可能性越大，根据已知事件找出产生该结果最有可能的条件，根据最有可能的条件来推测未知事件的概率。

剖面似然函数：令 $Y = (y_1, y_2, \cdots, y_n)^{\mathrm{T}}$ 为独立随机变量的 n 个向量，随机变量服从由两个参数（或向量）α 和 β 表征的分布。假设目标量是在 α 存在的情形下对 β 的推断，当无法利用边缘似然函数或条件似然函数时，利用剖面似然函数对 β 进行推断。

拟似然函数：当分布密度 $f(x)$ 的形式未知时，参数的极大似然估计没有明确的解析表达式，可通过设定 θ 的一个估计 $\hat{\theta}_n$ 来确定其表达式，该估计不依赖于 $f(x)$ 在 (a,b) 上的具体形式，而只与 $f(x)$ 的边界性质有关，且有与极大似然估计相同的渐近性质。

伪似然函数：用于估计回归模型中方差函数的未知变量，无须对模型进行充分的分布假设即可进行估计。

残差似然函数：又称受限似然函数，是混合效应模型中模型误差的主要求解方法。将似然分成两部分：第一部分包含一个或者多个统计量以及所有类似均值 μ 的固定参数（可能包含方差参数），第二部分是残余似然以及包含随机效应的方差变量。

② 最小二乘法及相关变形。

在求解涉及微分时，极大似然估计方法难度较大，采用最小二乘法计算负担相对较小，也是常见的参数求解方法。

普通最小二乘法：在已经获得样本观测值 y_i、$x_i(i=1,2,\cdots,n)$ 的情况下，假如模型的参数估计量已经求得，为 $\hat{\beta}_0$ 和 $\hat{\beta}_1$，并且是最合理的参数估计量，则 $\hat{y}_i=\hat{\beta}_0+\hat{\beta}_1 x_i(i=1,2,\cdots,n)$ 能实现样本数据的最佳拟合。其中 $\hat{y}_i$ 为被解释变量的估计值，是由参数估计量和解释变量的观测值计算得到的，判断的标准是解释变量的估计值与观测值二者之差的平方和最小。

加权最小二乘法：若模型被检验证明存在异方差性，则可以采用对原模型加权的方法，使之变成一个新的不存在异方差性的模型，然后采用普通最小二乘法估计其参数。

广义最小二乘法：实际情况下无法保证普通最小二乘法的假定成立，违背时需进一步修正，广义最小二乘法是广义线性模型的基本求解方法，尤其适用于含有异方差、自相关的情况，对模型进行适当的转换，使得转换后模型的误差性满足同方差、无序列相关的假定条件。

在极大似然估计方法或最小二乘法的参数求解框架内，还需要数值算法与之配合。牛顿迭代法又称为牛顿-拉弗森（Newton-Raphson，NR）法，是一种在实数域和复数域上近似求解方程的方法，本质是将非线性方程通过泰勒级数展开为近似的线性方程，以线性方程的解逼近非线性方程的解[21]，即使用函数 $f(x)$ 的泰勒级数的前面几项来寻找方程 $f(y)=0$ 的根。若可求得对数似然函数的一阶导数和二阶导数，则可利用 NR 法使似然函数最大化。期望最大值（expectation-maximization，EM）算法是在数据不完整的情况下求解参数的极大似然估计的一种迭代算法，它使用上一步参数估计值修正删失数据，然后应用极大似然准则更新参数估计值[22]。

利用极大似然估计方法或最小二乘法进行参数求解得到参数点估计值，而无法对其估计值的精确程度做出判断，因此在点估计的基础上，给出总体参数估计的一个区间范围尤为重要。由于传统估计方法对样本量有着较高的要求，在数据不足的情况下，通过重抽样技术获得更多样本，解决样本量问题，并通过非参数统计大样本理论，得到样本分位点渐近正态性，尤其是当样本量小时，这种方法比样本分位点精确。

Bootstrap 方法最初是由 Efron 作为推导任意估计值的标准误差的一种方法，主要用于连续分布，主要思想是基于给定样本，通过重抽样来构造 Bootstrap 样本，生成相应 Bootstrap 估计值，再通过蒙特卡罗仿真来替代数学近似及复杂的分布理论。依据是否对样本数据潜在分布进行假设，Bootstrap 抽样方法可以分为非参数 Bootstrap 重抽样方法及参数 Bootstrap 抽样方法[23]。

参数 Bootstrap 抽样过程如图 3.28 所示，首先利用 $\{y_1, y_2, \cdots, y_n\}$ 中 n 个数据计算未知参数 θ 的极大似然（即实际）估计值 $\hat{\theta}$，而后通过假定潜在的寿命分布和估计值 $\hat{\theta}$ 仿真 B 组大小为 n 的自举样本集，$\{y_{b1}^*, y_{b2}^*, \cdots, y_{bn}^*\}$，$b = 1, 2, \cdots, B$，而后计算每个 Bootstrap 样本参数的极大似然估计值 $\hat{\theta}_b^*$。利用参数 Bootstrap 抽样获得置信区间的充分性取决于分布假设是否充分。当数据中包含删失、截断或其他特征数据时，需要在概率模型意义上明确删失或截断数据产生的机理，从而仿真出 Bootstrap 数据。

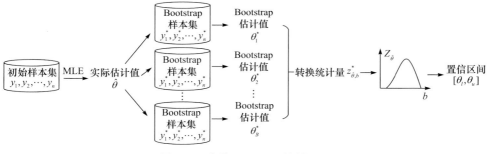

图 3.28　参数 Bootstrap 抽样过程

非参数 Bootstrap 重抽样方法无须对样本数据进行潜在分布的假设，如图 3.29 所示。其主要流程如下：可认为原始样本集 $\{y_1, y_2, \cdots, y_n\}$ 是从某个过程中随机抽取的大小为 n 的样本，非参数 Bootstrap 重抽样通过带有放回地从 $\{y_1, y_2, \cdots, y_n\}$ 中抽取 B 组与原始样本集容量大小相同的样本集 $\{y_{b1}^*, y_{b2}^*, \cdots, y_{bn}^*\}$，$b = 1, 2, \cdots, B$，并利用 $\{y_{b1}^*, y_{b2}^*, \cdots, y_{bn}^*\}$ 计算未知参数 θ 的 Bootstrap 估计值 $\hat{\theta}_b^*$，以此获得期望分布特征，进而得到期望置信区间。

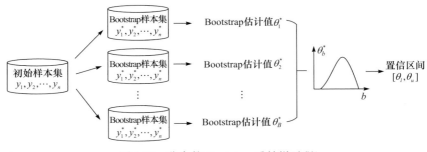

图 3.29　非参数 Bootstrap 重抽样过程

随机加权 Bootstrap 抽样既可应用至非参数 Bootstrap 重抽样，也可应用于参数 Bootstrap 抽样[24]。与非参数 Bootstrap 重抽样相同，非参数随机加权 Bootstrap 抽样也不需要对潜在的分布进行假设。非参数随机加权 Bootstrap 抽样定义了 n 个整数权重 $(w_1, w_2, \cdots, w_n)$，量化了每个个体在抽样过程中的比重，如式(3.15)所示，在联合似然中设置了个体似然的权重。在非参数 Bootstrap 重抽样方法中，一些原始观测值被重抽样超过两次，其整数权重大于 1，一些原始观测值没被抽到，则其权重为 0。非参数随机加权 Bootstrap 抽样通过对抽样过程中样本个体赋予权重，有效地避免了非参数 Bootstrap 重抽样的不确定性：

$$L^*(\theta|\text{DATA}) = \prod_{i=1}^{n}[L_i(\theta|\text{DATA})]^{w_i} \qquad (3.15)$$

当应用于极大似然或最小二乘等方法时，非参数随机加权 Bootstrap 抽样可取非整数权重。可通过一个具有相同均值和标准差（通常为 1）的连续分布生成权重、从一个均值为 1 的指数分布中独立生成权重，或规范独立的指数权重之和为 n，从而通过均匀的 Dirichlet 分布生成权重。

（3）敏感性分析及模型验证方法。

模型是对客观现象的抽象刻画，对同一客观现象可由不同模型进行刻画，因此对模型假设进行敏感性分析及模型验证是进行失效规律研究的重要环节。

敏感性分析即模型选择过程，根据一组不同复杂度的模型表现，从某个模型空间中挑选最好的模型；模型验证则是确定模型后，对模型的自洽性、鲁棒性、工程性等进行验证分析。

模型选择是一种比较过程，选择模型时一方面要求其对数据的拟合要尽可能精准，另一方面需要考虑合适的复杂度，避免模型过于复杂产生过拟合，因此模型选择一般应综合考虑拟合精确性、可扩展性、模型复杂度等原则。

参数估计问题常采用似然函数作为目标函数，当数据足够多时，可以不断提高模型精度，但是以提高模型复杂度为代价的。常用的两个模型包括赤池信息准则（Akaike information criterion，AIC）[25]和贝叶斯信息准则（Bayesian information criterion，BIC）[26]。

　　AIC 在提高模型拟合度（对数极大似然估计值）的同时引入了惩罚项，使模型参数尽可能少，有助于降低过拟合的可能性。从一组可供选择的模型中选择最佳模型时，通常选择 AIC 最小的模型。当两个模型之间存在较大的差异时，差异主要体现在似然函数项。当似然函数差异不显著时，则关注模型复杂度，选择参数个数较少的模型。BIC 的惩罚项较 AIC 更大，其考虑了样本数量，从而能有效防止模型精度过高造成的模型复杂度过高，BIC 更加倾向于选择参数少的简单模型。当样本量充足时，选用 BIC 效果更佳[27]；而在样本量相对较少的情况下，利用 AIC 选择的模型效果较好。Burnham 等[28]对 AIC 和 BIC 进行了比较，认为 AIC 适用于生物、社会科学及医学领域的经验数据分析，BIC 适用于一些物理科学领域，这些领域存在一个简单真实的模型，且样本容量相当大。AIC 和 BIC 常用于失效模型选择中。

　　在完成模型求解后，需进行模型验证，该过程是在选择一个（最好）模型后，对模型进行验证分析的过程。

　　交叉验证是一种没有任何前提，假定直接估计泛化误差的模型验证方法，具有应用普遍性，且其操作简便。交叉验证的基本思想是将数据分为两部分，一部分数据用于模型的训练，通常称为训练集，另一部分数据用来测试训练生成模型的误差，通常称为测试集。由于两部分数据的不同，在新数据上进行泛化误差的估计，更接近真实的泛化误差，在数据足够的情况下，估计效果更好。根据不同的数据切分方式，产生了多种形式的交叉验证方法。

　　留出法交叉验证[29]（hold-out cross-validation）是最简单的一种方法，也是交叉验证的雏形，这种方法通常只对数据集进行一次随机切分。留一交叉验证[30]（leave-one-out cross-validation）的基本思想是每次从个数为 N 的样本集中取出一个样本作为验证集，剩下的 $N–1$ 个样本作为训练集，重复进行 N 次，依次取遍所有 N 个数据作为验证集，最后将平均的 N 个数据的结果作为泛化误差的估计。K 折交叉验证[31]（K-fold cross-validation）首先把数据集平均分为 K 份，每次从 K 份数据集中拿出一份数据集作为验证集，剩下的 $K–1$ 份数据作为训练集，重复进行 K 次，最后平均 K 次的结果作为最后泛化误差的估计。

　　下面主要从异方差检验，自相关检验，异方差、自相关稳健标准差和残差分析四方面展开介绍。

　　①异方差检验。根据 Davidian 等的研究[32]，异方差检验的基本假定形式为 $\mathrm{Var}(\varepsilon_{ij}|b_i)=\sigma^2 g^2(\mu_{ij},v_{ij},\delta)$，$i=1,2,\cdots,M$，$j=1,2,\cdots,n_i$。其中 $\mu_{ij}=E[y_{ij}|b_i]$，v_{ij} 是一个方差协变量向量，δ 是一个方差参数的向量，$g(\cdot)$ 是方差函数，假设在 δ 中连续。例如，如果相信组内变异性随着协变量 v_{ij} 的绝对值的某个幂而增加，可以

将方差模型写成 $\text{Var}(\varepsilon_{ij}|b_i) = \sigma^2 g^2 |v_{ij}|^{2\delta}$，方差函数在这种情况下是 $g(x,y) = |x|^y$，协变量 v_{ij} 可以是期望值 μ_{ij}。检验异方差的基本思路是基于不同的假定，分析随机误差项的方差与解释变量之间的相关性，从而判断随机误差项的方差是否随解释变量变化而变化，包括 Breusch and Pagan/Cook-Weisberg 检验、White 检验以及加权最小二乘法，White 检验对异方差形式无要求，当方差随 X 的变化没有统一规律可循时，多采用加权最小二乘法处理。

②自相关检验。自相关检验方法包括杜宾-瓦特森（Durbin-Watson，DW）检验[33]、回归检验、拉格朗日乘数检验以及广义差分最小二乘检验[34]。DW 统计量只适用于检验解释变量具有严格外生性的模型中是否存在一阶自相关。

③异方差、自相关稳健标准差。在结构模型中，模型推断往往是研究的首要目的。存在异方差或自相关时，t 统计量或 F 统计量不再服从标准的 t 分布或 F 分布。因此，基于传统的 t 统计量或 F 统计量很有可能导致错误推断。这时，可以采用稳健标准差进行推断。稳健标准差是指其标准差对模型中可能存在的异方差或自相关问题不敏感，基于稳健标准差计算的稳健 t 统计量仍然渐近服从 t 分布。

④残差分析。残差即因变量的实际观测值与其回归估计值的差，$e_i = y_i - \hat{y}_i$，它蕴含了有关模型假设的重要信息。若回归模型正确，则可以将残差 e_i 看成误差 ε_i 的观测值，它应符合模型的假设条件，且与误差 ε_i 具有相似的性质和状态。利用残差所提供的信息来考查模型假设的合理性以及数据的可靠性称为残差分析。

以某种残差为纵坐标，其他变量为横坐标作散点图，即可作出残差图，它是残差分析的重要方法之一。横坐标的选择有三种：①因变量的拟合值 $\hat{y}$；②自变量 $x_j(j=1,2,\cdots,p)$；③观测时间或观测序号。当判明有某种假设条件欠缺时，可以对模型加以校正。

在模型验证中，对相似的数据建模情况的评估，也是一种重要的考量方式。好的模型应该具有鲁棒性，即对相似的数据也有较好的刻画效果。与交叉检验不同，模型的鲁棒性验证侧重于模型对新数据的表现。由于数据可得性的限制，常使用蒙特卡罗等仿真方法进行验证。

①蒙特卡罗方法。

蒙特卡罗方法[35]是一类随机算法的统称，原理是当问题或对象本身具有概率特征时，可以用计算机模拟的方法来产生抽样结果，根据抽样计算统计量或参数的值；随着模拟次数的增多，可以通过对各次统计量或参数的估计值求平均的方法得到稳定结论，是一种通过设定随机过程，反复生成时间序列，计算参数估计量和统计量，进而研究其分布特征的方法。

②Bootstrap 方法。

Bootstrap 方法是基于数据仿真的推算过程，其基本思想是参数真值 θ 和实际估计值 $\hat{\theta}$ 的函数分布 $h(\theta,\hat{\theta})$ 可近似为实际估计值 $\hat{\theta}$ 与 Bootstrap 估计值 $\hat{\theta}_b^*$，$b=1,2,\cdots,B$ 的经验分布 $h(\hat{\theta},\hat{\theta}_b^*)$。由于参数真值未知，在仿真中可将实际估计值 $\hat{\theta}$ 假设为参数真值，利用函数 $h(\theta,\hat{\theta})$ 减弱参数真值对估计值抽样分布的影响。

③专家验证法。

专家验证法主要有个人判断法、专家会议法、头脑风暴法和德尔菲法。个人判断法主要依靠个别专家对模型的正确性和实践性做出专家个人的判断。专家会议法是指依靠一些专家，对模型正确性和实践性做出判断而进行的一种集体研讨形式。头脑风暴法是通过专家间的相互交流，引起"思维共振"，产生组合效应，形成宏观智能结构，进行创造性思维。德尔菲法是根据有专门知识的人的直接经验，对研究的问题进行判断、预测的一种方法，又称专家调查法。

专家验证法的优点在于能紧密结合特定的工程实际情况进行评估，使模型的验证具有较强的针对性，相对科学公平，可操作性强，容易推广使用。但评估的主观性有余，客观性不足，评估的定性方法和定量方法结合不够。

2. 主要零部件失效规律

1）车轮退化规律分析

车轮的部分 FMECA 结果如表 3.6 所示，在表中主要展示较为重要且可测、对失效规律分析有重要影响的失效模式。其中具体评分原则见表 3.7，考虑到整车零部件数量庞大且存在大量企业无须关注的失效模式，在 FMECA 前，首先引入重要性指标进行初步筛选，由企业判定该零部件及其失效模式对于公司而言是否具有研究价值。以 ABC 等级作为在 FMECA 中的专家评级标准，针对研究意义较大（重要性为 A）的失效模式，对其危害性、易发性与可测性展开不同等级的评价，对不同专家填写的结果进行对比性分析，并将结果再次反馈给公司进行重要性核实，得到零部件最终的 FMECA 结果。车轮对铁路货车的安全运行至关重要，车辆经过一段时间的运行，车轮的踏面和轮径将会表现为不同程度的损坏，而这些指标是轨道车辆临修扣车换轮和段修车轮镟修的重要依据，赋予其高等级重要性，而根据表中结果，其易发性与危害性均处于相对较高的水平。因此，这里将车轮的踏面和轮径的磨耗规律作为研究重点。

表 3.6　车轮的部分 FMECA 结果

可维修部位	失效模式名称	重要性	可测性	检测方法、仪器	状态量	易发性	危害性
轮缘	轮缘厚度超限	A	A	车轮第四种检查器/轮缘厚度	连续	A	B

续表

可维修部位	失效模式名称	重要性	可测性	检测方法、仪器	状态量	易发性	危害性
踏面	踏面圆周磨耗超限	A	A	车轮第四种检查器/磨耗深度	连续	A	B
	踏面擦伤	A	A	车轮第四种检查器/深度	连续	B	B
轮对	轮对内侧距超限	A	A	内侧距尺/内侧距	连续	B	A

表 3.7　FMECA 评分说明

类别	具体解释	A	B	C
危害性	根据危险严重性等级	重大，危害行车安全，造成车毁人亡的后果	主要，导致系统工作失效，造成系统性能下降等后果	微小，可用其他方法（或计划外维修）保证系统的性能不变
易发性	故障模式发生概率	常发生，发生概率很高，即对应失效模式的发生概率大于20%	较常发生，发生概率较高，即对应失效模式的发生概率在10%~20%	很少发生，发生概率较低，即对应失效模式的发生概率小于10%
可测性	故障模式被检测难度，现有检测手段的可实施性	通过临检、段修及厂修等手段能够测量（存在可对应到个体的退化/失效数据且来源相对准确）	现阶段没有通过上述手段进行测量，但可以通过其他手段（通过自测、开设试验列等方式获得相应数据）	测量难度过大或测量成本过高而难以测量（数据无法对应到零部件/无数据）

注：当可测性较高时，需要明确测量手段及测量指标两项内容。

　　针对车轮及退化研究以踏面（图 3.30）为研究对象，对个体退化过程和整体退化趋势及退化范围展开研究，得到其退化拟合曲线和退化范围，为零部件综合评判提供依据，并且在已知失效阈值的基础上，预测失效里程或失效时间。

图 3.30　车轮踏面

（1）个体退化回归模型。

铁路货车状态修关注的是车轮个体的健康状况，在准确把握每个车轮个体退化状态的基础上实现经济镟修。个体退化回归模型求解以车轮踏面磨耗量作为退化指标，先进行退化数据的线性、正态性和异方差的预分析，选择合适的模型建模，并求解模型参数，计算相应的拟合指标，选择最优的模型。

将采集到的车轮踏面磨耗数据进行汇总，绘制车轮个体的踏面磨耗量随走行里程的退化过程，如图 3.31 所示，图中展示了部分个体退化情况。

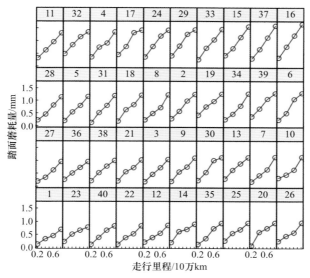

图 3.31　车轮个体踏面退化过程图像
（黄色底纹数据指试验列车轮踏面随运行里程的退化数据）

从图 3.31 中可以看出，车轮踏面随走行里程的退化过程基本呈线性，且不同车轮个体的退化速率各不相同。该现象主要由以下两个方面的原因造成：一方面，由于不同车轮本身存在制造差异，复杂运行环境下个体车轮退化离散性强，个体差异大；另一方面，由于各个车轮所在车体位置以及转向架位置不同，在车辆运行过程中，所承受载重以及转弯受力大小的差异造成车轮退化的不一致。采用混合效应进行车轮退化建模是符合实际退化过程的。

退化建模使用的是连续观测的试验列车轮踏面磨耗退化数据，数据间可能存在时间序列相关性，并且传统回归模型估计的车轮踏面退化量与实际值的残差随估计值的变化呈喇叭状发散，如图 3.32 所示，因此存在异方差的问题。采用基本的混合效应模型增加随机参数后，个体间的异质性能够得到一定程度的分解，使模型的拟合效果有明显的提高。但其分布并不完全均匀，因此可采用误差效应矩阵调节的方式开展退化数据的非独立性分析建模，从而改善模型估计的精度。

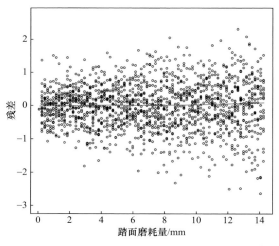

图 3.32　喇叭状发散残差图示例

　　为了表达时间序列相关性，如表 3.8 所示，尝试采用一阶自回归模型（autoregressive model，AR（1））、一阶自回归与移动平均相结合的矩阵模型（autoregressive moving average model，ARMA(1,1)）及复合对称矩阵模型(complex symmetry model，CS)三种结构分别进行相关性分析，将三者进行对比，根据 AIC 和 BIC 指标越小越好、对数似然值（Loglik）指标越大越好的原则，在模型复杂度相同的情况下，选用 AR（1）结构作为自相关结构对误差效应进行调整，并且与同时考虑截距作为固定效应和随机效应基本的线性混合效应模型（模型 1）进行比较验证。验证结果如表 3.9 所示，其中复杂度 $m>n$，在 AIC 和 BIC 指标满足越小越好的前提下，似然比检验 P 值小于显著性水平 0.05，通过显著性检验，说明添加 AR（1）结构对提高模型精度是有效的。

表 3.8　自相关结构调整结果比较

模型形式	复杂度	模型拟合效果
ARMA（1,1）	m	较好
AR（1）	m	很好
CS	m	一般

表 3.9　AR（1）与基本混合效应模型调整结果比较

模型形式	复杂度	模型拟合效果	P 值
模型 1	n	较好	
AR（1）	m	很好	<0.0001

在自相关调节的基础上，采用指数函数结构来描述异方差问题，并与基础混合效应模型和只进行自相关调节的模型进行比较，加上指数函数结构进行异方差调节后，结果如表 3.10 所示，其中模型的 AIC 和 BIC 值进一步减小，且似然比检验 P 值小于 0.05，通过显著性检验，由于模型给了每一辆车一个调节系数，模型自由度也大幅增加（即 $n<m<o$）。

表 3.10　指数函数调整结果对比

模型形式	复杂度	模型拟合效果	P 值
模型 1	n	一般	
AR（1）	m	较好	<0.0001
指数函数	o	很好	<0.0001

综上所述，车轮的退化模型在基本线性混合效应模型的基础上进行 AR（1）的自相关结构以及指数函数异方差结构的误差效应矩阵调节，可以实现非独立误差的退化建模。

建模后进行模型拟合效果分析，图 3.33（a）和（b）分别为基本线性混合效应模型和调节异方差以及自相关以后的非独立线性混合效应模型的残差拟合图。

比较图 3.33（a）和（b）可以看出，通过误差结构调节，异方差现象得到明显的改善，残差分布得更加均匀，说明模型精度提高，能更加真实地刻画车轮的退化过程。

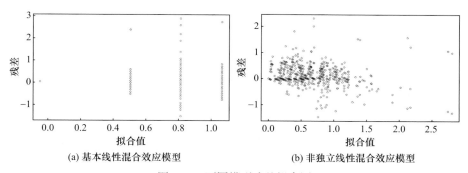

(a) 基本线性混合效应模型　　　(b) 非独立线性混合效应模型

图 3.33　不同模型残差拟合图

　　建立混合效应模型不仅可以模拟退化过程，还可以对退化过程未来的发展趋势进行预测，有效预测才能够体现混合效应模型的优越性和实用性。因此，可以利用本节模型的求解结果进行退化的外推预测，给定走行里程值即可预测当前里程所对应的踏面磨耗值，以此对车轮的当前运行状态进行评判，并且进行维修决策的制定。

　　（2）总体退化回归模型。

　　利用车轮检测数据进行车轮整体退化模型的建立时，考虑广义线性模型对数据正态性要求的扩展以及在实际应用中灵活多变的优势，采用广义线性模型进行建模求解。如图 3.34 所示，黑色细实/虚线展示不同车轮个体在每次检修时多次测得的实际退化量情况，黑色点划线为个体历次检修时测得的平均趋势，通过对所有个体进行分析，得到图中黑色粗实线所展示的利用广义线性模型求得的车轮总体退化趋势，总体退化量呈现随时间运用逐步变大的趋势。

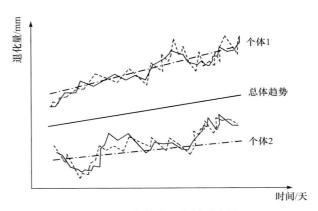

图 3.34　车轮踏面磨耗示意图

　　在车轮总体退化规律求解的过程中，通过广义线性模型的建立和求解得到了基于里程的退化规律。根据模型求解结果，可以在已知车轮失效限值的基础上，预测失效里程或失效时间，指导车轮检修。

　　（3）模型验证。

　　在总体规律验证时，求解过程分为不同车型以及使用不同数据集进行单独求解，因此将上述几种情况下得到的退化模型系数进行了比较。可以看出，通过广义线性模型对 C80 和 C70A 的车轮退化过程进行建模，其退化斜率显示出较好的一致性。同时比较模型偏差可以发现，历史数据的偏差较小，是因为历史数据数量较大、稳定性较强。

　　在个体规律验证时，通过拟合残差图进行验证。基于传统线性回归模型、基本混合效应模型以及考虑非独立误差的混合效应模型的个体残差箱线图如图 3.35 所示。

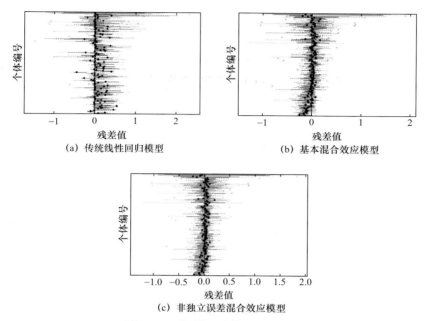

图 3.35　不同模型个体残差箱线图

　　混合效应模型对个体参数的估计取决于个体层面以及整体层面的信息，而随机效应的出现降低了最小二乘法出现极端值的可能，使得退化预测精度更高。因此，混合效应模型不仅能够分析固定效应影响，估计总体的平均趋势，还能够整合有效信息，刻画随机效应作用，提高个体车轮退化模型参数估计的稳健性，并为车轮个体提供模型参数的估计值。

　　图 3.35 中描述了三个模型下的残差箱线图，其中横坐标为残差值，纵坐标为个体编号。由图中可以看出，混合效应模型的预测效果要比传统线性回归模型更合理。非独立误差的混合效应模型添加了 AR（1）的自相关结构以及指数函数的异方差结构，基于该模型进行模型的外推预测验证，从对比图可以得出考虑非独立误差的混合效应模型在一定程度上更能提高退化预测精度。

　　2）闸瓦退化规律分析

　　结合现场调研，首先采用 FMECA 方法获得闸瓦失效模式的易发性、危害性以及可测性。表 3.11 中列出了针对闸瓦较为重要且可测、对失效规律研究有重要影响的失效模式。

表 3.11　闸瓦的部分 FMECA 分析表

零部件	失效模式	重要性	可测性	测量手段/指标	易发性	危害性
闸瓦	闸瓦裂纹	B	B	目测/外观状态	A	C
	闸瓦磨耗超限	A	A	千分尺/闸瓦厚度	A	B
闸瓦插销	插销折断	A	A	目测/外观状态	B	A
	插销窜出	A	A	目测/外观状态	B	A

通过 FMECA，根据闸瓦失效模式易发性与危害性，确定其主要失效模式为闸瓦磨耗超限、闸瓦裂纹、插销折断。根据现场调研结果，闸瓦主要的更换原因为磨耗到限。

闸瓦分析方法与车轮基本一致，均为对磨耗情况展开退化建模分析。建模之前，首先对闸瓦磨耗量进行基本的描述统计，获取闸瓦磨耗量均值与走行时间或走行里程的对应关系。图 3.36 为闸瓦退化数据链示意图，从前次段修到 5 万 km 回送，在各监测点测量闸瓦的剩余厚度，对超限的闸瓦进行更换。

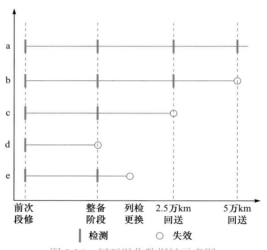

图 3.36　闸瓦退化数据链示意图

两次回送时间节点之间的剩余厚度之差为闸瓦磨耗量，发生更换，则使用更换后的闸瓦厚度作为该段时间计算的起始厚度。

图 3.37 展示了闸瓦的工作原理及闸瓦实物图的正面与侧面，图 3.37（a）展现了闸瓦运行状态，当列车制动时闸瓦会紧贴车轮进行摩擦，正常运行时闸瓦处于缓解状态。图 3.37（b）对闸瓦磨耗部位进行划分，根据红线将其大致划分为上部、中上部、中下部与下部，通常使用游标卡尺测量闸瓦厚度，测量的是闸瓦四个部位或中上部的厚度。通过对闸瓦不同部位的退化数据进行描述统计，可以得

到闸瓦不同部位的退化速率均值及其变动范围。统计得到的结果可以和后期退化建模得到的结果相互验证，从而判断退化规律是否正确。

(a) 闸瓦工作原理   (b) 闸瓦实物图

1. 车轮；2. 闸瓦单元；D. 闸瓦较长端前端点

图 3.37 闸瓦相关图

从闸瓦各部位平均磨耗趋势图 3.38 可以看出：

（1）从段修到整备，闸瓦上部的磨耗速度快于下部，而 2.5 万 km 时正好相反，即下部快于上部，5 万 km 回送时又相反。该现象是符合一般常识的，从一开始上部磨耗较快，后期上部与车轮接触就会减少，此时以下部磨耗为主，所以才会出现该现象。

（2）计算闸瓦的磨耗均值，按照货车运行平均里程折算，初步确定闸瓦的平均使用寿命。通过统计得出闸瓦寿命的估计值，还需要后续建模进行更精确的推算。

图 3.39 为闸瓦退化数据个体情况及总体趋势的一个示例，其退化过程中个体之间离散性强，因此个体差异大，并且存在明显的异方差特性。针对以上闸瓦退化的特性，选择广义线性混合效应模型进行闸瓦退化过程建模，通过模型结构的设计有效解释闸瓦磨耗存在的上述问题。假定闸瓦的测量数据是严格单调函数，则可以通过联结函数的设计扩展数据的线性要求，最终模型将演变为响应变量闸瓦剩余厚度的均值关于自变量走行时间的线性组合结构。

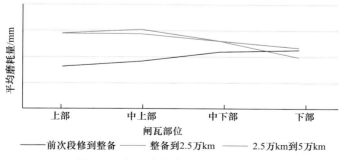

图 3.38 闸瓦各部位平均磨耗趋势图

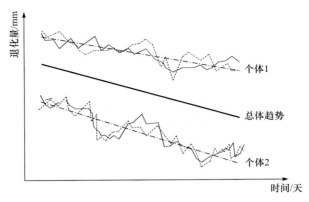

图 3.39　闸瓦退化模型示例

通过描述统计得到闸瓦平均退化量、闸瓦平均磨耗速率等信息，然后通过闸瓦的退化模型进一步求解闸瓦的退化拟合曲线、置信区间以及预测区间，一方面可以得到不同走行里程所对应的闸瓦过限的比例，进而推演出闸瓦的平均使用寿命及里程，另一方面也可以做到后期闸瓦数据的实时更新预测。

3）钩舌失效规律分析

针对钩舌展开 FMECA，表 3.12 列出了部分结果，根据钩舌各个失效模式下易发性与危害性的评级，认定对于钩舌，裂纹是最为重要且可测的失效模式。

表 3.12　16H 型钩舌部分 FMECA 结果

零部件部位	失效模式名称	重要性	可测性	测量手段	易发性	危害性
钩舌	16H 型钩舌裂纹	A	A	探伤检查	A	B
钩舌牵引台	16H 型钩舌牵引台裂纹	A	A	探伤检查	A	B
钩舌肩部	16H 型钩舌肩部裂纹	A	A	探伤检查	B	B
钩舌背部	16H 型钩舌背部裂纹	A	A	探伤检查	B	B

对于失效类零部件，首先明确其检修工艺，以 16H 型钩舌为例，检修流程如图 3.40 所示，包含拆卸钩舌、抛丸除锈、磁粉探伤、磨耗检查、安装钩舌五步。当钩舌由于环境或其他原因难以拆卸时，直接进行切割报废，反之则按照流程进行抛丸除锈及探伤，探伤检测良好的个体仍需对其磨耗情况进行判定，两项检测均合格的个体作为本次检测最终合格个体继续装车运用，而检测发现裂纹和磨耗过限个体直接报废。每个钩舌均经历磁粉探伤的检修环节，铁路货车检修零部件磁粉探伤记录表（检修钩舌磁粉探伤记录）中包含该段时间的检修总体情况，而

磨耗情况则可通过钩缓装置报废记录得以体现。

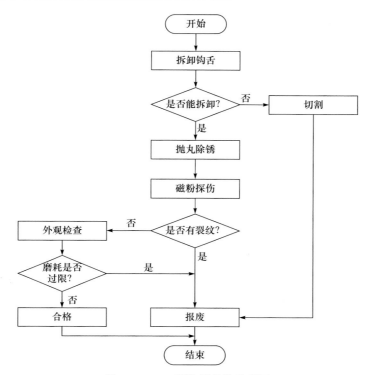

图 3.40 16H 型钩舌检修流程图

原始数据以表格的形式呈现，逐条记录不同个体的检修情况，数据形式如表 3.13 所示。

表 3.13 16H 型钩舌数据形式样表

型号	生产厂代号	制造顺序号	制造日期	故障位置	故障描述	检测日期
16H	××	××××	20××/××/××	××	长度××mm	20××/××/××

故障描述主要为四种：
（1）裂纹长度为×mm；
（2）磨耗超限；
（3）钩舌切割；
（4）铸造缺陷（砂眼及铸造缺陷延伸的裂纹）。

进行数据基本统计量描述时，首先进行 FMECA，裂纹是 16H 型钩舌的主要失效模式，随着重载的推进，裂纹发生的频次不断提高，因此根据裂纹位置对数据进行具体统计，结果如图 3.41 所示，其中牵引台是钩舌最为重要的失效部位，其次为下弯角，需对其进行重点关注。

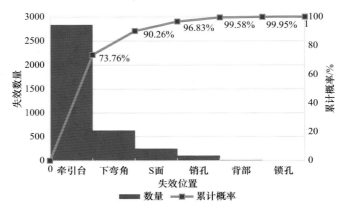

图 3.41   16H 型钩舌裂纹具体位置统计

通过统计逐年各失效模式相较总体的占比，可以对钩舌的主要失效模式及其失效占比情况进行初步判断，图 3.42 为 C80-16H 型钩舌失效模式匹配失效年限示意图，裂纹为主要失效模式，符合前期利用 FMECA 展开定性分析所得到的结果，即对于钩舌，裂纹重要程度与易发性均较高（评级为 A）。

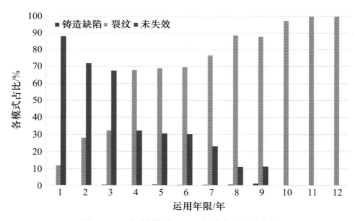

图 3.42   失效模式匹配失效年限示意图

在进行可靠性分析时，通过 AIC、BIC 进行模型选择，确定以 Weibull 分布作为钩舌寿命的分布。鉴于 16H 型钩舌数据包含左截断、右删失和区间删失数据，针对左截断个体，若在 τ_i^L 处发生左截断，观测值的似然函数可表示为条件概率。对于区间删失，已知个体 i 的失效时间在 t_i^{j-1} 和 t_i^j 之间，即在第 $j-1$ 次到第 j 次检测过程中失效，针对右删失个体，在末次观测时仍未失效，仅知其失效时间发生在区间（$c_i^{R}, +\infty$），不知其确切发生时间，对于观测值 i，存在一个下限 c_i^{R}，建立似然函数，如式（3.16）所示：

$$L(\theta|\mathrm{DATA}) = \prod_{i=1}^{n}\left[1-F\left(c_i^{R};\theta\right)\right]^{(1-\alpha_i)\beta_i} \times \left[\frac{1-F\left(c_i^{R};\theta\right)}{1-F\left(\tau_i^{L};\theta\right)}\right]^{\alpha_i\beta_i}$$

$$\times \left[F\left(t_i^{j};\theta\right)-F\left(t_i^{j-1};\theta\right)\right]^{(1-\alpha_i)(1-\beta_i)} \times \left[\frac{F\left(t_i^{j};\theta\right)-F\left(t_i^{j-1};\theta\right)}{1-F\left(\tau_i^{L};\theta\right)}\right]^{\alpha_i(1-\beta_i)}$$

（3.16）

式中，β_i 为删失指示符，表征个体观测值的删失类型，可表示为

$$\beta_i = \begin{cases} 0, & \text{观测值为区间删失} \\ 1, & \text{观测值为右删失} \end{cases}$$

设置 α_i 为截断指示符，表征个体观测值是否被截断，可表示为

$$\alpha_i = \begin{cases} 0, & \text{观测值未被截断} \\ 1, & \text{观测值被截断} \end{cases}$$

c_i^{R} 为右删失个体 i 当前服役时间；t_i^{j} 为本次检测失效个体 i 当前服役时间。

由于对数似然函数公式复杂且没有显式解，一般通过牛顿迭代法或期望最大化算法进行迭代求解，得到参数估计值。此处采用牛顿迭代法获得参数的数值解，并拟合基于运行里程的 C80-16H 型钩舌累积失效概率，如图 3.43 所示，运行至 160 万 km 时，同一批次的全部个体均已失效。

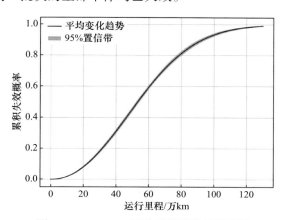

图 3.43　C80-16H 型钩舌累积失效概率图

为进一步验证所求规律的正确性，采用 K 折交叉验证方法来验证所得规律。初始采样分割成 K=3 个子样本，一个单独的子样本被保留作为验证模型的数据，其他 2 个样本用来训练。交叉验证重复 3 次，每个子样本验证一次，对 3 次的结

果取平均或使用其他结合方式，最终得到单一估测。该方法的优势在于，可以重复运用随机产生的子样本进行训练和验证，每次的结果仅需验证一次。

由图 3.44 可以看出，在此设置 2#样本数据为验证集，1#和 3#样本数据为训练集，通过对训练集的训练得到图 3.44（c）中训练集和验证集的曲线近似重叠，则证明本次研究中失效规律的可靠性。

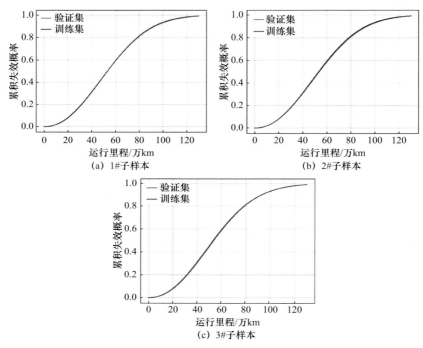

图 3.44　16H 型钩舌 K 折交叉验证图

为便于健康状态评估，基于零部件当前状态提出条件失效概率，即基于已存活的里程对指定里程的累积失效概率 $F(t)$ 进行估计，计算公式如下：

$$G(t|T_0) = \frac{\Pr\{T_0 < t < T_0 + \tau\}}{\Pr\{t > T_0\}} = \frac{F(T_0 + \tau) - F(T_0)}{1 - F(T_0)} \qquad (3.17)$$

式中，t 为当前运行里程，表示该零部件在当前运行里程 T_0 下继续运行里程 τ 的条件失效概率。结合累积失效概率可以计算出当前检修制度下零部件失效的平均期望概率和最大概率，同时通过对比不同检修周期下零部件失效的平均期望概率和最大概率，进行基于风险评估的钩舌检修间隔确定，需考虑的是，在该检修间隔下是否能有效提高零部件运行可靠性并降低零部件失效隐患。

　　另外，零部件失效规律也可用于物料管理中，在已知当前零部件失效情况和运行年限时，可以判断个体下次出现故障的时间，并对失效概率较高的个体进行跟踪检测。进而根据个体出现故障时间的预测结果，可以对指定时间内的累积失效数量进行预估，该结果可用于指导物资部门开展物料采购工作。

　　利用寿命数据进行失效规律分析，方法具有一定的普适性，适用于不同车型、不同零部件的失效规律分析。

3.3.3　铁路货车关键零部件剩余寿命预测方法

　　智能化的一个重要作用就是支撑运维。基于状态感知、状态辨识与状态评估，实现健康状态的评估与管理，其目的是保持健康状况，这实际上就是状态修的理念。状态修很重要的一个工作就是零部件的剩余寿命预测，只有寿命预测准确，才能实现更加精准的状态修，用最小的维修量和维修成本实现能力或者性能的保持[36]。

　　剩余寿命预测是十分困难的事情，难在：①服役载荷的随机性，货车车辆零部件的服役载荷除了与本车性能状态有关，还与运行环境及运行工况等相关，评估用的服役载荷要能真实统计；②零部件性能的随机性，零部件材料、制备、安装等环节都会影响到服役寿命，同样的载荷，使用寿命却不一样；③失效形式的随机性，同样的零部件，但可能会出现失效形式、位置和大小不一的情况，例如，轴承故障，可以是内圈、外圈、滚子或保持架发生故障，故障类型可能是压痕、表面剥离甚至是断裂，这与载荷、材料和性能的随机性有关，更与零部件初始缺陷状态有关[37]。

1. 关键结构件的寿命预测方法

　　针对结构件一般是已知载荷和状态的预测，目前金属结构件的疲劳寿命预测已经比较成熟。关键是要准确掌握零部件的服役载荷，这样就可以通过不同运行条件下的载荷工况，进行零部件的全寿命预测，当然这同样是在不同可信度下的寿命预测值。有了全寿命和已经服役的时间（或里程），即可计算剩余寿命。

　　1）零部件疲劳寿命概念

　　零部件在疲劳载荷作用下有两种应力状态，不产生塑性变形的为应力疲劳，又称高周疲劳，产生塑性变形的为应变疲劳，又称低周疲劳；依据载荷大小随时间波动是否规律，疲劳又分为恒幅载荷疲劳和随机载荷疲劳；零部件在服役过程中所受载荷可能是单方向的，也可能是多方向的，因而又分为单轴疲劳问题和多轴疲劳问题[38]。

　　疲劳破坏过程大致经历着四个时期，即疲劳成核期、微观裂纹增长期、宏观裂纹扩展期以及最后断裂期。在工程实践中，又常常把这四个时期综合为两个阶段，也就是疲劳裂纹萌生阶段和疲劳裂纹扩展阶段。疲劳裂纹萌生阶段包括疲劳成核期和微观裂纹增长期，疲劳裂纹扩展阶段包括宏观裂纹扩展期和最后断裂期，相应地将疲劳寿命划分为疲劳裂纹萌生寿命和疲劳裂纹扩展寿命两部分。对于低周疲劳，裂纹萌生早，无裂纹寿命短，疲劳的总寿命近似等于裂纹扩展寿命，所以在低周疲劳设计中，主要考虑裂纹扩展寿命。但在高周疲劳中，一般情况下，无裂纹寿命在总寿命中占有很大比例，所以在高周疲劳设计时，应兼顾裂纹萌生寿命和裂纹扩展寿命。

2）零部件疲劳寿命预测方法

确定结构和机械疲劳寿命的方法主要有两类：试验法和试验分析法。试验法完全依赖于试验，它直接通过与实际情况相同或相似的试验来获取所需的疲劳数据。这种方法虽然可靠，但是由于车钩实际工作条件复杂，无论从人力、物力以及试验周期上来说均不容易实现，只能进行简化验证性试验。试验分析法又称为科学疲劳寿命分析法，是依据材料的疲劳性能，对照结构所受到的载荷历程，按分析模型来确定结构的疲劳寿命。任何一种疲劳寿命试验分析法都包含三部分内容：材料疲劳行为的描述、循环载荷下结构的响应和疲劳累积损伤法则。

（1）裂纹萌生寿命预测方法。

疲劳分析方法所追求的目标之一是降低疲劳分析对大量试验的依赖性，减少分析处理方法中的经验性成分，为此，裂纹萌生寿命研究目前已经发展了多种分析方法，相对主流且工程中比较实用的有名义应力法、局部应变法、局部应力-应变法和应力场强（stress field intensity, SFI）法等。

① 名义应力法。

名义应力法[39]是一个传统的安全疲劳寿命估算法。该方法认为：对任一构件（结构细节或元件），只要应力集中系数 K_t 相同，载荷谱相同，它们的寿命就相同。此法中的控制参数为名义应力，名义应力是指缺口试样或要计算的结构元件的载荷与被试样的净面积相除所得到的应力值，即该面积上平均分布的应力值。

一般来说，构件或结构的实际破坏往往是从结构内部或表面具有应力集中的缺陷部位开始的。从理论上讲，应该用缺陷部位的局部应力来进行结构的疲劳寿命估算，但是这样做有较大的实际困难，因为缺陷往往是随机分布的，缺陷的尺寸和部位相对各种结构也是不同的，再加上残余应力的作用，使问题变得十分复杂。在做损伤计算和寿命预计时，不可能对每一缺陷部位的应力或应变水平都进行理论分析和实际测量，因此常采用名义应力法去估算疲劳寿命。

名义应力法估算疲劳寿命的步骤为：a. 根据应力测量、应力分析的结果，综合考虑缺口附近的应力、应力集中大小或应力集中系数来确定结构中的危险部位，或者参考以往的经验、使用中破坏情况的统计资料来确定结构中的危险部位或薄弱环节；b. 根据规范或实测得到疲劳载荷谱，然后依据数理统计方法将载荷谱转换为试验应力谱；c. 建立对应于各应力谱的 S-N 曲线；d. 选取合适的累积损伤理论；e. 选取疲劳寿命的分散系数。

② 局部应变法。

局部应变法[40]把疲劳寿命的估算建立在最危险的切口或其他应力集中部位的应力和应变的局部估算上。

局部应变法估算疲劳寿命的步骤为：a. 从分析载荷的最大峰值开始，根据载荷-应变标定曲线和循环应力-应变曲线，计算初始的缺口应力和应变；b. 根据公式计算相应后面加载历史的缺口应力和应变；c. 对每一闭合的应力-应变迟滞回线，用公式计算相应的循环寿命；d. 对整个加载历史进行累积计算总的寿命。

③ 局部应力-应变法。

决定构件疲劳强度和寿命的是应变集中处的最大局部应力和应变，因此近代在应变分析和低周疲劳的基础上，提出了一种新的疲劳寿命估算方法——局部应力-应变法[41]。该方法假定：如果一个构件在危险部位处的应力和应变能够与实验室光滑试样的循环应力和应变联系起来，那么构件的疲劳裂纹萌生寿命将和试样的疲劳寿命是相同的。此法中的控制参数是局部应力-应变。其思路是：构件的疲劳破坏，都是从应变集中部位的最大应变处开始，并且在裂纹萌生以前都要产生一定的塑性变形，局部塑性变形是疲劳裂纹萌生和扩展的先决条件，因此决定构件疲劳强度和寿命的是应变集中处的最大局部应力和应变。只要最大局部应力、应变相同，疲劳寿命就相同。因此，有应力集中构件的疲劳寿命，可以使用局部应力、应变相同的光滑试样的应变-寿命曲线进行计算，也可使用局部应力-应变相同的光滑试样进行疲劳试验来模拟。

局部应力-应变法估算疲劳寿命的步骤为：a. 输入一系列现场载荷或名义应变；b. 利用循环载荷-应变曲线将载荷-时间历程转换为应变-时间历程；c. 把应变-时间历程转换为应力-时间历程；d. 利用 Neuber 公式[42]将名义应力转换为缺口根部的应力、应变；e. 利用线性累积损伤理论估算出疲劳寿命。

弹塑性条件下的 Neuber 公式为

$$K_t^2 = K_\sigma K_\varepsilon \tag{3.18}$$

其中，K_t 为弹性理论应力集中系数；K_σ 为应力集中系数；K_ε 为应变集中系数。

④ 应力场强法。

应力场强法[43]假设：缺口根部存在一破坏区，它只与材料性能有关，对于相同材料制成的构件，若在疲劳失效区域承受相同的应力场强历程，则它们具有相同的疲劳寿命。应力场强法从研究构件缺口部位应力分布出发，提出一个辩证地处理缺口的局部和整体状况的参数（局部应力-应变场强）来反映缺口件受载的严重程度，并认为局部应力-应变场强是疲劳裂纹萌生的控制参数。

采用局部应力-应变场强参数来预测随机疲劳寿命，其主要步骤与传统的局部应力-应变法基本一致，所不同之处是将缺口局部应力-应变的峰谷值由局部应力-应变场强参数来代替，步骤为：a. 根据缺口几何参数、缺口件和光滑件的疲劳极限值，利用有限元法确定缺口损伤场半径；b. 输入名义载荷时间历程、材料的循环应力-应变曲线进行随机交变加载下的有限元分析，根据所确定的局部损伤场径，同时确定对应局部应力-应变峰谷值点的应力-应变场参数，计算出局部应力-应变场强谱；c. 对局部应力-应变场强谱进行循环计数；d. 输入疲劳性能参数和缺口几何参数，根据选定的损伤公式进行损伤计算；e. 选用疲劳损伤累积理论对所计算出的损伤进行累积，确定疲劳寿命。

（2）裂纹扩展寿命预测方法。

裂纹扩展寿命预测采用损伤容限法[44]，其基本思路是假定裂纹是预先存在的，再用断裂力学的分析和试验方法判断这些裂纹是否在被查出前已扩展到临界尺寸，适用于裂纹扩展较慢并有高断裂韧性的材料。损伤容限法的核心是断裂力学理论，断裂力学的研究始于低应力脆断的研究，从裂纹出发，研究其萌生机理和扩展规律，分析控制裂纹扩展的参量，进而为结构安全设计提供理论依据，包括线弹性断裂力学和弹塑性断裂力学理论。

① 常幅加载时的疲劳裂纹扩展寿命预测。

常幅加载时的疲劳裂纹扩展寿命预测是利用断裂力学方法进行的，常用 Paris 公式[45]和 Forman 公式[46]对裂纹拓展寿命进行预测。

Paris 公式确定了裂纹尖端应力强度因子幅值和裂纹扩展速率之间的关系：

$$\frac{da}{dN} = C(\Delta K)^m \qquad (3.19)$$

其中，a 为裂纹长度；N 为交变载荷循环次数；da/dN 为裂纹扩展速率；ΔK 为应力强度因子幅值；C、m 为与材料有关的常数。

Forman 考虑到循环特性及断裂韧性的影响，对 Paris 公式进行修正：

$$\frac{da}{dN} = \frac{C(\Delta K)^m}{(1-R)K_{IC} - \Delta K} \qquad (3.20)$$

其中，R 为应力比；K_{IC} 为断裂韧性；C、m 为与材料有关的常数，由试验获得（与 Paris 公式中的 C、m 不同）。

寿命预测的步骤是：a.确定构件上的初始裂纹尺寸 a_0；b.用公式计算或查表定出应力强度因子；c.确定破坏判据并通过破坏判据确定临界裂纹尺寸 a_c；d.确

定从初始裂纹尺寸 a_0 扩展到临界裂纹尺寸 a_c 所需要的循环次数，即确定寿命 N_f。疲劳裂纹扩展速率 da/dN 与应力强度因子幅值 ΔK 的关系式中最著名且应用最广泛的有 Paris 公式与 Forman 公式。由 Paris 公式与 Forman 公式确定的扩展模型没有考虑载荷循环间的影响，其寿命估算结果大多十分保守，一般在粗算时采用。

② 变幅加载下疲劳裂纹扩展寿命预测。

实际构件受载往往是变幅加载或随机加载。对于变幅加载的疲劳裂纹扩展寿命预测，情况较为复杂，其步骤大致为：a. 根据常幅载荷下 da/dN 与 ΔK 的关系给出裂纹扩展表达式；b. 给出对应于特定载荷序列的变幅载荷 F 下 da/dF 与应力强度因子 K 的关系曲线；c. 根据载荷谱下 da/dF 与 K 的关系，利用数值积分法求出裂纹扩展寿命。

3）铁路货车关键结构件寿命预测——车钩

在运行过程中列车加速/减速、启动/停车等状态不断变化，铁路货车结构承受交变的循环载荷作用，因此由循环载荷引起的疲劳断裂失效是铁路货车结构件的主要失效模式。关键结构件的寿命预测主要包括对裂纹萌生的疲劳寿命预测和对有裂纹情况下裂纹扩展的剩余寿命预测两个方面。

铁路货车关键结构件疲劳寿命预测的技术路线如图 3.45 所示。

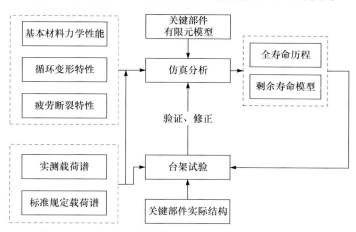

图 3.45　铁路货车关键结构件疲劳寿命预测技术路线图

为了构建关键结构件的全寿命剩余寿命预测模型，这里以材料、结构、载荷为特征，建立仿真与试验相结合的寿命预测模型，以基本材料力学性能为输入，以载荷特性为参量，通过有限元法构建结构件在特定载荷下的应力场，通过试验修正模型的可靠性，建立结构的全寿命以及剩余寿命预测体系。

下面以铁路货车车钩为例，简要说明铁路货车关键结构件的寿命预测过程。

（1）材料的力学性能参数。

从新造车钩上直接取样，依据相关试验标准，将其加工为标准试样，通过拉伸、疲劳和断裂试验获取在役状态下车钩材料的弹性模量、屈服强度、拉伸强度等基本力学性能，以及高周疲劳 P-S-N 曲线及疲劳极限、疲劳裂纹扩展速率曲线、裂纹扩展阈值和断裂韧性等完整的疲劳断裂性能数据，为车钩结构的仿真分析和寿命预测提供相应的材料性能参数。

（2）车钩载荷谱。

载荷谱是进行结构疲劳设计、台架疲劳试验的基础。通过铁路货车服役线路运行试验实测结构载荷时间历程的完整信息，是获取载荷谱的主要方式，也是最可靠的途径。由于线路试验的复杂性，也可采用系统动力学仿真方法获得载荷谱。在 1 万 t 编组实测车钩载荷谱的基础上，通过动力学仿真方法计算 2 万 t 编组下的载荷变化，结合损伤当量折算方法和加速疲劳理论[47]，将神木—黄骅港区间 2 万 t 编组的车钩载荷历程转换得到等效 2 万 t 编组台架试验载荷谱，如表 3.14 所示，载荷谱的处理流程如图 3.46 所示。

表 3.14   神木—黄骅港区间 2 万 t 编组车钩疲劳台架试验载荷谱

载荷最小值/kN	载荷最大值/kN	换算载荷频次	试验频次
50	250	5	50
50	500	5	50
50	750	10	100
50	1000	25	250
50	1250	21	210
50	1500	32	320
50	1250	21	210
50	1000	25	250
50	750	10	100
50	500	5	50
50	250	5	50
		总计 164 次	总计 1640 次

其中频次为 164 的换算载荷谱对应神木—黄骅港线一个往返 1640km 的载荷变化情况，台架试验过程中，将换算载荷谱频次放大 10 倍作为一个循环对应里程为 16400km 的试验载荷谱。

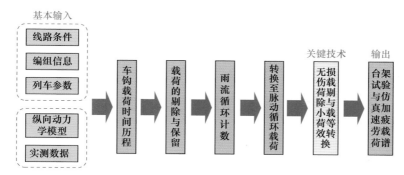

图 3.46　典型车钩载荷谱处理流程

（3）基于台架试验的全寿命预测模型。

由于车钩内部结构复杂，有较多的接触面和转动部件，有限元分析比较困难，且铸造材料的疲劳分散性很大。因此，理论计算结果往往和试验或现场结果有较大的误差。这里采用基于台架试验结果来建立车钩的全寿命预测模型。图 3.47 显示了车钩疲劳台架试验装置。将试验车钩安装于车钩疲劳试验台上，按照表 3.14 所示的疲劳台架试验载荷谱分级施加载荷，直至车钩疲劳破坏，记录其疲劳寿命。

图 3.47　车钩疲劳台架试验装置

通过对车钩不同位置失效疲劳试验结果进行概率统计分析，即可得到车钩零部件不同概率下的全寿命预测结果。表 3.15 给出了钩舌的全寿命预测结果。根据表 3.15 疲劳寿命预测结果可知，对于在神木—黄骅港线运用的钩舌，当其服役里程达到 47.5 万 km 时，有 99.9%的钩舌不会发生疲劳断裂。

表 3.15　不同存活率下的钩舌全寿命预测结果[48]

存活率	全寿命对数值	循环次数	对应公里数/万 km
50%	5.0878	122405	122.5
90%	4.9131	81865	81.8
95%	4.8632	72978	72.9
99.9%	4.6769	47523	47.5

通过试验数据统计分布得到不同存活率即可靠度下的寿命均值，存活率越高其寿命值越低，评估结果越为保守，根据实际情况选择不同存活率实现均值评估。

（4）基于裂纹扩展仿真的剩余寿命预测模型。

相对于分散性较大的疲劳试验结果，车钩零部件裂纹扩展行为的分散性较小，可采用基于断裂力学裂纹扩展仿真方法建立车钩零部件剩余寿命预测模型。首先建立车钩零部件分离体的有限元模型，分析获得危险区域的应力-应变场。然后结合伤损车钩实际裂纹位置引入初始缺陷，结合车钩载荷谱和材料裂纹扩展速率对车钩裂纹区域子模型进行三维裂纹扩展分析，得到裂纹长度随运行里程的扩展曲线，建立带裂纹车钩零部件的剩余寿命预测模型。

综上所述，车钩零部件寿命预测模型的建立流程如图 3.48 所示。首先对车钩材料进行本构试验，获取材料的疲劳断裂特性；结合铁路车辆服役线路情况，在 1 万 t 编组实测车钩载荷谱的基础上，利用系统动力学仿真方法获得 2 万 t 编组车钩载荷谱，将疲劳台架试验载荷谱载荷分级施加在试验车钩上，进行台架试验，建立车钩的全寿命预测模型。同时，结合车钩材料疲劳断裂特性、车钩载荷谱和材料的裂纹扩展速率，对伤损车钩子模型进行三维裂纹扩展仿真，获得裂纹长度随运行里程的扩展曲线，建立伤损车钩的剩余寿命预测模型。

以材料特征、载荷特征、模型参数化特征构建结构的全寿命、剩余寿命预测模型，结合台架试验数据得到统计分布下的寿命分布，基于机理寿命与数据驱动寿命的分析融合，得到不同可靠度下的累积寿命分布以及缺陷服役下的剩余寿命预测，依此构建关键结构件全寿命、剩余寿命预测体系。

2. 关键磨耗件的寿命预测方法

磨耗件都有一个固定的初始厚度，当其剩余厚度低于规定限值后即认为寿命到限，则需要更换。磨耗件的寿命预测方法可以分为两种：基于历史使用寿命的预测和基于时间（或里程）与状态的预测。

1）基于历史使用寿命的预测

这种方法是建立在铁路货车磨耗件有完整的使用寿命样本的基础上，通过采用合适的统计分析方法对不同服役条件下磨耗件的历史使用寿命数据进行分析，

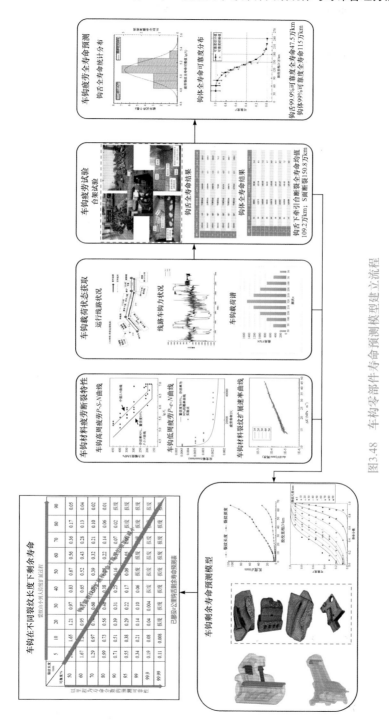

图 3.48 车钩零部件寿命预测模型建立流程

给出基于统计意义的不同可靠度下磨耗件的全寿命（时间或里程）[36]。针对服役中的铁路货车磨耗件，根据其已经服役的时间（或里程），对其剩余寿命（时间或里程）进行预测。基于历史使用寿命的磨耗件剩余寿命预测流程如图 3.49 所示，剩余寿命预测过程总结如下：

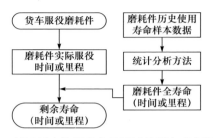

图 3.49　基于历史使用寿命的磨耗件剩余寿命预测流程

（1）收集不同服役条件下的货车磨耗件的历史使用寿命数据（时间或里程）；

（2）剔除数据记录中的无效数据和不合理数据，并筛选出有效的使用寿命数据；

（3）采用统计方法分析磨耗件有效的历史使用寿命数据，进而确定不同服役条件下货车磨耗件的全寿命（时间或里程）；

（4）针对服役中的货车磨耗件，由磨耗件的全寿命减去磨耗件的当前服役时间（或里程）即得到剩余寿命（剩余服役时间或剩余服役里程）。

2）基于时间（或里程）和状态的预测

铁路货车磨耗件的特点是其关键部位剩余厚度随服役时间（或服役里程）的增加而逐渐减小。基于时间和状态的寿命预测，关键是要准确掌握磨耗件在不同服役时间（或里程）情况下的剩余厚度[36]。这样就可以根据不同服役时间下的剩余厚度，确定磨耗件在单位时间（或里程）内的厚度减薄量，进而根据磨耗件的实际剩余厚度预测其剩余寿命，当然这同样是在不同可信度下的寿命预测值。基于时间和状态的磨耗件剩余寿命预测流程如图 3.50 所示，寿命预测过程总结如下：

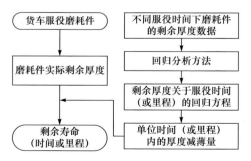

图 3.50　基于时间和状态的磨耗件剩余寿命预测流程

（1）收集货车关键磨耗件的历史测量数据，获取不同服役时间（或里程）状态下的磨耗件剩余厚度数据；

（2）剔除历史数据记录中的无效数据和不合理数据，并筛选出有效的剩余厚度数据；

（3）根据获取的有效数据，采用回归分析方法确定关键磨耗件的剩余厚度关于服役时间（或里程）的回归方程，进而由回归方程得到单位时间（或里程）内的厚度减薄量；

（4）根据服役中的磨耗件的当前剩余厚度，除以其单位时间（或里程）内的厚度减薄量即得剩余寿命（剩余服役时间或剩余服役里程）。

3）铁路货车关键磨耗件寿命预测——轮对

目前，在役铁路货车的车轮材质有铸钢和碾钢两种。铁路货车在服役过程中会经历多次检修，段修和厂修时对轮对进行测量并记录其轮径值和其他尺寸参数，为基于时间和状态的轮对寿命预测积累了丰富的样本数据。下面具体以 C80 车型的碾钢材质轮对为例介绍其寿命预测过程。

（1）从铁路货车技术管理信息系统（HMIS）中检索出历史段修和厂修时该车型和材质的车轮所有数据记录，对样本进行分类，对前后两次检测记录进行正确匹配，对数据的可靠性从逻辑上进行识别，剔除无效数据并整理筛选出有效的轮径数据。

（2）从有效的历史检修数据中梳理出该车型和材质的车轮轮径的时序测量记录，在此基础上计算相邻两次测量的时间间隔，从而得到车轮轮径关于服役时间的二维数据序列。以服役时间为解释变量，轮径为响应变量建立回归模型。结果表明线性回归模型能够很好地拟合数据，故采用一元线性回归模型，如式（3.21）所示：

$$d = a + b \cdot t + \varepsilon \tag{3.21}$$

式中，d 为轮径，mm；t 为车辆运行时间，天；a 和 b 为待求解系数；ε 为期望为零的随机误差。

基于二维数据序列，采用最小二乘法估计其经验回归方程。其一次项系数 b 的绝对值就是该车型和材质的车轮在单位运行时间内的轮径减薄量（包含运行磨耗和镟修损失）。由图 3.51 所示的回归分析结果可知，C80 碾钢（NG）车轮的轮径与运行时间的关系可以表示为

$$d = 846.6629 - 0.01250751t \tag{3.22}$$

由式（3.22）所示的回归方程可知，C80 碾钢车轮在单位运行时间（即 1 天）内的轮径减薄量约为 0.01250751mm。

基于车轮轮径随服役时间的演变规律，由 $T = \max\{t \,|\, 846.6629 - 0.01250751t > C\}$ 可以进一步估计该车型、材质组合下的车轮平均寿命，其中 C 是实际运营维护中

车轮轮径的下限值（服役过程中该型车轮的轮径下限值为 796mm）。由图 3.51
可知，C80 碾钢车轮的平均寿命约为 4051 天，即 11 年 1 个月。

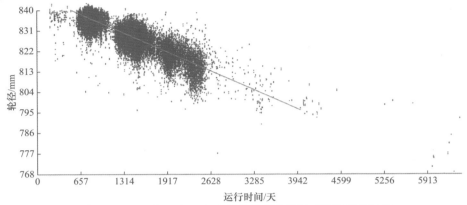

图 3.51　C80 碾钢（NG）车轮的轮径随运行时间的演变规律

进一步，根据服役时间与服役里程间的换算系数，可以建立车轮轮径关于服
役里程的回归方程，如图 3.52 所示。根据不同车型的里程统计结果，C80 车型在
一个段修期（2 年）内的运行里程约为 42.8 万 km，故 C80 车型日运行里程约 0.0586
万 km。由图 3.52 所示的回归分析结果可知，C80 碾钢车轮的轮径与服役里程间
的关系可以表示为

$$d = 846.6629 - 0.2135367x \tag{3.23}$$

其中，x 为车辆运行里程，万 km。由式（3.23）所示的回归方程可知，C80 车
型碾钢材质车轮在单位运行里程（即 1 万 km）内的轮径减薄量约为
0.2135367mm。进一步可计算得到 C80 车型碾钢材质车轮折算为里程的平均寿
命约为 237 万 km。

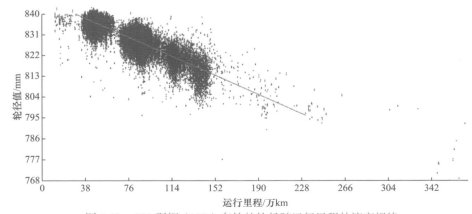

图 3.52　C80 碾钢（NG）车轮的轮径随运行里程的演变规律

（3）C80 车型某一碾钢轮对历次检测时的轮径信息如图 3.53 所示，分别采用该轮对的左、右车轮的剩余轮径量减去轮径的下限值并除以回归方程的一次项系数计算得到左、右车轮的剩余服役时间（或里程），如式（3.24）所示：

$$\begin{cases} X_{\mathrm{L}} = \dfrac{d'_{\mathrm{L}} - C}{|b|} \\ X_{\mathrm{R}} = \dfrac{d'_{\mathrm{R}} - C}{|b|} \end{cases} \tag{3.24}$$

式中，d'_{L} 和 d'_{R} 分别为当前左、右轮径，mm；X_{L} 和 X_{R} 分别为左、右车轮的剩余寿命。取左、右车轮剩余服役时间（或里程）中的较小者作为该轮对的剩余服役时间（或里程）：

$$X = \min\{X_{\mathrm{L}}, X_{\mathrm{R}}\} \tag{3.25}$$

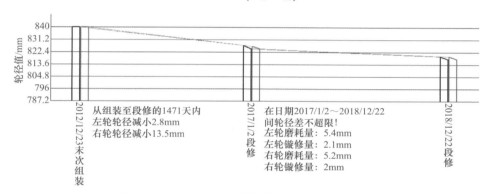

图 3.53　C80 车型某一碾钢轮对的轮径演变过程

若采用里程表示剩余寿命，则可以根据该车型的运行时间与运行里程间的折算系数（即单位时间内的运行里程）由剩余服役时间计算出其剩余服役里程。采用上述轮对剩余寿命预测方法，可以对该车型、材质组合的轮对的剩余寿命和到限日期进行预测。

C80 车型某一碾钢轮对的剩余寿命预测结果如表 3.16 所示。根据预测结果，该轮对从 2018 年 12 月 22 日起算的剩余寿命约为 99.75 万 km，预计该轮对将于 2023 年 8 月 21 日轮径到限。根据轮对的剩余寿命预测结果，可以进一步预测轮对的集中到限数量，为备轮数量和维修更换时间提供参考。

表 3.16　C80 车型某一碾钢轮对的剩余寿命预测结果

预测内容	预测结果
该轮对从 2018 年 12 月 22 日起的剩余寿命	约为 99.75 万 km
该轮对的轮径到限日期	约为 2023 年 8 月 21 日

预测内容	预测结果
该车型的最佳镟修周期	约为 46.1 万 km
该轮对还可经历的镟修作业次数	约为 2 次

3.4　铁路货车零部件寿命管理

　　状态修最关键的问题在于对零部件的寿命进行管理。寿命管理是指以设备经济地实现其服役全寿命为目标，在对设备状态进行监测和评估的基础上优化设备运行与维修管理的新技术。长期以来，我国货车及各零部件没有实行严格的寿命管理，整车及零部件基本实行根据状态和使用年限报废，这样做虽然充分利用了货车及零部件的价值，但是也给货车安全带来严重的隐患。对铁路货车及其关键零部件进行寿命管理，是保证铁路运输安全的重要手段之一，是保证运用货车整体技术状态稳定的措施之一，也是货车实施状态修的关键。寿命管理是在生产实践中探索和建立起的对产品进行全过程质量控制的先进、科学的管理模式。在科学技术突飞猛进、产品结构越来越复杂、产品使用环境越来越严酷、使用和检修费用越来越高的情况下，建立科学且经济的使用寿命模型至关重要。对货车及其主要零部件进行寿命管理，可以进一步完善货车检修制度，继续推进货车检修制度改革，使我国铁路货车设计、检修和管理达到世界先进水平。

3.4.1　铁路货车零部件寿命与匹配性分析

　　铁路货车状态修的核心之一就是建立零部件的寿命体系，进行零部件的失效规律研究，根据零部件重要度、检修属性、结构特点等确定铁路货车寿命零部件（包括全寿命零部件和使用寿命零部件）的寿命，全寿命零部件的寿命即零部件报废周期，使用寿命零部件的寿命即零部件的最长检修周期。通过调研分析，确定车轮一个段修期镟修率超过 90%，为最短板零部件，车轮的批量镟修周期决定了车辆进段检修的周期，车辆进段镟修车轮的同时进行全面检查和必要的修理，即车轮的批量镟修周期决定了零部件的检修周期，为了兼顾所有零部件的寿命与检修周期匹配一致，建立以车轮镟修里程为基数的状态修零部件寿命体系，判别模型以此为基础，结合检测、监测数据综合判别车辆状态，并预测修程，如图 3.54 所示。建立的全新状态修零部件寿命管理体系杜绝了过度拆、检、探、测、修情况，实现了少修车、快修车、多用车的目标，降低了检修成本，提高了运输效益。

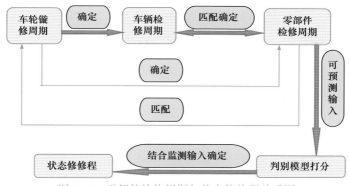

图 3.54　零部件检修周期与状态修修程关系图

1. 零部件寿命基数

1）车辆运行里程

目前国能集团的 C64K、C70A、C70E、C80、C80B 型敞车共计约 49000 辆，占国能集团货车总数的 98%。国能集团重载铁路万吨级编组列车如图 3.55 所示，统计结果见表 3.17。

图 3.55　国能集团重载铁路万吨级编组列车

表 3.17　五种车型数量统计（截至 2016 年 12 月 31 日）

车型	C80	C80B	C70A	C70E	合计	C64K
辆数	21100	2100	4910	3600	31710	17154
列数	390	38	90	66	584	318

对于历史段修车辆的运行里程的具体估算过程如下。选取 C80、C80B、C70A 车型，2019 年 1 月 1 日到 9 月 30 日进行厂修、段修的车辆数据，通过轨迹数据计算方法，计算车辆的前次段修时间和本次段修（厂修）时间内该车的走行里程。

　　部分车辆在运输过程中有封存情况，运行里程与一个段修期时间对应关系不可用，因此选取一个段修期运行里程较大的 5%、10%、20%、30%、40% 的车辆作为一个段修期车辆运行里程的计算输入。

　　传统车辆里程的计算主要采用上报报文的方法，但由于线路上关键装卸点存在没有设置检测设备或者检测设备丢失的情况，会造成报文计算得出的里程数据小于实际的走行里程数据。为准确预测车辆一个段修期的运行里程，跟踪了 17 列试列、运行 3 个月、274 个往返的实际运行里程，对报文的里程数据中缺失的部分采用补偿算法进行计算。一个段修期运行里程统计结果见表 3.18，统计里程与车轮磨耗的对应关系如图 3.56 所示。

表 3.18　一个段修期运行里程统计（统计车辆一个段修期均未临修）

序号	统计类别	车辆数量	HMIS 里程均值/万 km	试验列修正/万 km	HMIS 车轮踏面圆周磨耗统计均值/mm	根据磨耗速率推演车轮磨耗/mm	用途
1	TOP5%	500	40.8	41.4	6.5	3.7	检修里程上限
2	TOP10%	1000	38.6	39.2	5.8	3.5	检修里程基数
3	TOP20%	2000	37.5	38.1	5.1	3.4	留有裕量
4	TOP30%	3000	37.3	37.9	4.7	3.4	留有裕量
5	TOP40%	4000	36.7	37.3	4.3	3.3	检修里程下限

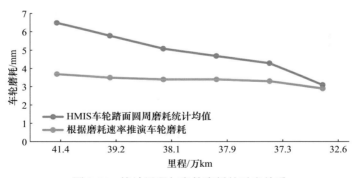

图 3.56　统计里程与车轮磨耗的对应关系

　　目前试验列和数据中心报文计算里程均不包括站内里程，累计试验列 172 个往返的北斗跟踪站内里程为 4292.463km，是报文计算总里程的 1.54%，可将报文里程增加 1.54% 作为车辆实际的运行里程。

　　通过调研统计，C80、C80B、C70A 型敞车一个段修期 22～23 个月的运行里程上限为 41.4 万 km，段修里程较多的 40% 为 37.3 万 km，建议状态修最长检修里程定为 42 万 km，基数定为 40 万 km，检修里程与 40 万 km 相近的零部件适宜检修里程为 37 万～42 万 km，与 80 万 km 和 160 万 km 相近的按照相关文件规定的最多提前约 6 万 km 或错后约 4 万 km 执行，详见表 3.19。这里要注意的是，检修里程的制定都是基于计划修体制的，在状态修模式下确定车辆检修时机的主要依据是判别模型的综合评价结果，运行里程是判别修程的基础，还要在此基础上根据检测、监测数据综合判别车辆状态及修程。

表 3.19　零部件适宜的检修周期范围　　　　　（单位：万 km）

检修周期分类	与 40 万 km 相近的	与 80 万 km 相近的	与 120 万 km 相近的	与 160 万 km 相近的
检修周期公差	（+2,-3）	（+4,-6）	（+4,-6）	（+4,-6）
检修周期范围	37～42	74～84	114～124	154～164

　　根据调研数据测算，70t 级及以上车辆 2 年运行 40 万 km 后，约有 90% 的车轮进行镟修，是最短板零部件，车轮的运行里程决定车辆的检修周期，零部件寿命管理体系应以车轮的运行里程为基数，实现零部件的寿命与修程匹配。根据调研结果，车辆运行 40 万 km 后钩舌的临修率小于 0.1% 能够满足运用要求；其他零部件的检修周期应为 40 万 km 的倍数，可提高检修效率。

　　2）安全限度——以车轮为例

　　根据目前掌握的车轮磨耗规律研究成果，并依据铁路货车车轮磨耗及镟修调研结果，制定状态修车轮踏面圆周磨耗限度、轮径差限度、轮缘剩余厚度限度，再依据调研数据分析的磨耗规律，根据上述三个限度分别反推车轮镟修周期，三个限度的推导结果取交集最能保证安全，该交集即检修周期最小值，以其作为状态修车轮检修周期，详见图 3.57。

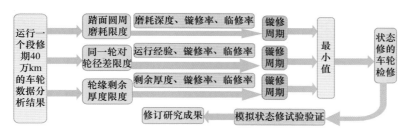

图 3.57　车轮限度及检修周期研究思路

　　通过对我国重载线路的新造车轮和新镟修车轮每隔 2 万 km、连续追踪 22 万 km、共计 9 次检测数据进行了分析，并以此得出了车轮磨耗规律，车轮磨耗速率基本是线性的，可按照线性推演车轮镟修周期，后期可在模拟状态修运行试验中验证研究成果，详见图 3.58。

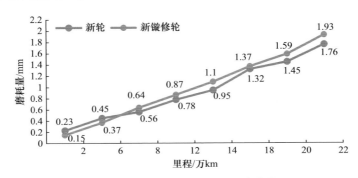

图 3.58　重载专线车轮磨耗速率曲线

（1）踏面磨耗规律分析。

① 调研检测数据。

a. 数据量：采集 186 条 C80 轮对、61 条 C70A 轮对、47 条 C64K 轮对信息。

b. 记录信息：车型、车号、轴号、制造厂代号、熔炼炉号、车轴锻造日期、轴位，以便数据后处理时甄别轴号的唯一性，记录镟修原因。

c. 检测流程：在车轮镟修线上，镟修前检测车轮踏面圆周磨耗深度、轮缘剩余厚度、轮径、踏面廓形，等待并观察车轮镟修情况，镟修后检测轮径、轮缘剩余厚度、镟修后的踏面廓形，检修现场如图 3.59 所示。

d. 输出结果：通过分析检测数据，得出踏面圆周磨耗深度及磨耗速率、轮缘剩余厚度变化量、同一轮对轮径差、踏面及轮缘镟修量、轮辋厚度减少量。

图 3.59　检修现场

② 调研数据筛选方法。

由于车辆存在过轨运输的情况，统计的运行里程数据不准确，无法进行推演分析，调研的 61 条 C70A 轮对、47 条 C64K 轮对数据仅作为参考数据使用。主要针对调研的 186 条 C80 轮对数据进行分析，通过轴号、车号、车型等信息查找上一个段修记录，可以区分为新轮、新镟修车轮、运用一个段修期的车轮以及运用两个段修期的车轮。其中运用一个段修期车轮对应的里程为 40 万 km，可用于数据推演分析；但运用两个段修期车轮存在封存车或运量下降，导致对应的运用里程不准确，无法进行推演分析。

通过对比分析，同为运用一个段修期 40 万 km，新轮磨耗速率 0.51mm/10 万 km，较新镟修车轮磨耗速率 0.73mm/10 万 km 小约 30%，详见表 3.20。

表 3.20　车轮检测数据分析结果

车轮类别	运用时间	C80 轮对条数	磨耗速率/（mm/10 万 km）	结果准确性
新轮	一个段修期	43	0.51	基本准确
	两个段修期	36	0.55	不准确，上个段修里程不准确
新镟修车轮	一个段修期	78	0.73	基本准确
	两个段修期	29	0.56	不准确，上个段修里程不准确

段修轮对的统计结果表明，段修补充新轮比例仅占总数量的 1.07%，说明实际运用的车辆新轮数量极少，状态修车轮的镟修周期应以镟修过的车轮为主制定。本书分析轮对状态修限度和镟修周期主要依据是 78 条，C80 型敞车，运用一个段修期 40 万 km，新镟修轮对的调研数据。

③ 新镟修车轮运用一个段修期统计分析。

经统计分析，新镟修车轮运用一个段修期后，踏面圆周磨耗深度平均值为 3.13mm、平均镟修量为 1.7mm、轮辋厚度减少量为 4.83mm，详见表 3.21。

表 3.21　车轮磨耗及镟修情况统计

车轮状态	使用时间	统计轮对数量	踏面圆周			轮径平均值	
			平均磨耗量/ mm	平均镟修量/ mm	合计/ mm	镟修前/ mm	镟修后/ mm
新轮	一个段修期	43	2.18	1.48	3.66	837.5	834.6
	二个段修期	36	4.68	1.67	6.35	833.4	830
新镟修车轮	一个段修期	78	3.13	1.7	4.83	825.9	822.5
	二个段修期	29	4.83	1.97	6.8	826.7	822.7

a. 踏面圆周磨耗限度。

踏面圆周磨耗深度平均值 3.13mm，一个段修期平均运行里程为 40 万 km，推算其磨耗速率为 0.78mm/10 万 km；超过检修限度 3mm 的比例为 47.44%，最大磨耗深度为 5.2mm；结果表明 40 万 km 的镟修周期能够保证车辆运用安全；

偶数位车轮磨耗较奇数位车轮略大，可能与曲线方向和车辆掉头作业有关，详见图 3.60。

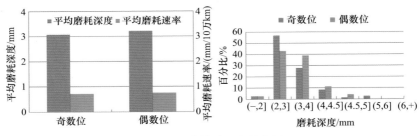

图 3.60　车轮踏面磨耗分析

车轮镟修率越小检修经济性越好，临修率越大车辆运用检修成本越高，车辆运用安全性越差，因此应综合考虑镟修率和临修率制定合理的踏面圆周磨耗限度。

在预测下一个段修期内的临修率时，将车轮按照耐磨性分为两类：磨耗超过限度的耐磨性较差的车轮均须镟修，下一个段修期磨耗从"0"开始推算；磨耗小于限度的耐磨性较好的车轮不镟修，下一个段修期磨耗最大从"磨耗限度"开始推算。依此推断踏面圆周磨耗限度设置为 3.5mm 镟修率降幅最为明显，降低47.46%，临修率处于较低水平。因此，踏面磨耗深度限度设置为 3.5mm 较为合理，详见表 3.22。

表 3.22　车轮临修率预测分析

限度/mm	本次段修镟修率/%	预测下个段修期内临修率/%
3	78.21	0
3.5	57.69	0
4	55.1	1.28
4.5	53.85	7.69
5	53.85	29.49

注：① 镟修率=超过限度数量/总数；② 临修率=2×踏面磨耗量大于 8mm 的数量/总数。

b. 同一轮对轮径差限度。

当车轮踏面圆周磨耗深度小于等于 3.5mm、同一轮对轮径差小于等于 2mm时，不仅能够保证车辆运用安全，同时使车轮镟修率降低 44.27%，降低幅度最为明显，临修率处于较低水平；2016 年版《铁路货车轮轴组装检修及管理规则》执行前，非提速货车轮径差检修限度为 2mm，由于调研的货车运行速度普遍在

80km/h 以下，均属于非提速货车，通过统计分析车轮不同检修限度下对应的镟修率和临修率，结果见表 3.23，未发生因轮径差检修限度设置为 2mm 导致的安全事故，临修率为 0，因此轮径差限度设置为 2mm 较为合理。

表 3.23　车轮不同检修限度对应的镟修率与临修率　　　　（单位：%）

轮径差	镟修率与临修率	踏面磨耗深度				
		≤3mm	≤3.5mm	≤4mm	≤4.5mm	≤5mm
≤1mm	镟修率	78.21	57.69	55.1	53.85	53.85
	临修率	0	0	1.28	2.56	2.56
≤1.5mm	镟修率	76.92	50	44.9	42.31	42.31
	临修率	0	0	2.56	5.13	5.13
≤2mm	镟修率	73.08	43.59	37.2	30.77	29.49
	临修率	0	0	2.56	8.97	10.3

④ 新镟修车轮运用两个段修期统计分析。

通过分析运用两个段修期车轮同一轮对轮径差的分布规律，得出踏面圆周磨耗深度超过 7mm 的比例为 6.9%，存在安全风险；轮径差超过 5mm 的比例为 3.45%，导致车轮磨耗迅速加剧，对车辆动力学性能影响较大，存在安全风险，详见图 3.61。

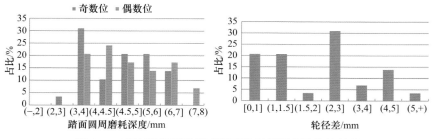

图 3.61　踏面圆周磨耗深度及旧轮运用两个段修轮径差

（2）轮缘剩余厚度磨耗规律分析。

针对 186 条轮对车轮轮缘磨耗情况进行分析，结果如表 3.24 和表 3.25 所示，轮缘最小剩余厚度 28mm，最大剩余厚度 37mm，平均剩余厚度 31.6～33.49mm，车轮轮缘磨耗轻微，未发现轮缘厚度小于检修限度 26mm 的情况。因此，车轮轮缘磨耗不作为制定状态修车轮镟修周期的主要考虑因素；车轮轮缘剩余厚度分布频率随运行里程增加而变得更加分散，轮缘剩余厚度小于 30mm、大于 34mm

的比例增加，与轮径差分布频率变化规律类似，考虑与轮径差有关；偶数位车轮踏面磨耗量较奇数位略大。

表 3.24　轮缘剩余厚度统计

统计项目	奇数位				偶数位			
车轮类别	新轮		新镟修轮		新轮		新镟修轮	
运用段修期	一个	两个	一个	两个	一个	两个	一个	两个
最大厚度/mm	33.2	35.9	35	37	34.3	34.2	35.2	34.9
最小厚度/mm	31.6	31.2	30	31.1	31	29.3	28	27.9
平均厚度/mm	32.22	33.18	32.43	33.49	32.33	32.35	31.6	32.41
超限数量/片	0	0	0	0	0	0	0	0

表 3.25　轮缘分布频率　　　　　　　　　　（单位：%）

轮位	类别	段修	(−,26)	[26,28)	[28,30)	[30,32)	[32,33)	[33,34)	[34,+)
奇数位	新轮	一个	0.00	0.00	0.00	17.95	79.49	2.56	0.00
		两个	0.00	0.00	0.00	9.09	33.33	33.33	24.25
	新镟修	一个	0.00	0.00	0.00	23.61	47.22	23.61	5.56
		两个	0.00	0.00	0.00	6.90	20.69	41.38	31.03
偶数位	新轮	一个	0.00	0.00	0.00	25.64	53.85	15.38	5.13
		两个	0.00	0.00	3.04	42.42	9.09	33.33	12.12
	新镟修	一个	0.00	0.00	11.12	40.28	31.94	9.72	6.94
		两个	0.00	3.45	0.00	31.04	17.24	31.03	17.24

（3）车轮磨耗影响因素分析。

通过调研数据分析，基本掌握了车轮磨耗规律。为验证研究成果的正确性，对车轮磨耗的影响因素进行了系统分析。车轮磨耗主要影响因素是轮瓦关系和轮轨关系，车辆自身的主要影响因素为轮辋硬度分布规律、有无制动、轮径及踏面廓形变化等。

① 轮辋硬度分布影响分析。

重载铁路货车车轮不同于高铁车轮，新轮踏面向下 3mm 范围内硬度较高，之后轮辋横断面硬度降低幅度较大，车轮心部硬度梯度不明显；车轮硬度越高，耐磨性越好，磨耗量越少；考虑这是新轮磨耗速率慢于镟修后车轮踏面磨耗速率的原因，详见图 3.62。

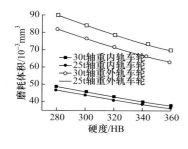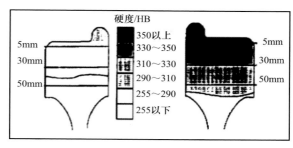

图 3.62　轮辋硬度分布

② 闸瓦对车轮磨耗。

在闸瓦及轮轨监测试验中，通过设置关门车工况，并与正常制动车辆的车轮磨耗进行对比，得出闸瓦对车轮踏面磨耗的贡献值约为 23%。闸瓦对车轮磨耗影响不大，车轮磨耗主要来自于轮轨磨耗，详见表 3.26 和表 3.27。

表 3.26　不同轮位正常制动与关门车车轮磨耗量　　（单位：mm）

有无制动	运行 22 万 km 踏面垂直平均磨耗量							
	1 位	2 位	3 位	4 位	5 位	6 位	7 位	8 位
正常制动	1.79	2.35	1.83	1.9	2.03	1.86	1.56	2.04
关门车	1.68	2.1	1.22	1.66	1.05	1.83	1.26	1.62

表 3.27　正常制动与关门车车轮磨耗量统计

有无制动	踏面垂直磨耗量/mm	相差比例/%
正常制动	1.93	—
关门车	1.56	23

③ 轮径及踏面廓形对车轮磨耗影响分析。

为分析轮径及踏面廓形对车轮磨耗的影响，根据实际检测的数据和踏面形状测量的实际廓形，按照不同轮径、踏面廓形、轮缘厚度设置了 10 个计算工况，详见表 3.28。

表 3.28   计算工况设置

车型	轮缘剩余厚度	轮径/mm
C80 新车	32mm/模拟新造	843
	30.5mm/模拟新镟修新轮廓	835.68
		816.36
		787.38
	27.8mm/模拟新镟修新轮廓	835.68
		816.36
		787.38
	32mm/模拟未镟修磨耗轮廓	838.64
		819.76
		790.78

注:① 实测新镟修后车轮轮缘剩余厚度为 30.5mm 的轴号为 510765、车号为 28700;
② 实测新镟修后车轮轮缘剩余厚度为 32mm 的轴号为 64938、车号为 26848;
③ 实测新镟修后车轮轮缘剩余厚度为 27.8mm 的轴号为 27541、车号为 83320。

结果表明:轮径对接触点的分布几乎没有影响;采用新车轮测试,对踏面的影响不明显,采用经磨耗后的车轮测试,踏面轮径减小,踏面磨耗指数略有上升;磨耗后踏面廓形较新 LM 型的踏面磨耗指数更大,详见图 3.63。轮径对车轮踏面圆周磨耗量影响不大,同时车轮心部硬度梯度不明显,与调研结果不同轮径踏面圆周磨耗变化不明显的规律一致,因此新轮较新镟修车轮磨耗量小的主要影响因素是轮辋硬度。

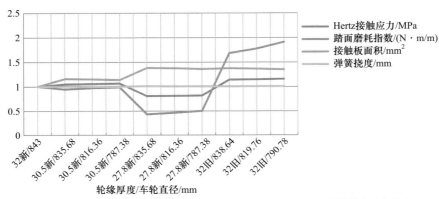

(a) 轮缘厚度、车轮直径与接触应力、踏面磨耗指数、接触板面积、弹簧挠度对应关系

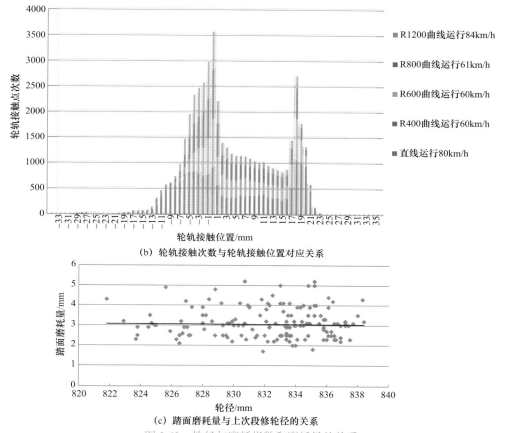

（b）轮轨接触次数与轮轨接触位置对应关系

（c）踏面磨耗量与上次段修轮径的关系

图 3.63　轮径与磨耗指数和磨耗量的关系

（4）车轮镟修分析。

① 车轮镟修工艺。

车轮镟修标准：踏面磨耗深度≤3mm，同一轮对轮径差≤1mm，轮缘剩余厚度分四个限度（26mm、28mm、30mm、32mm），段修轮辋剩余厚度≥26mm，运用轮辋剩余厚度限度≥23mm。

车轮镟修方法：采用两把刀具，一把刀具镟修踏面，另一把刀具镟修轮缘；加工进给量 0.3～5mm，普遍进给量约为 1.5mm。

实际操作情况：踏面镟修 10～12min，轮缘镟修 3～5min，刀花深度 0.3～0.4mm，大约镟修 4 条轮对更换一把刀具。为避免二次镟修，小轮径侧车轮镟修量明显小于大轮径侧车轮。

② 车轮踏面镟修情况。

车轮寿命由两个因素决定，一是踏面磨耗量，二是踏面镟修量。在车轮磨耗量一定的条件下，车轮镟修量越小，车轮的使用寿命越长。

轮缘镟修后的剩余厚度分为四个限度，即 26mm、28mm、30mm、32mm，踏面和轮缘采用不同刀具分别加工获得，所以踏面镟修量与轮缘镟修量没有明显的对应关系，详见表 3.29 和图 3.64。

表 3.29   车轮踏面和轮缘镟修量统计

车轮状态	使用时间	踏面镟修量/mm			轮缘镟修量/mm		
		最大	最小	平均	最大	最小	平均
新轮	一个段修	3.85	0.5	1.48	4	0.3	1.78
	两个段修	4.15	0.5	1.67	3.9	0.3	1.69
新镟修轮	一个段修	3.8	0.3	1.7	3.5	0.3	1.37
	两个段修	3.9	0.4	1.97	5.1	0.4	1.5

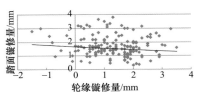

(a) 轮缘镟修现场加工情况   (b) 踏面镟修量与轮缘镟修量的关系

图 3.64   轮缘镟修现场加工情况及踏面镟修量与轮缘镟修量的关系

③ 车轮镟修与踏面磨耗量和镟修前轮径的关系。

先检测小轮侧车轮踏面磨耗量，再确定小轮侧车轮踏面镟修量，并结合轮径差，最终确定大轮侧车轮踏面镟修量等于轮径差之半与小轮侧车轮踏面镟修量之和。踏面镟修量与轮径成正比，与踏面磨耗量成反比，详见图 3.65。

制定合理的轮径差限度能够有效降低车轮踏面镟修量，提高车轮使用寿命。

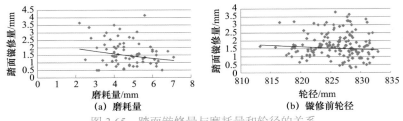

(a) 磨耗量   (b) 镟修前轮径

图 3.65   踏面镟修量与磨耗量和轮径的关系

④ 轮缘镟修与轮缘剩余厚度的关系。

由于轮缘镟修后的剩余厚度可依镟修量最小原则，在 26mm、28mm、30mm、32mm 选取，较薄侧轮缘镟修后达到 26~28mm，较厚侧轮缘镟修后达到 30~

32mm 即可，所以轮缘镟修量与同一轮对轮径差、镟修前的轮径并没有明显的对应关系，符合车轮经济型镟修理念。由图 3.66 可知，轮缘镟修量不是制定车轮镟修周期的主要影响因素。

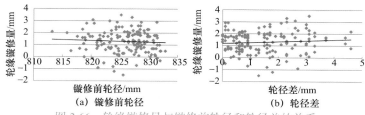

(a) 镟修前轮径　　　　　　　(b) 轮径差

图 3.66　轮缘镟修量与镟修前轮径和轮径差的关系

⑤ 车轮镟修周期。

车轮轮辋厚度减小量与踏面磨耗量、踏面镟修量成正比；踏面磨耗量较镟修量对轮辋厚度减小量的影响占比高，说明轮辋厚度主要是磨掉的而不是镟掉的，车轮使用经济性更好；同一轮对轮径差没有超过 5mm 的情况，说明新镟修车轮一个段修期 40 万 km 的镟修周期较为合理，详见图 3.67。

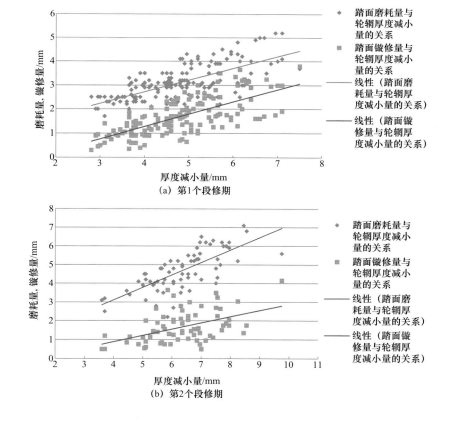

(a) 第1个段修期

(b) 第2个段修期

图 3.67　不同段修期车轮磨耗及镟修量与轮辋厚度减小量的关系

（5）车轮寿命分析。

通过对车轮报废情况进行统计分析，结果见表 3.30，车轮的寿命约为 11 年，依此结果指导车轮的寿命与检修周期合理匹配，能避免轮轴系统的过度分解。

表 3.30　车轮寿命统计结果

材质	条数	平均寿命/年
ZL60（铸钢）	473	8.8
CL60（辗钢）	1865	10.9

3）服役时间——以钩舌为例

对 2017 年站修故障进行统计，站修钩缓系统故障率（含 13A、13B 型车钩）为 3.7%，单独统计 16、17 型钩缓系统的故障率为 1.8%，钩舌的故障率仅为 0.16%，可见，运用中钩舌故障率很低，在临修中占比极少。2018 年 5～6 月，分别对载重 60t 级、70t 级及 80t 级货车车钩钩舌进行调研，其中钩舌磨耗情况并不严重，以裂纹故障为主。

（1）钩舌磨耗分析。

① 13A、13B 型钩舌。

实际检测 13A、13B 型钩舌，共 30 个样本，并对相关磨耗部位进行了磨耗速率统计分析，详见表 3.31。钩舌锁面磨耗相对严重，锁面厚度磨耗速率为 0.28mm/年，详见表 3.31；剩余厚度及钩舌销孔也有磨耗，其磨耗速率分别为 0.2mm/年和 0.135mm/年；锁面高度（钩锁坐入量）基本无磨耗；钩舌外胀均满足检修样板要求。

表 3.31　13A、13B 型各部位的磨耗速率　　　　（单位：mm/年）

部位名称	锁面厚度	剩余厚度	钩舌销孔	锁面高度
磨耗速率	0.28	0.2	0.135	—

② 16 型钩舌（70t 级）。

实际检测 16 型钩舌（70t 级），共 30 个样本，并对相关磨耗部位进行了磨耗速率统计分析，详见表 3.32。锁面磨耗相对严重，磨耗速率为 0.292mm/年；钩舌销孔也有轻量磨耗，其磨耗速率为 0.068mm/年；其他基本无磨耗；钩舌外胀均满足检修样板要求。

表 3.32　16 型钩舌（70t 级）各部位的磨耗速率　　　　（单位：mm/年）

部位名称	锁面厚度	钩舌销孔	锁面高度
磨耗速率	0.292	0.068	—

③ 16 型钩舌（80t 级）。

实际检测 16 型钩舌（80t 级），共 105 个样本，并对相关磨耗部位进行了磨耗速率统计分析，详见表 3.33。16 型钩舌（80t 级）锁面磨耗相对严重，磨耗速率为 0.19mm/年；钩舌销孔也有较大磨耗，其磨耗速率为 0.15mm/年；其他部位磨耗较轻；钩舌外胀均满足检修样板要求。

表 3.33 16 型钩舌（80t 级）各部位的磨耗速率 （单位：mm/年）

部位名称	锁面厚度	钩舌销孔	锁面高度
磨耗速率	0.19	0.15	—

综上所述，钩舌各部位的磨耗速率相对较低。当钩舌的服役时间较短时，在整个寿命周期内钩舌各部位均不会磨耗超限。钩舌服役时间为 8 年（160 万 km）时，磨耗最快的部位为锁面厚度，磨耗量不超过 3mm，小于相关规定（段修规定不大于 3mm），由此得出钩舌的服役时间不超过 8 年，不会因为磨耗超限而导致钩舌失效。因此提出，当钩舌服役时间小于 8 年时可取消磨耗检测。

（2）钩舌裂纹分析。

① 13A、13B 型钩舌。

统计 2018 年 1～4 月检修的 3428 个 13A、13B 型钩舌，其中报废数量 177 个，报废原因均为裂纹，故障率达到 5.16%。13A、13B 型钩舌主要裂纹部位及比例见表 3.34，裂纹的主要部位为 S 面及牵引台，分别占比 32.2% 和 50.3%。

表 3.34 13A、13B 型钩舌主要裂纹部位及比例

裂纹部位	S 面	背面	鼻部	销孔	牵引台
裂纹比例/%	32.2	12.8	0.6	4.1	50.3

分析钩舌裂纹率与服役时间之间的对应关系见表 3.35，13A、13B 型钩舌的裂纹率随着服役时间的增加而逐渐增加。

表 3.35 13A、13B 型钩舌裂纹率与服役时间的对应关系

制造年份	2017 年	2016 年	2015 年	2014 年	2013 年	2012 年	2011 年	2010 年
裂纹率/%	2	2.12	1.13	2.28	2.61	2.22	3.22	5.47

制造年份	2009 年	2008 年	2007 年	2006 年	2005 年	2004 年	2003 年	
裂纹率/%	13.76	9.33	18.68	23.08	44.19	42.86	100	

② 16 型钩舌（70t 级）。

统计 2018 年 1～4 月检修的 620 个 16 型钩舌（70t 级），其中报废数量 60 个，报废原因均为裂纹，故障率达到 9.7%。16 型钩舌（70t 级）裂纹的主要部位及比例见表 3.36，裂纹的主要部位为 S 面及牵引台，分别占比 23.3% 和 71.7%。

表 3.36　16 型钩舌（70t 级）裂纹部位及比例

裂纹部位	S 面	鼻部	销孔	牵引台
裂纹比例/%	23.3	3.3	1.7	71.7

分析钩舌裂纹率与服役时间之间的对应关系见表 3.37，16 型钩舌（70t 级）的裂纹率随着服役时间的增加整体趋势上逐渐增加。

表 3.37　16 型钩舌（70t 级）裂纹率与服役时间的对应关系

制造年份	2016 年	2015 年	2014 年	2013 年	2012 年	2011 年	2010 年	2009 年	2008 年	2006 年
裂纹率/%	3.5	0.8	7.3	9.3	14.3	14	9.1	19.1	21.4	35.4

③ 16 型钩舌（80t）。

统计 2018 年 6 月检修的 824 个 16 型钩舌（80t 级），其中报废数量 57 个，报废原因均为裂纹，故障率达到 6.9%。16 型钩舌（80t 级）裂纹的主要部位及比例见表 3.38，裂纹的主要部位为 S 面及牵引台，分别占比 47.1% 和 41.2%。

表 3.38　16 型钩舌（80t 级）裂纹部位及比例

裂纹部位	S 面	下弯角	销孔	牵引台
裂纹比例/%	47.1	8.2	3.5	41.2

分析钩舌裂纹率与服役时间之间的对应关系见表 3.39，16 型钩舌（80t 级）的裂纹率与服役时间没有明显的对应关系，但存在逐渐增加的趋势。

表 3.39　16 型钩舌（80t 级）裂纹率与服役时间的对应关系

制造年份	2017 年	2016 年	2015 年	2014 年	2013 年	2012 年	2011 年	2009 年
裂纹率/%	5.7	3.2	11.5	6.9	6	9	5.8	25

进一步扩大 16 型钩舌（80t 级）裂纹的调研数据，统计 2018 年 6～7 月的数据，共检修 1368 个钩舌，有裂纹的 112 个，裂纹率为 8.2%，较单独统计 6 月检修的钩舌裂纹比例有所提高。

2. 零部件寿命与状态修修程的匹配分析

1）全寿命零部件寿命与状态修修程匹配分析

新增寿命零部件为立柱磨耗板、斜楔、滑块磨耗套、主摩擦板、旁承磨耗板、滑槽磨耗板、斜面磨耗板、交叉杆扣板；寿命延长的为缓冲器；寿命缩短的为钩舌、钩体、制动软管连接器；其余零部件寿命与既有规定相同或为实现寿命匹配进行了少量调整，详见图 3.68。

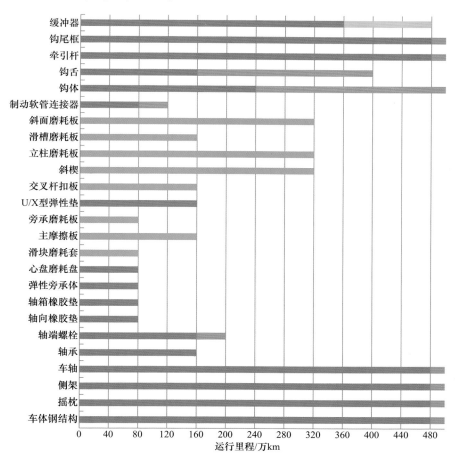

图 3.68　全寿命零部件寿命分析

依据车轮镟修周期推算结果，Z2 修周期为 40 万 km，零部件寿命为 40 万 km 的倍数，能够满足匹配要求，实现车辆集中修、快速修，保证车辆运用安全。

钩舌、轴承需要在多个 Z2 修进行批量检修；弹性旁承体、轴箱橡胶垫、轴向橡胶垫、心盘磨耗盘、滑块磨耗套、旁承磨耗板、制动软管连接器在 Z3 修时批量更换；主摩擦板、U/X 型弹性垫、交叉杆扣板、滑槽磨耗板在 Z4 修时批量更换；立柱磨耗板、斜楔、斜面磨耗板在第二个 Z4 修时批量更换；车体钢结构、摇枕、侧架、车轴在第三个 Z4 修时报废，详见图 3.69。

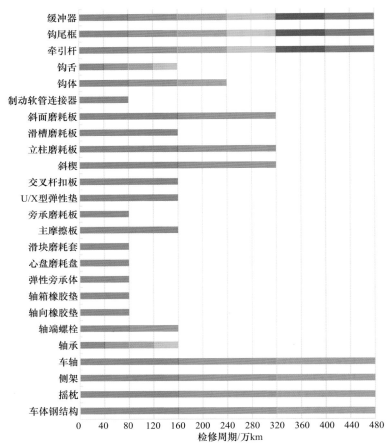

图 3.69　全寿命零部件寿命与检修周期匹配性分析

2）使用寿命零部件寿命与状态修修程的匹配分析

缓解阀拉杆、车轮、制动阀等零部件检修周期为 Z2 修；转动套、钩尾销、钩锁、锁销组成钩缓件和轴承前盖及后挡、制动梁组成、旁承座等零部件检修周期为 Z3 修；撑杆组成、车门组成、闸调器、制动杆、手制动机、钩尾框托板组成、车钩安全托板、冲击座、交叉杆组成、下心盘、组合式集尘器、球芯塞门等零部件检修周期为 Z4 修，详见图 3.70。

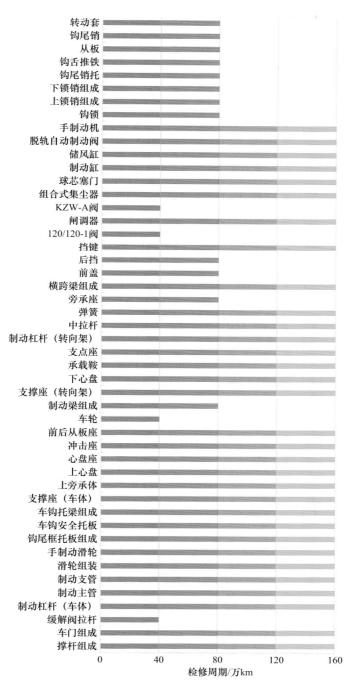

图 3.70　使用寿命零部件检修周期匹配分析

3）其他重要零部件寿命与状态修修程的匹配分析

其他重要零部件寿命与状态修修程匹配的结果如图 3.71 所示。闸瓦的检修周期为 Z1 修；缓解阀拉杆、车轮、制动阀、钩舌等零部件检修周期为 Z2 修；轴承、制动软管连接器、钩体、牵引杆、钩尾框、缓冲器及车钩小件、弹性旁承体、轴箱橡胶垫、轴向橡胶垫、心盘磨耗盘、滑块磨耗套、旁承磨耗板等零部件检修周期为 Z3 修；车体钢结构、撑杆组成、车门组成、闸调器、制动杆、手制动机、钩尾框托板组成、车钩安全托板、冲击座、摇枕、侧架、车轴、主摩擦板、斜楔、立柱磨耗板、滑槽磨耗板、斜面磨耗板、交叉杆组成、下心盘、承载鞍、组合式集尘器、球芯塞门等零部件的检修周期为 Z4 修。

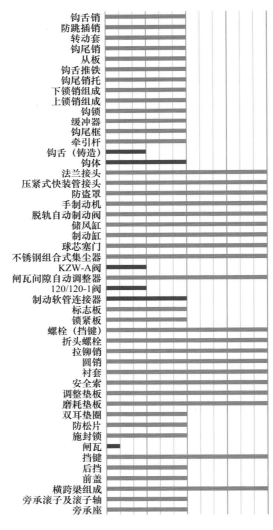

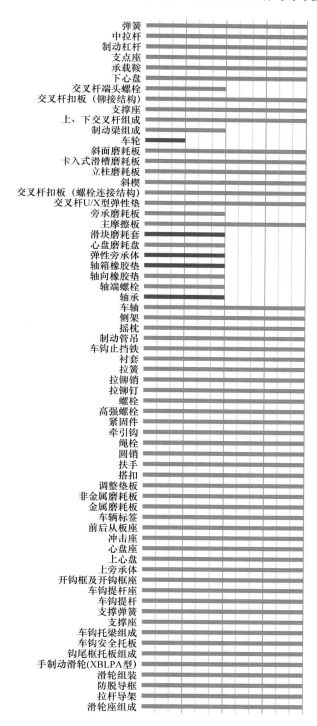

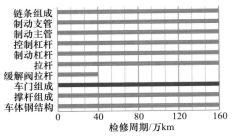

图 3.71　其他重要零部件检修周期匹配分析

3.4.2　铁路货车零部件寿命管理体系

1. 管理范围

系统考虑影响车辆运用安全重要度、修程设置重要度、零部件规律重要度等维度，首批提出了 25 种重点管理零部件，其中全寿命零部件 17 种、使用寿命零部件 8 种，随着状态修的试行和 HCCBM 的完善再逐步扩充，详见表 3.40。

表 3.40　重点管理零部件对应修程

系统组成	名称	属性	修程
车体	车体钢结构	全寿命	Z4
转向架	摇枕	全寿命	Z4
	侧架	全寿命	Z4
	车轴	全寿命	Z4
	轴承	全寿命	Z3
	轴箱橡胶垫	全寿命	Z3
	弹性旁承	全寿命	Z3
	心盘磨耗盘	全寿命	Z3
	滑块磨耗套	全寿命	Z3
	斜楔	全寿命	Z4
	立柱磨耗板	全寿命	Z4
	斜面磨耗板	全寿命	Z4
	车轮	使用寿命	Z2
	制动梁组成	使用寿命	Z3
	交叉杆	使用寿命	Z4
	承载鞍	使用寿命	Z3
	下心盘	使用寿命	Z2

系统组成	名称	属性	修程
制动装置	120/120-1 阀	使用寿命	Z2
	闸瓦间隙自动调整器	使用寿命	Z4
	KZW-A 阀	使用寿命	Z2
钩缓装置	钩体	全寿命	Z3
	牵引杆	全寿命	Z3
	钩尾框	全寿命	Z3
	缓冲器	全寿命	Z3
	钩舌	全寿命	Z2

2. 总体框架

通过车辆运用检修调研分析和关键零部件的理论研究结果，确定三类零部件划分原则，将使用寿命零部件尽量转化为全寿命零部件，再采用换件修的检修模式，部分零部件放宽了限度，延长了检修周期，充分发挥了零部件潜能，为零部件寿命及检修周期匹配性分析奠定了基础。零部件的寿命及检修周期匹配一致，以闸瓦、车轮、钩舌、钩体、制动阀、橡胶件、大部件探伤划定固定修范围，保证检修资源最佳配备，是实现状态修、降低检修成本的主要途径。建立零部件寿命管理体系应重点考虑的因素包括：

（1）准确性。调研数据充分准确，模拟运行试验工况设置合理，试验样品、数量充分，室内试验与运行试验相互印证，保证零部件寿命与检修周期符合实际运用，准确合理。

（2）经济性。零部件寿命和状态修修程匹配，主要零部件在运用期内减少不必要的检修维护，工艺合理，充分发挥零部件的使用潜能。

（3）安全性。全寿命里程、最长检修里程和检修限值的制定，应保证车辆运用安全，保证零部件使用安全可靠。

零部件寿命管理模式包含两方面内容：

（1）全新零部件寿命管理体系建立。依据全寿命零部件、使用寿命零部件和易损零部件进行分类并重新制定零部件寿命管理体系，以适应换件修和集中修，保证零部件管理模式与状态修修程相匹配。

（2）既有装车零部件寿命管理体系建立。考虑既有 C64K、C70A、C80 和 C80B 型敞车投入运营时间不同，采用状态修修程后要求全部零部件的使用寿命与运行里程建立联系，因此需要根据零部件装车运用时间、运行里程，结合失效规律、剩余寿命分析成果，合理规划制定既有装车零部件的剩余运行里程，实现对既有车辆零部件的管理。

通过对铁路货车既有零部件使用寿命及质量保证的梳理与分析，依据铁路货车零部件制造质量保证情况、零部件寿命管理模式、零部件服役性能、寿命及检修周期匹配关系，结合货车年运行里程建立以里程为主的寿命管理体系。对于已经投入运用的全寿命零部件，根据其运用时间或里程确定其剩余寿命，使用寿命和易损零部件可依据规定的质量保证期或检修周期进行检查和修复。同时结合失效规律、剩余寿命分析结果，适时调整和修订零部件寿命管理体系。根据三类零部件划分原则、总结调研结果和既有货车长期运用经验，初步规划三类零部件范围，制定全寿命里程、最长检修里程、检修限值，形成基于状态修的零部件寿命管理体系总体框架，如图 3.72 所示。

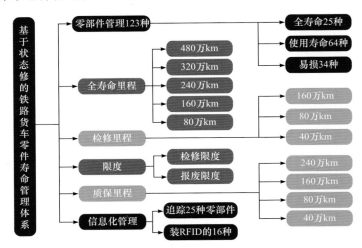

图 3.72 零部件寿命管理总体框架

3. 管理体系

寿命管理体系主要结合检修实际，识别并去除过度修、检、探，调整既有过严的检修限度，根据车辆及零部件的实际检修周期进而制定零部件适宜的检修周期，减少车辆及零部件的分解检修次数，降低零部件的报废率、维修率以及检修成本，经济效益显著。

（1）通过对 C80、C70A、C64K 车 90 种零部件的调研，结合车辆运用经验，识别出检修标准过严 10 项、检修周期过短 39 项。

（2）制造质量较差、寿命与检修周期不匹配、实际调研中故障率较高的"短板"零部件 12 种，其中全寿命零部件 7 种、使用寿命零部件 4 种、易损零部件 1 种。

（3）综合考虑零部件故障对行车安全的影响程度、制造及检修成本、对检修工艺的影响程度等因素，确定了首批 25 种需要录入系统及重点研究的零部件，其中全寿命零部件 17 种、使用寿命零部件 8 种。

（4）根据射频识别（radio frequency identification, RFID）技术电子标签安装方式及安装位置的试验结果，确定首批装用 RFID 电子标签的零部件共 16 种，其中全寿命零部件 8 种、使用寿命零部件 8 种，详见表 3.41。

表 3.41　寿命管理体系明细表

系统组成	分类	零部件名称	放宽限度	延长检修周期	短板	重点研究及信息采集	RFID
车体	全寿命	车体钢结构	—	—	—	●	●
	使用寿命	撑杆组成	—	—	—	—	—
		车门组成	—	—	●	—	●
		缓解阀拉杆	—	—	—	—	—
		拉杆	—	—	—	—	—
		制动杠杆	—	—	—	—	—
		控制杠杆	—	—	—	—	—
		制动主管	—	—	—	—	—
		制动支管	—	—	—	—	—
		链条组成	—	—	—	—	—
		滑轮座组成	—	—	—	—	—
		拉杆导架	—	—	—	—	—
		防脱导框	—	—	—	—	—
		滑轮组装	—	—	—	—	—
		手制动滑轮（XBLPA 型）	—	—	—	—	—
		钩尾框托板组成	—	●	—	—	—
		车钩安全托板	—	●	—	—	—
		车钩托梁组成	—	●	—	—	—
		支撑座	—	—	—	—	—
		支撑弹簧	—	—	—	—	—
		车钩提杆	—	—	—	—	—
		车钩提杆座	—	—	—	—	—
		开钩框及开钩框座（16 型车钩）	—	—	—	—	—

续表

系统组成	分类	零部件名称	放宽限度	延长检修周期	短板	重点研究及信息采集	RFID
车体	使用寿命	上旁承体	—	—	—	—	—
		上心盘	—	—	—	—	—
		心盘座	—	—	—	—	—
		冲击座	—	—	—	—	—
		前后从板座	—	●	—	—	—
		车辆标签	—	—	—	—	—
转向架	全寿命	摇枕	—	●	—	●	●
		侧架	—	●	—	●	●
		车轴	—	●	—	●	—
		轴承	—	—	●	●	—
		轴端螺栓	—	—	—	—	—
		轴向橡胶垫	—	—	—	—	—
		轴箱橡胶垫	●	●	●	●	●
		弹性旁承体	●	●	●	●	●
		心盘磨耗盘	—	●	—	●	—
		滑块磨耗套	●	●	●	●	—
		主摩擦板	—	●	—	—	—
		旁承磨耗板	—	●	—	—	—
		交叉杆 U/X 型弹性垫	—	—	—	—	—
		交叉杆扣板（螺栓连接结构）	—	—	—	—	—
		斜楔	—	●	—	●	—
		立柱磨耗板	—	●	—	●	—
		卡入式滑槽磨耗板	—	●	—	—	—
		斜面磨耗板	—	●	—	●	—
	使用寿命	车轮	●	—	●	●	●
		制动梁组成	—	●	—	—	●
		上、下交叉杆组成	—	●	—	●	—
		支撑座	—	—	—	—	—
		交叉杆扣板（铆接结构）	—	—	—	—	—
		交叉杆端头螺栓	—	—	—	—	—

续表

系统组成	分类	零部件名称	放宽限度	延长检修周期	短板	重点研究及信息采集	RFID
转向架	使用寿命	下心盘	—	—	—	●	●
		承载鞍	—	●	—	●	●
		支点座	—	—	—	—	—
		制动杠杆	—	●	—	—	—
		中拉杆	—	●	—	—	—
		弹簧	—	●	—	—	—
		旁承座	—	●	—	—	—
		旁承滚子及滚子轴	—	●	—	—	—
		横跨梁组成	—	●	—	—	—
		前盖	—	—	—	—	—
		后挡	—	—	—	—	—
		挡键	—	●	—	—	—
	易损	闸瓦	—	—	●	—	—
制动装置	全寿命	制动软管连接器	●	●	—	—	—
	使用寿命	120/120-1 阀	—	—	●	●	●
		闸瓦间隙自动调整器	—	●	—	—	—
		KZW-A 阀	—	—	●	●	●
		不锈钢组合式集尘器	—	—	—	—	—
		球芯塞门	—	—	—	—	—
		制动缸	—	—	—	—	—
		储风缸	—	—	—	—	—
		脱轨自动制动阀	—	—	—	—	—
		手制动机	—	—	—	—	—
		防盗罩	●	—	—	—	—
钩缓装置	全寿命	钩体	●	●	●	●	●
		钩舌（铸造）	●	—	●	●	—
		牵引杆	●	●	—	●	●
		钩尾框	—	●	—	●	●
		缓冲器	—	●	—	●	●
	使用寿命	钩锁	—	●	—	—	—
		上锁销组成	—	—	—	—	—
		下锁销组成	—	●	—	—	—

续表

系统组成	分类	零部件名称	放宽限度	延长检修周期	短板	重点研究及信息采集	RFID
钩缓装置	使用寿命	钩尾销托	—	●	—	—	—
		钩舌推铁	—	●	—	—	—
		从板	—	●	—	—	—
		钩尾销	—	●	—	—	—
		转动套	●	—	—	—	●

注：●是；—否。

3.4.3 铁路货车零部件寿命管理方法

1. 零部件评价指标体系

状态修的核心之一是深度挖掘零部件的潜能，根据车辆多年运用经验，结合调研数据、室内试验和模拟状态修运行试验等数据分析，放宽了 9 种零部件的检修标准。形成的零部件检修限值较零部件安全阈值留有一定裕量，综合判别模型可以根据零部件权重，制定扣车原则，并对权重系数低的零部件适当放宽检修标准，保证车辆扣修时机的一致性、合理性，详见表 3.42。

表 3.42　零部件检修限度

分类	零部件名称	既有检修限度	状态修限值
全寿命	轴承	外圈经复合磁化磁粉探伤不得有裂纹； 内油封组成、外油封组成、密封组成进行外观检查，不得有磕伤和变形； 正反两个方向旋转检查，旋转灵活，无卡滞……	外圈经复合磁化磁粉探伤不得有裂纹； 内油封组成、外油封组成、密封组成进行外观检查，不得有磕伤和变形； 正反两个方向旋转检查，旋转灵活，无卡滞……
	轴箱橡胶垫	承载层橡胶外胀超出衬板侧面不大于 1； 承载层橡胶与金属上、下衬板黏结处（上侧或下侧）累计裂纹不大于长度 230mm、深度 5mm； 承载层橡胶表面裂纹不大于长度 180mm、深度 5mm	承载层橡胶外胀超出衬板侧面不大于 1mm； 承载层橡胶与金属上、下衬板黏结处（上侧或下侧）累计裂纹不大于长度 230mm、深度 10mm； 承载层橡胶表面裂纹不大于长度 180mm、深度 10mm； 衬板锈蚀可打磨处理，平面度为 0.5mm，橡胶垫厚度 $42^{+1}_{-1.5}$ mm
	弹性旁承体	表面裂纹不大于长度 40mm、深度 7mm； 侧面橡胶层与顶板间裂纹不大于累计长度 150mm、深度 7mm； 永久变形不大于 5mm； 旁承磨耗板与顶板间的周向局部间隙不大于 0.5mm； 组后旁承磨耗板上表面平面度不大于 0.5mm	表面裂纹不大于长度 40mm、深度 7mm； 侧面橡胶层与顶板间裂纹不大于累计长度 150mm、深度 7mm； 永久变形不大于 5mm； 旁承磨耗板与顶板间的周向局部间隙不大于 1.5mm； 组装后旁承磨耗板上表面平面度不大于 0.5mm

续表

分类	零部件名称	既有检修限度	状态修限值
全寿命	滑块磨耗套	剩余厚度不小于 4mm； 滑块磨耗套铆接后不得松动； ……	剩余厚度不小于 3mm； 沿水平和纵向不得松动，允许旋转方向松动； 成型后铆钉头部应覆盖滑块磨耗套铆钉孔，且不允许有超过 1/4 的缺损； ……
使用寿命	车轮	轮辋厚度≥26mm； 轮缘厚度≥26mm； 踏面圆周磨耗深度<3mm； 踏面剥离长度 1 处时不大于 15mm、2 处时每 1 处均不大于 8mm； 轮辋外侧碾宽<5mm； 同轮对两车轮的直径差<1mm； 同一车轮相互垂直的直径差<0.5mm ……	轮辋厚度≥26mm； 轮缘厚度≥26mm； 踏面圆周磨耗深度<3.5mm； 踏面剥离长度 1 处时不大于 15mm、2 处时每 1 处均不大于 8mm； 轮辋外侧碾宽<5mm； 同轮对两车轮的直径差<2mm； 同一车轮相互垂直的直径差<0.5mm ……
全寿命	制动软管连接器	2 年段修分解检查，外观良好，风水压试验合格者继续装车；6 年寿命，到期更换	a. 外观无裂纹、破损、鼓包，列车制动试验漏泄不超标。 b. 80 万 km 更换
使用寿命	防盗罩	—	建议取消
全寿命	钩体	钩颈、钩身横裂纹在同一断面长度之和不大于 50mm。 钩耳裂纹长度不大于 15mm。 钩耳内侧弧面上、下弯角处裂纹长度之和不大于 25mm。 牵引台、冲击台根部裂纹长度不大于 20mm。 16 型、17 型钩体钩尾销孔周围 25mm 范围内裂纹，超过范围的裂纹深度不大于 3mm；联锁套头、联锁套口裂纹长度不大于 50mm 且深度不大于 5mm。 13 号、13A 型、13B 型钩体钩尾销孔后壁与钩尾端面间裂纹长度不大于 20mm。 16 型、17 型钩体钩耳孔直径磨耗大于 3mm。 16 型、17 型钩体联锁套头或联锁套口磨耗深度大于 6mm 或局部碰伤深度大于 5mm。 16 型车钩尾端高度小于 151mm 或 17 型车钩尾端高度小于 166mm。 16 型、17 型钩体钩尾销孔长、短轴磨耗大于 2mm。 16 型、17 型钩体钩尾端部到钩尾销孔后壁的距离小于 83mm。 16 型、17 型钩体钩身长度小于 567mm。 13 系列车钩钩耳孔或衬套孔直径磨耗大于 3mm。	钩颈、钩身横裂纹在同一断面长度之和不大于 50mm。 钩耳裂纹长度不大于 15mm。 钩耳内侧弧面上、下弯角处裂纹长度之和不大于 25mm。 牵引台、冲击台根部裂纹长度不大于 20mm。 16 型、17 型钩体钩尾销孔周围 25mm 范围内裂纹，超过范围的裂纹深度不大于 3mm。联锁套头、联锁套口裂纹长度不大于 50mm 且深度不大于 5mm。 13 号、13A 型、13B 型钩体钩尾销孔后壁与钩尾端面间裂纹长度不大于 20mm。 16 型、17 型钩体钩耳孔直径磨耗大于 3mm。 16 型、17 型钩体联锁套头或联锁套口磨耗深度大于 6mm 或局部碰伤深度大于 5mm。 16 型车钩尾端高度小于 151mm 或 17 型车钩尾端高度小于 166mm。 16 型、17 型钩体钩尾端部到钩尾销孔后壁的距离小于 77mm。 16 型、17 型钩体钩身长度小于 561mm。 13 系列车钩衬套松动、裂纹、缺损。 13 系列车钩上锁销孔前后磨耗之和大于 3mm。

分类	零部件名称	既有检修限度	状态修限值
全寿命	钩体	13 系列车钩衬套松动、裂纹、缺损。 13 系列车钩上锁销孔前后磨耗之和大于 3mm。 13 系列车钩钩腔上防跳台磨耗大于 2mm。 13 系列车钩前导向角须恢复 6mm 凸台原型尺寸。 13 系列车钩钩腔下防跳台磨耗大于 2mm。 13 系列车钩钩尾端部与钩尾销孔边缘的距离上、下面之差大于 2mm。 13 系列车钩钩尾销孔长径方向磨耗大于 3mm。 13 系列车钩钩尾端面与钩尾销孔边缘的距离小于 40mm。 钩身弯曲大于 10mm。 钩耳上、下弯曲影响钩舌组装或三态作用。 13 系列车钩钩体钩腕端部外胀大于 15mm	13 系列车钩钩腔上防跳台磨耗大于 2mm。 13 系列车钩前导向角须恢复 6mm 凸台原型尺寸。 13 系列车钩钩腔下防跳台磨耗大于 2mm。 13 系列车钩钩尾端部与钩尾销孔边缘的距离上、下面之差大于 2mm。 13 系列车钩钩尾销孔长径方向磨耗大于 3mm。 13 系列车钩钩尾端面与钩尾销孔边缘的距离小于 40mm。 钩身弯曲大于 10mm。 钩耳上、下弯曲影响钩舌组装或三态作用。 13 系列车钩钩体钩腕端部外胀大于 15mm
	钩舌（铸造）	钩舌弯角处裂纹。 内侧面的裂纹长度不大于 30mm。 钩舌牵引台根部圆角裂纹磁痕长度不大于 30mm 且深度不大于 1mm。 钩舌护销突缘部分缺损。 裂纹向销孔内延伸，除突缘高度外的长度不大于 10mm。 钩舌冲击台缺损或销孔边缘裂纹延及钩舌体 钩舌锁面磨耗大于 3mm。 16 型钩舌鼻部厚度磨耗大于 5mm，钩舌销孔内径磨耗大于 2mm，钩锁承台高度须不小于 45mm。 13A 型、13B 型钩舌内侧面和正面磨耗剩余厚度小于 69mm，钩锁承台高度须为 45～52mm。 钩舌外胀大于 6mm	裂纹。 钩舌锁面磨耗大于 3mm。 16 型钩舌鼻部厚度磨耗大于 5mm，钩舌销孔内径磨耗大于 2mm，钩锁承台高度须不小于 45mm。 13A 型、13B 型钩舌内侧面和正面磨耗剩余厚度小于 69mm，钩锁承台高度须为 45～52mm。 钩舌外胀大于 6mm

2. 零部件制造质量保证

状态修寿命管理体系的核心之一是深度挖掘零部件的潜能，保证零部件质量保证期与修程相匹配，零部件检修周期内不能出现因制造质量问题导致的安全事故，需要进一步与零部件制造单位共同开展研究，提升零部件的可靠性，以满足状态修质量保证期的要求，规定制造质量保证要求的零部件共计 43 种，详见表 3.43。

表 3.43　零部件制造质量保证

分类	零部件名称	保证内容	保证期限	备注
全寿命	摇枕	无裂损，铸造缺陷不超限	160 万 km	去年限
	侧架	无裂损，铸造缺陷不超限	160 万 km	去年限
	车轴	不因材质和制造质量问题造成事故或危及行车安全	160 万 km	缩短
	轴承	不因材质和制造质量问题造成事故或故障	8 年或 80 万 km	不变
	U/X 型弹性垫	不失效	8 年或 160 万 km	缩短
	交叉杆扣板	无裂损	8 年或 160 万 km（与 U/X 型弹性垫同步）	不变
	侧架立柱磨耗板	无裂损，磨耗不超限	160 万 km	去年限
	组合式斜楔体	无裂损，磨耗不超限，铸件铸造缺陷不超限	160 万 km	去年限
	斜楔主摩擦板	不因材质和制造质量问题造成裂损	80 万 km	去年限
	摇枕斜楔磨耗板	无裂损，磨耗不超限	60 万 km	年转里程
	滑槽磨耗板	不因材质和制造质量问题造成的无裂损，磨耗不超限	60 万 km	年转里程
	轴向橡胶垫	无裂损，橡胶件不失效	6 年或 80 万 km	不变
	轴箱橡胶垫	无裂损，橡胶件不失效	6 年或 80 万 km	不变
	弹性旁承橡胶体	无裂损、不失效	6 年或 80 万 km	不变
	旁承磨耗板	不因材质和制造质量问题造成裂损	2 年或 40 万 km	不变
	心盘磨耗盘	磨耗不超限	6 年或 80 万 km	增加里程
	滑块磨耗套	不因材质和制造质量问题造成裂损	2 年或 40 万 km	不变
	制动软管连接器、制动软管组成	不脱层、无裂损，漏泄不超过规定	6 年或 80 万 km	不变
	16、17 型钩体、牵引杆、铸造钩尾框	无裂损	80 万 km	缩短
	锻造钩尾框	无裂断	80 万 km	缩短
	MT-2、MT-3、ST 型缓冲器	箱体、弹簧座和锻件无裂损、不失效，弹簧无折断	80 万 km	缩短
	HM-1、HM-2、HN-1 型缓冲器	弹性胶泥芯体不失效，铸件、锻件不裂损	80 万 km	缩短
	13A、13B 型钩体、钩舌	无裂损	40 万 km	缩短
	16 型钩舌	无裂损	40 万 km	缩短

续表

分类	零部件名称	保证内容	保证期限	备注
使用寿命	含油尼龙钩尾框托板磨耗板	不因材质和制造质量问题造成裂损、磨耗超限	160 万 km	年转里程
	上心盘	无裂损，磨耗不超限	160 万 km	年转里程
	交叉杆	无裂损	160 万 km	去年限
	支撑座	无裂损	160 万 km	年转里程
	摇枕弹簧、减振弹簧	不因材质和制造质量问题造成裂损、折断	160 万 km	年转里程
	下心盘	无裂损，磨耗不超限	160 万 km	年转里程
	组合式制动梁（不含滑块磨耗套）	无裂损	80 万 km	缩短
	车轮	不因材质和制造质量问题造成事故或危及行车安全	40 万 km	缩短
	控制阀	阀体无裂损，铸造缺陷不超限	240 万 km	年转里程
		作用不失效	40 万 km	年转里程
	不锈钢组合式集尘器、球芯塞门	阀体无裂损，铸造缺陷不超限	240 万 km	年转里程
		作用不失效	40 万 km	年转里程
	不锈钢储风缸	焊缝不开裂，缸体不裂损	240 万 km	年转里程
	空重车自动调整装置	阀体无裂损	240 万 km	年转里程
		作用不失效	40 万 km	年转里程
	脱轨自动制动阀	阀体、阀盖和拉环无裂损，铸造缺陷不超限	240 万 km	年转里程
		制动阀杆无漏泄	160 万 km	年转里程
	旋压密封式制动缸	缸体、活塞、弹簧无裂损	240 万 km	年转里程
		整缸作用不失效	40 万 km	年转里程
	闸瓦间隙调整器	不失效	160 万 km	年转里程
	手制动机	无裂损，磨耗不超限	160 万 km	年转里程
		作用不失效	40 万 km	年转里程
	120 阀橡胶件	无裂损、不失效	3 年或 40 万 km	增加里程
	E 型密封圈	无裂损、不失效	3 年或 40 万 km	增加里程
易损	奥-贝球铁衬套	不因材质和制造质量问题造成裂损、磨耗超限	120 万 km	年转里程

按照质量保证期长短分为 40 万 km 的 12 种、60 万 km 的 2 种、80 万 km 的 12 种、120 万 km 的 1 种、160 万 km 的 16 种、240 万 km 的 6 种。按照质量保证期型式不同分为仅有里程管理的 37 种、里程兼顾时间的 12 种。按照质量保证期变化情况分为缩短的主要是钩缓件等共计 10 种、不变的主要是非金属件和轴承等共计 8 种、时间转里程的 22 种、仅去掉时间的 6 种、时间基础上增加里程的 3 种。

3. 零部件信息化管理办法

实现状态修的关键是 HCCBM，寿命管理的核心是提出 HCCBM 所需的关键零部件的关键指标参数，便于信息化管理和大数据自我学习，提高车辆状态综合判别的准确性和科学性，实现三类零部件的动态管理机制。

1）追溯零部件全寿命周期跟踪管理技术

铁路货车运用工况复杂，零部件数量多，在制造以及检修维护过程中，故障型式、寿命周期等参差不齐，管理烦琐，严重制约了运用、检修效率。因此，有效管理好关键零部件至关重要，通过对重要零部件全寿命周期跟踪管理，提升检修效率、实现精准维修、保证车辆运用安全。RFID 标签信息示例见表 3.44。

表 3.44　RFID 标签信息示例

名称	熔炼号	钢种	制造单位代号	锻造日期	锻造顺序号	车轴方位	轴型	RFID标签 ID
车轴	D1006048	W	114	1012	22772	左	RE2B	32～40 位

注：32～40 位数字组成的 ID 是 RFID 标签唯一识别码，相当于"身份证号"，保证零部件唯一性。

2）安装零部件范围

根据零部件的重要等级，结合安装方式、安装位置及搭载运行试验时间进度等综合因素，确定首批永久性加装 RFID 电子标签的零部件共 16 种（19 项），具体见表 3.45。其中全寿命零部件 8 种，使用寿命零部件 8 种（11 项）。

表 3.45　首批永久加装 RFID 电子标签零部件明细表

系统组成	分类	零部件名称	全寿命里程	适宜检修里程	加装标签
车体	全寿命	车体钢结构	480 万 km	160 万 km	√
	使用寿命	车门组成	无	160 万 km	√
转向架	全寿命	摇枕	480 万 km	160 万 km	√
		侧架	480 万 km	160 万 km	√
		轴箱橡胶垫	80 万 km	80 万 km	√

系统组成	分类	零部件名称	全寿命里程	适宜检修里程	加装标签
转向架	使用寿命	车轮	无	40 万 km	√
		下心盘	无	160 万 km	√
		承载鞍	无	160 万 km	√
		制动梁组成	无	160 万 km	√
制动装置	使用寿命	120/120-1 主阀	无	40 万 km	√
		120/120-1 紧急阀	无	40 万 km	√
		120/120-1 中间体	无	40 万 km	√
		KZW-A 传感阀	无	40 万 km	√
		限压阀	无	40 万 km	√
钩缓装置	全寿命	钩体	240 万 km	80 万 km	√
		牵引杆	480 万 km	80 万 km	√
		钩尾框	480 万 km	80 万 km	√
		缓冲器	480 万 km	80 万 km	√
	使用寿命	转动套	无	80 万 km	√

3）RFID 电子标签信息传递

（1）产品制造过程中信息传递。

在生产制造过程中，利用 RFID 手持设备或固定设备将零部件基本信息写入电子标签芯片内，电子标签存储的零部件基本信息写入后不可更改。电子标签存储的"一物一码"信息，应同步上传到数据中心，便于后续零部件交付及应用时实时调取。

（2）产品交付后信息传递。

零部件交付使用单位，使用单位利用 RFID 手持设备或固定设备读取电子标签信息，自动识别零部件存储的基本信息，确认零部件合规后执行零部件的入库操作，同时将零部件的入库信息直接存储到数据中心，完成整个产品交付的数据传递。

（3）产品应用后信息传递。

零部件装车应用后，在运用检修的相关工位，使用单位利用 RFID 手持设备或固定设备读取电子标签信息，自动识别零部件存储的基本信息，根据电子标签存储的基本信息，通过查询数据中心可以实时掌握零部件的状态。

在运用检修完成后，利用 RFID 手持设备或固定设备可以将运用检修的关键信息写入电子标签芯片内进行存储，通过电子标签的信息关联，也可以将相关的运用检修信息上传到数据中心进行存储。数据管理中心可以实时查询零部件整个寿命周期内的运用检修过程以及当前的状态，电子标签安装、装车及运行试验现场如图 3.73～图 3.76 所示。

图 3.73　电子标签安装

图 3.74　抛丸试验验证

图 3.75　高低温试验验证

图 3.76　酸碱性介质清洗试验验证

通过对 RFID 电子标签的技术特点、先进性、必要性以及经济性的分析，采用 RFID 电子技术作为铁路货车状态修的信息化管理手段，可以实现关键零部件的"一物一码"管理，满足状态修的要求；同时根据相关零部件以及 RFID 电子标签的试制和试验结果，相关零部件加装 RFID 电子标签的安装方式、安装位置以及制造、检修、运用的相关条件，均能保证零部件的相关数据信息的读取和写入，可以满足状态修的需要。

参 考 文 献

[1] 刘鹏飞. 纵向冲动作用下重载列车与轨道动态相互作用研究[D]. 成都: 西南交通大学, 2015.

[2] 王福天. 车辆系统动力学[M]. 北京: 中国铁道出版社, 1994.

[3] 张波. 重载组合列车牵引及制动系统的试验与仿真研究[D]. 北京: 中国铁道科学研究院.

[4] 王成国, 马大炜, 王雪军, 等. 重载货车缓冲器的数字试验研究[J]. 铁道机车车辆, 2009, 29(5): 1-4.

[5] 翟婉明. 车辆-轨道耦合动力学[M]. 4 版. 北京: 科学出版社, 2015.

[6] 池茂儒, 张卫华, 曾京, 等. 轮径差对车辆系统稳定性的影响[J]. 中国铁道科学, 2008, 29(6): 65-70.

[7] 池茂儒, 张卫华, 金学松, 等. 轮对安装形位偏差对车辆系统稳定性的影响[J]. 西南交通大学学报, 2008, 43(5): 621-625.

[8] Nadal M J. Theories de la stabilite des locomotives, Part 2. Mouvement de Lacet[J]. Annales des Mines, 1896, 10: 232.

[9] Weinstock H. Wheel climb derailment criteria for evaluation of railway vehicles[C]. Proceeding of the ASME Winter Annual Meeting, New York, 1984: 1-7.

[10] 石田弘明, 刘克鲜. 铁道车辆脱轨安全性评定标准[J]. 国外铁道车辆, 1996, (5): 8.

[11] 曾庆元. 列车脱轨分析理论与应用[M]. 长沙: 中南大学出版社, 2006.

[12] Jenkins H H, Stephenson J E, Clayton G A. The effect of track and vehicle parameters on wheel/rail vertical dynamic force[J]. Railway Engineering Journal, 1974, 3(1): 2-16.

[13] 扈海军, 康熊. 货车车轮踏面损伤标准的探讨[J]. 铁道机车车辆, 2005, 25(3): 16-18.

[14] 国家铁路局. 机车车辆动力学性能评定及试验鉴定规范[S]. GB/T 5599—2019. 北京: 中国标准出版社, 2019.

[15] 曾宇清, 王卫东. 车辆脱轨安全评判的动态限度[J]. 中国铁道科学, 1999, 38(4): 70-77.

[16] 薛弼一. 脱轨机理及试验研究[D]. 成都: 西南交通大学.

[17] 翟婉明. 货物列车动力学性能评定标准的研究与建议方案(待续)——防脱轨安全性评定标准[J]. 铁道车辆, 2002, (1): 13-18.

[18] 翟婉明. 货物列车动力学性能评定标准的研究与建议方案(续一)——轮轨横向力评定标准[J]. 铁道车辆, 2002, 40(2): 9-10, 25.

[19] 聂淼. FMECA 技术研究与软件系统发展[D]. 合肥: 合肥工业大学, 2007.

[20] 王小林. 非线性退化情形下的产品剩余寿命预测[M]. 北京: 国防工业出版社, 2015.

[21] 刘思严. 截断删失数据下二参数 Weibull 分布的参数估计[D]. 兰州: 兰州大学, 2017.

[22] 吕王勇, 吴耀国, 马洪. 基于 EM 算法的对数正态分布参数估计[J]. 统计与决策, 2007, (12): 21-23.

[23] Schwarz G E. Estimating the dimension of a model[J]. Annals of Statistics, 1978, 6(2): 461-464.

[24] Barbe P, Bertail P. The Weighted Bootstrap[M]. Berlin: Springer, 2012.

[25] Akaike H. A new look at the statistical model identification[J]. IEEE Transactions on Automatic Control, 1974, 19(6): 716-723.

[26] Schwarz G. Estimating the dimension of a model[J]. The Annals of Statistics, 1978, 6(2): 461-464.

[27] 张艳. 基于信息准则的模型选择方法的研究及应用[D]. 淄博: 山东理工大学, 2017.

[28] Burnham K P, Anderson D R. Model Selection and Multimodel Inference: A Practical Information—Theoretic Approach[M]. New York: Springer, 2002.

[29] Devroye L P, Wagner T J. Distribution-free performance bounds for potential function rules[J]. IEEE Transactions on Information Theory, 1979, 25(5): 601-604.

[30] Geisser S. A predictive approach to the random effect model[J]. Biometrika, 1974, 61(1): 101-107.

[31] Geisser S. The predictive sample reuse method with application[J]. Journal of the American Statistical Association, 1975, 70(350): 320-328.

[32] Davidian M, Giltinan D. Nonlinear models for repeated measurement data//Monographs on Statistics and Applied Probability[M]. Boca Raton: CRC Press, 1995.

[33] Watson J. Testing for serial correlation in least squares regression. I[J]. Biometrika, 1951, 38(1): 159-178.

[34] 叶宗裕, 王卫杰. 基于蒙特卡罗模拟的误差序列自相关检验研究[J]. 统计与信息论坛, 2019, 34(9): 10-17.

[35] 萧浩辉. 决策科学辞典[M]. 北京: 人民出版社, 1995.

[36] 张卫华, 李权福, 宋冬利. 关于铁路机车车辆健康管理与状态检修的思考[J]. 中国机械工程, 2021, 32(4): 379-389.

[37] 何翔. 滚动轴承故障机理及智能化检测技术研究[D]. 成都: 西南交通大学, 2017.

[38] 陈传尧. 疲劳与断裂[M]. 武汉: 华中科技大学出版社, 2002.

[39] 吴圣川, 任鑫焱, 康国政, 等. 铁路车辆部件抗疲劳评估的进展与挑战[J]. 交通运输工程学报, 2021, 21(1): 81-114.

[40] 韩雄伟. 基于局部应变法的铝合金压铸模具寿命估算[J]. 特种铸造及有色合金, 2018, 38(12): 1293-1295.

[41] 董永刚, 黄鑫磊, 宋剑锋, 等. 基于有限元仿真及局部应力应变法的组合式支承辊套内外表面疲劳寿命预测[J]. 塑性工程学报, 2021, 28(3): 198-204.

[42] Neuber H. Theory of stress concentration for shear-strained prismatical bodies with arbitrary nonlinear stress-strain law[J]. Journal of Applied Mechanics, 1961, 28: 544-550.

[43] 李玉春, 姚卫星, 温卫东. 应力场强法在多轴疲劳寿命估算中的应用[J]. 机械强度, 2002, (2): 258-261.

[44] 段浩. 铁道车辆转向架构架疲劳寿命及损伤容限评价[D]. 成都: 西南交通大学, 2018.

[45] Paris P, Erdogan F. A critical analysis of crack propagation laws[J]. Journal of Basic Engineering, 1963, 85(4): 528-534.

[46] Forman R G. Study of fatigue crack initiation from flaws using fracture mechanics theory[J]. Engineering Fracture Mechanics, 1972, 4(2): 333-345.

[47] 陈传尧. 疲劳与断裂[M]. 武汉: 华中科技大学出版社, 2002.

[48] 尹敏轩, 朱涛, 杨冰, 等. 基于可靠性的重载货车钩舌疲劳断裂寿命[J]. 机械工程学报, 2021, 57(4): 210-218.

第 *4* 章

铁路货车状态性能监测与识别方法

4.1 "4T"监测系统及数据应用

"4T"监测系统，主要是指实施状态修前我国铁路货车既有的状态性能监测系统，包括红外线轴温监测系统（THDS）、货车滚动轴承早期故障轨边声学诊断系统（TADS）、货车运行故障动态图像监测系统（TFDS）和货车运行状态地面安全监测系统（TPDS）。

4.1.1 红外线轴温监测系统

1. THDS 介绍

THDS（图 4.1）利用轨边红外线探头，对行进中列车的车辆轴温进行非接触式探测，并将检测信息实时上传到路局车辆安全监测中心，进行车辆热轴故障实时预报。通过配套故障智能跟踪装置，实现车次、车号跟踪和热轴货车车号的精确预报，重点探测车辆轴承温度，对热轴车辆进行跟踪报警，重点防范热切轴事故。THDS 实现了联网运行，对每个探测站的过往车辆信息和轴温探测信息进行直观显示，实现跟踪报警。

铁路车辆在运行过程中，如果轴承内部损伤或外部不合理受力，会导致轴承发生结构部件过度磨耗或损坏、卡滞等故障，如果不及时对这些轴承故障发出警告，最终会导致发生热切轴等严重的列车安全事故。应用红外线技术对列车轴温进行非接触式探测，从轴温上判断轴承运行状态，对过高的轴温及时发出警告，可以避免出现列车热切轴事故，保障列车安全运行。

图 4.1　THDS 的应用

2. THDS 监测数据

THDS 监测数据由测点设备产生，实时传送到维修公司车辆运行安全监控中心的监测计算机中，监测主机按全路联网 THDS 预定义的接口标准生成标准的测报数据报文，传送至接口计算机，接口计算机接到 THDS 监测数据后，按照约定的接口格式实时生成统一的 THDS 测报数据接口文件，传送到维修分公司多 T 双机群集系统服务器，如图 4.2 所示。

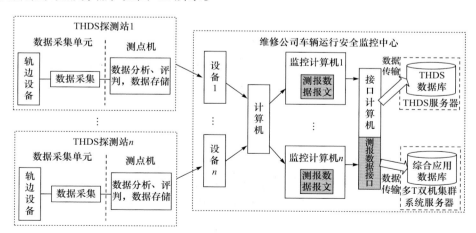

图 4.2　THDS 监测数据接入传输流程示意图

4.1.2 货车滚动轴承早期故障轨边声学诊断系统

1. TADS 介绍

TADS（图 4.3）利用设在轨边的声学传感器阵列，采用现代声学诊断技术对货车的车辆轴承故障信号进行实时拾取、滤波、采集、处理，根据监测诊断结果判定并预报车辆轴承故障类型及轴承缺陷的程度，从而实现对滚动轴承早期故障进行预警、防范，保证行车安全。由于系统采用了声学传感器阵列技术和多传感器信号合成及定位技术，保证了系统对故障轴承诊断的可靠性和准确性。利用故障轴承信号拾取技术、系统降噪技术、频谱分析和小波形分析技术使得系统对故障轴承缺陷程度具有极高的预报精度。该系统与车号自动识别系统（automatic train number identification system，ATIS）相结合，从而实现故障轴承车号定位和轴位定位。

图 4.3　TADS 的应用

TADS 重点检测货车滚动轴承内外圈滚道、滚子等故障，使安全防范关口前移，在发生热切轴故障之前对轴承故障进行早期预报，与 THDS 互补，进一步防止热切轴事故发生，以确保行车安全。

2. TADS 监测数据

TADS 监测数据由测点设备产生，探测站数据处理机利用文件传输协议（file transfer protocol，FTP）服务将 TADS 测报数据实时传送到基层数据汇聚节点多 T 双机集群系统服务器上存储，供维修公司和列检作业场进行 TADS 专项复示监控使用；同时按约定的接口格式实时生成统一的 TADS 测报数据接口文件，存放在指定目录，供多 T 综合应用使用，如图 4.4 所示。

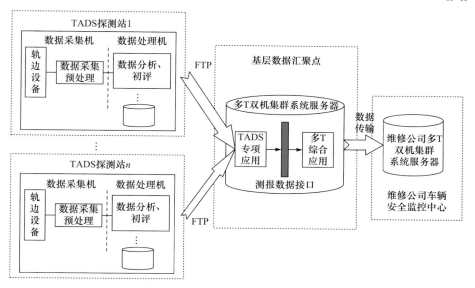

图 4.4　TADS 监测数据接入及传输流程示意图

4.1.3　货车运行故障动态图像监测系统

1. TFDS 介绍

TFDS（图 4.5）应用计算机、网络通信、自动控制和图像采集处理技术，并采用科学的管理方法和系统化的手段，为铁路货车运行故障检测提供故障图片信息动态采集、存储、传输及预警服务，改变了列检作业方式和生产组织布局，实现了不停车技术检查，提高了列检作业质量、效率和车辆安全防范的水平。

图 4.5　TFDS 的应用

TFDS 是辅助列检作业的在线图像检测系统，利用轨边高速摄像头，对运行货车进行动态检测，及时发现货车运行故障，重点检测货车走行部、制动梁、枕簧、钩缓等安全关键部位，重点防范制动梁脱落事故，防范摇枕、侧架、钩缓等部件裂损、折断，防范枕簧丢失和窜出等危及行车安全的隐患。

2. TFDS 监测数据

TFDS 监测数据由测点设备产生，实时传送到列检作业场 TFDS 数据集中服务器上，供列检应用，经人工校核后将报警车辆的监测信息和图像信息按照测报数据接口格式约定实时生成统一的 TFDS 测报数据接口文件，传送至维修公司车辆运行安全监控中心多 T 双机群集系统服务器，如图 4.6 所示。

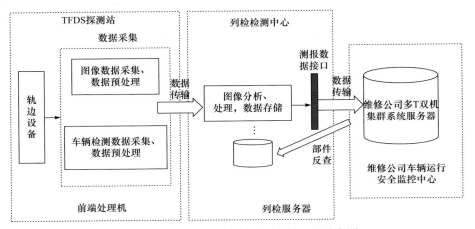

图 4.6　TFDS 监测数据接入及传输流程示意图

4.1.4　货车运行状态地面安全监测系统

1. TPDS 介绍

TPDS 是利用安装在正线上的轨道测试平台，动态监测通过列车轮轨相互作用连续的垂直力和横向力，并在联网分析处理的基础上，识别车辆运行状态，重点检测货车运行安全指标如脱轨系数、轮重减载率等动力学参数，并检测车轮踏面擦伤、剥离以及货物超载、偏载等危及行车安全的情况；重点防范货车脱轨事故，防范车轮踏面擦伤、剥离以及货物超载、偏载等安全隐患，加大了货车运行安全监控力度，实现了货车安全质量互控以及对货车运行状态的分级评判。

2. TPDS 监测数据

TPDS 监测数据由测点设备产生，实时传送到探测站 TPDS 测点服务器中，

TPDS 测点服务器按照约定的测报数据接口格式实时生成统一的 TPDS 测报数据接口文件，传送至基层数据汇聚节点多 T 双机集群系统服务器，供列检和维修公司复示使用，同时将监测数据上传至维修公司车辆运行安全监控中心多 T 双机群集系统服务器，如图 4.7 所示。

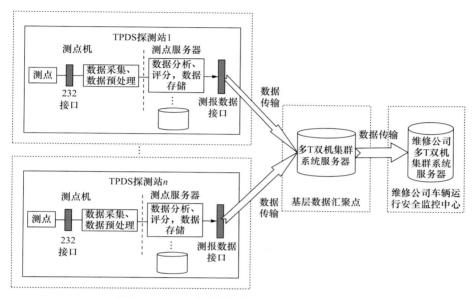

图 4.7　TPDS 监测数据接入及传输流程示意图

4.2　新增监测系统及数据应用

为了有效开展铁路货车状态修工作，获取更准确和全面的货车状态信息，铁路货车在既有 THDS、TADS、TFDS 和 TPDS 的基础上，新增了货车轮对在线综合监测系统（comprehensive train wheel detection system，C-TWDS）、曲线通过性能监测系统（curve train performance detection system，C-TPDS）、闸瓦监测系统（track brake-shoe detection system，TBDS）、红外热成像动态转向架监测系统（trackside bogie detecting system based on infrared thermal imaging technology，TIDS）、智能 TFDS 监测系统（intelligence trouble of moving freight car detection system，I-TFDS）、铁路货车动力学性能监测系统（truck operational detection system，TODS）以及基于激光和红外热成像技术的动态转向架监测系统等，实现货车状态数据的实时采集，为后续状态识别工作提供数据支撑。

本书将既有"4T"监测系统和新增监测系统统称为"多 T"系统。

4.2.1 货车轮对在线综合监测系统

1. C-TWDS 介绍

C-TWDS 建立在在线检测系统、车号自动识别系统和 HMIS 基础之上，通过数据交互，实现对装车轮对的状态数据分析和跟踪，对故障进行提前预警，为维修人员进行轮对维护和检修提供有效的信息支持和决策参考,及时跟踪相关状态，进而实现车辆轮对的状态修。实时在线检测通过列车轮对信息，能减轻作业强度，提高检修效率，及时预警轮对故障。C-TWDS 主要包括轮对尺寸在线检测子系统、轮对踏面擦伤在线诊断子系统、踏面图像检测模块和轮对状态数据监控与分析平台四个部分。

2. C-TWDS 子系统介绍

1）轮对尺寸在线检测子系统

轮对尺寸在线检测子系统对通过检测区域的车辆进行实时测量,建立数据库,具有数据存储、查询、状态跟踪、预警、超限报警、数据网络共享等功能。

（1）测量数据。

测量数据包括轮缘厚度、轮缘高度、轮缘垂直磨耗、踏面圆周磨耗、轮辋厚度等。

（2）测量技术。

轮对尺寸在线检测子系统采用光截图像测量技术，将激光线光源投射到被测车轮踏面上，高速摄像机在车轮传感器的作用下触发抓拍车轮踏面的激光轮廓线图像。

（3）检测原理。

通过图像采集、图像处理、三维重建、图像拼接等软件算法实现轮对尺寸的测量。

图像预处理与光条纹中心提取算法:本系统采用的是基于结构光的测量方法，通过由激光投射到车轮轮缘和踏面上获得不规则的激光条纹，如图 4.8 所示，提取准确有效的信息从而获取准确的轮对参数。列车的振动，以及光照在车轮上不同部分光反射及曝光时间的长短等诸多因素，造成图像的抖动、拖尾和不连续等问题。针对这些问题，在图像处理方面采用质心法结合细化算法精确定位激光轮廓线。光条信息提取方法主要包括质心法、带阈值的质心法、平方加权质心法以及曲线拟合法等。

相机标定算法：相机标定是指建立相机图像像素位置与场景点位置之间的关系，其途径是根据相机模型，由已知特征点的图像坐标和世界坐标求解相机的模型参数。

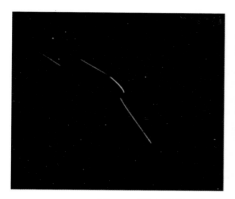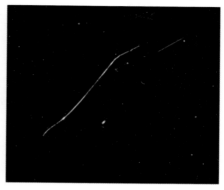

图 4.8　激光投射到车轮上获取的轮缘和踏面条纹图像

2）轮对踏面擦伤在线诊断子系统

轮对踏面擦伤在线诊断子系统采用自动化程度较高的动态检测设备，将力学振动检测及踏面拍照检测方法相结合，动态采集与检测车轮踏面信息（剥离、擦伤等），量化擦伤程度，提高轮对踏面检测自动化程度，节省人力资源和时间。

（1）力学振动检测模块。

力学振动检测模块以车辆运行过程中轮对与钢轨之间的动力学关系为依据，利用安装在钢轨上的力传感器及振动传感器对轮轨垂向力和横向力进行采集，对车辆的车轮踏面损伤、蛇形失稳、车辆超/偏载等车辆运行状态进行全面监测，通过与车号自动识别系统的集成，实现踏面擦伤检测。同时该系统通过检测车辆运行状态，还可用于同轴轮径差的检测。

（2）检测过程。

轮对踏面擦伤检测过程如图 4.9 所示，当没有列车通过检测区域时，系统工作在自检、通信状态；当列车运行到开机磁钢的位置时，振动测区进入检测状态；当列车运行经过开关门磁钢时，系统进行计轴、计辆、测速等工作。

列车通过振动传感器测量区间时，如果轮对踏面存在擦伤或剥离，擦伤位置必然会在采集区间形成一定量的冲击，振动传感器采集冲击幅值及频率特性，并与车号自动识别系统结合进行车辆定位和轴定位；列车通过力传感器测量区间时，板式二维力传感器采集车轮的垂向力和横向力，剪力传感器测量垂向力，组合形成完整的连续波形数据；列车完全通过检测区域后形成过车报文，主机进行数据处理判别，完成检测工作，系统回到等待过车状态。

3）踏面图像检测模块

踏面图像检测模块采用机器视觉技术，利用面阵相机捕捉轮对的踏面图像。

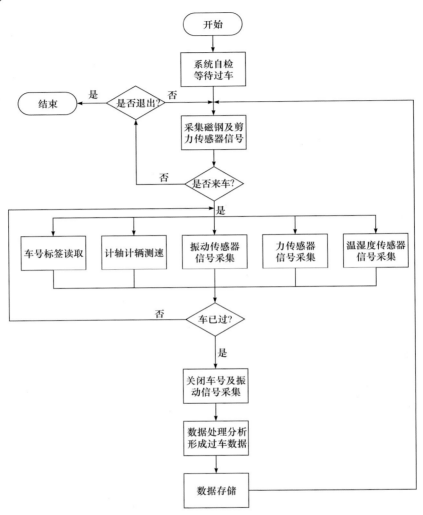

图 4.9   轮对踏面擦伤检测过程

为了采集轮对全周长踏面图像，将轮对的圆周运动视作沿轨道车辆运行方向的直线运动。在钢轨两侧外部的枕木空之间，安装相机采集阵列，在每个相机的视场范围内，触发相机拍照，获取部分圆周图像。

由于车辆转向架的结构特点，沿轨道车辆运行方向的前后两个轮对呈中心对称。转向架前后轮对的外侧视场比较大，作为系统图像探测的视角空间。前后轮对的视场图像相对轮对的运动方向是反的，因此前后轮对分别对应两组图像采集阵列，每组采集阵列包括五个采集单元，每个单元包括一部相机、一个镜头、一个光源以及保护箱，即每根钢轨外侧布置 10 部相机，迎车方向的前 5 部相机采集单元为一组，拍摄来车车轮的踏面图像；后面 5 部相机采集单元为一组，拍摄离车方向的车轮踏面图像，钢轨两侧共计 20 部相机，每部相机负责采集 1/5 周长的踏面图像。

踏面图像检测模块处理流程如下：

（1）列车到来触发开机磁钢，相机初始化，电源箱为各工位相机、光源供电，信号控制箱等待触发信号，系统进入接车状态。拍摄同一轮对两侧车轮踏面图像的采集单元沿轨道中心对称，这两个采集单元对应一个触发磁钢。列车通过开机磁钢，开机磁钢触发信号传递至信号控制箱，信号控制箱向工控机传递开机命令，软件启动相机拍摄动作。车轮通过触发磁钢，触发相机对车轮踏面进行拍照。列车完全通过探测站后，信号控制箱向工控机发送完整的过车报文，软件解析报文并完成计轴、计辆，按位存储图像等工作。

（2）一组五个采集单元连续布置在五个枕木空间，车轮依次经过五个采集单元的触发磁钢，当车轮经过其中某个采集单元的触发磁钢时，主控箱在相机视场范围内，根据车速计算触发位置，在适当的时机向相机连续发出触发信号，启动相机快门，实现取像功能。这样顺序触发，连续图像拍照，构成一组完整的车轮踏面图像。同理，对于转向架后部的轮对车轮，通过后面五部相机进行踏面图像获取。

（3）每组五部采集相机连接一台工控机，处理一个车轮的踏面图像，计算机与五部相机独立通信。列车过后，计算机根据触发信号的数量及图像的总数，进行轮对图像的匹配和存储。

4）轮对状态数据监控与分析平台

（1）检测数据。

信息平台存储平轮和轮对几何尺寸、列车运行品质数据，以及踏面拍照等子系统、子模块上传来的轮对检测数据。

（2）硬件结构。

平台硬件环境在探测站机房配置两台测点服务器，用于接收子系统、子模块的检测数据，中心机房配置两台机架服务器，用于存储测点服务器上传的数据。利用网络技术实现数据中心服务器（主、从）的高可用架构。轮对状态数据监控与分析平台硬件结构如图 4.10 所示。

（3）软件架构。

平台软件按照数据层、视图以及控制层进行功能划分。数据层采用关系型、非关系型两种类型数据库，关系型数据库采用 MySQL 来存储关系型数据、各子系统检测数据和故障信息等。非关系型数据库采用 MongoDB、Redis，用于存储运算结果、报文文件、系统运行日志、图像系统缓存数据等，如图 4.11 所示。

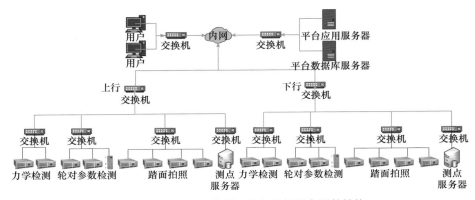

图 4.10　轮对状态数据监控与分析平台硬件结构

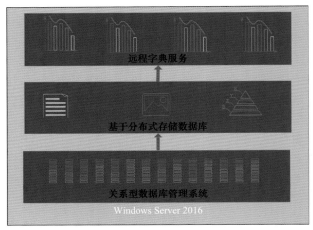

图 4.11　轮对状态数据监控与分析平台软件架构

4.2.2　曲线通过性能监测系统

1. C-TPDS 介绍

C-TPDS 通过对车辆曲线通过性能的检测，实现对车辆曲线动力学性能的评定，检测数据的实时传输，为状态修诊断与决策提供数据支持。

传统 TPDS 实现了车辆直线动力学性能的有效实时监控，但对于车辆曲线动力学性能的监控缺失，车辆曲线脱轨监控处于空白。因此，为实现状态修的实施，须拓展 TPDS 的功能，开发曲线 TPDS，通过曲线段轮轨力的测量，实现车辆曲线通过性能的实时监测，掌握转向架各部件是否装配正位，从而控制车辆曲线脱轨问题。该套系统可有效用于解决目前车辆小半径曲线通过时的安全性状态检测问题，与直线段的相应设备相互补充，通过轮轨力在线监测动态评估车辆运行性能，提高安全保障裕度的同时为车辆维修提供辅助决策支持。

2. 技术原理

C-TPDS 安装在正线上，主要通过在空、重状态小半径曲线上设置轮轨监测平台，动态监测重载货车通过曲线的横向力和垂向力等指标，对重载货车曲线通过能力进行评判。C-TPDS 采用先进的轮轨力连续测试原理，利用具有较高精度及长期稳定性的垂向及横向荷载的传感器作为测力元件，实现车辆曲线运行状态的长期在线动态监测。C-TPDS 是集轨边探测站以及车辆检修等运用管理部门为一体的车辆运行品质地面动态监测系统，其主要功能是识别曲线通过性能不良车辆，对曲线通过性能不良车辆进行监测、跟踪、报警，从而提高车辆曲线运行的安全预警能力；同时，由于 C-TPDS 可以科学、定量地评价车辆的曲线动力学性能，可用来评价车辆设计制造、维修质量及新车的设计定型等水平。

3. 主要功能

C-TPDS 主要功能及技术指标如下。

（1）适用轴重范围：轴重 30t 以内。

（2）允许超载：额定载荷的 250%。

（3）传感器应同时具有垂向力、横向力检测功能，垂向力测试精度优于 0.1%，横向力测试精度优于 0.3%。

（4）在直圆缓和曲线、圆曲线及圆直缓和曲线处各连续布置 3 个测试区，每处连续轮轨力测试区长度 3.6m，每一测区具备轮轨垂向力、横向力连续检测功能，系统轮轨垂向力检测精度优于 3%，横向力检测精度优于 5%。

（5）通过分别监测车辆在直圆缓和曲线、圆曲线及圆直缓和曲线位置的连续轮轨力，自动识别车辆曲线通过性能。

4.2.3　闸瓦监测系统

1. TBDS 介绍

TBDS 基于视觉识别技术，采用多摄像机高速成像单元对正常运行速度下的列车的每个闸瓦进行多视角图像检测与测量。

2. 设备运用管理

TBDS 主要功能及技术指标如下：

（1）适应车速 0～120km/h。

（2）系统与客户车号自动识别系统对接，获取所监控车型的车侧闸瓦图像。

（3）系统可自动识别特定型号货车转向架闸瓦位置、轮廓，识别正确率大于90%。

（4）系统数据传输正确率大于 99%。

（5）系统可在正常天气、白昼黑夜条件下工作，并排除一般光线、天气、轻微污渍的影响。

（6）系统可适应工作环境温度为室外设备温度–30～60℃，室内设备温度 5～50℃。

（7）系统可对特定型号货车转向架闸瓦磨损过限、可见损坏进行报警，并自动生成闸瓦预检信息。

（8）系统采用多核并行处理器，图像数据处理速度快，一般列车通过后，车辆图像即可在信息终端查看。

（9）系统可存储测量数据及图像数据，并生成"一辆一档"信息。

（10）系统所有数据集中管理，可使货车检修系统进行数据交互，生成相关数据报表。

（11）轨边测量设备便于安装，维护量小，对已有线路及车辆运行影响较小。

（12）系统页面响应速度在 60s 以内。

（13）系统数据采集和处理延时不超过 2min。

（14）拍照响应时间在 5s 之内，平均 2s。

（15）系统基础数据保存时间 3 个月，预警决策数据可长期保留。

4.2.4 红外热成像动态转向架监测系统

1. TIDS 介绍

TIDS 利用轨边红外热成像，实时对线上列车车辆轴箱轴承、轮对温度分布情况进行非接触可视化监测，实现对车辆热轴故障、热轮故障的自动诊断、实时预报和故障车辆全程追踪。TIDS 是发现车辆热轴、防止热切轴、保证铁路运输安全的重要设施，是提高运输效率的重要保障。

2. 设备运用管理

1）监测部件

TIDS 主要监测货车车辆的轴承（轴箱）和车轮，具有实时监测运行车辆轴温、轮温并对热轴故障、热轮故障自动报警。

2）预报等级

TIDS 对轴承的热轴故障分三级进行报警，分别为激热、强热、微热。

TIDS 对车轮的热轮故障分两种情况进行报警，分别为抱闸、正常。

3）预报内容

TIDS 对符合热轴、热轮预报标准的车辆在中心管理平台（列检复示站）自动报警。报警信息包括探测站名称、列车通过时间、车次、运行方向、编组辆数、车号、故障车位、左/右侧、轴位、报警等级和轮轴热图等。

4）故障预报及处理流程

列检复示站红外线值班员接到微热、抱闸等报警后，列车在本站停车作业时，由现场检车员进行检测并记录反馈。

强热、激热等符合列车拦停预报的报警内容同时复示到相关行车调度台，同时声光报警。

所有热轴、抱闸报警信息实时上传至公司查询中心。

4.2.5　智能 TFDS 监测系统

1. I-TFDS 介绍

I-TFDS 是我国铁路货车运输安全管理系统的重要组成部分，它利用轨边安装的多组高速工业相机对运行中的列车车辆进行动态图像抓拍，通过网络将采集到的数据传输到列检中心，由检车员通过 TFDS 运用软件平台，人工浏览图片的方式进行故障判断与分析，有效地提升了列检的检车效率和作业质量，是利用科技促进列检安全生产的重要体现。随着运量的增加、列检作业时间的减少，保障运行车辆安全的既有作业方式受到重大挑战。TFDS 故障智能识别及安全报警技术的研究与应用旨在利用图像自动识别技术，在大量货车图像数据中自动识别故障图片信息，过滤正常车辆数据，减少人工浏览作业时间，促进列检检车作业的效率提高与制度管理的结构优化调整。

2. 设备运用管理

1）监测故障

监测故障分为危及行车安全的拦停故障和非危及行车安全的预报故障。

拦停故障包括表 4.1 列出的关键零部件故障，以及车轮踏面缺损、零部件配件脱落、大型配件折断等严重影响行车安全的故障。

表 4.1　拦停故障列表

工位	部件	故障名称	处理模式
侧架	锁紧板	紧固螺栓丢失	现场处理
侧架	轴端	轴端螺栓丢失	现场处理
制动梁	闸瓦钎	闸瓦钎丢失	现场处理

续表

工位	部件	故障名称	处理模式
制动梁	闸瓦钎	闸瓦钎窜出、外窜	现场处理
制动梁	闸瓦钎	闸瓦钎未落实	现场处理
制动梁	闸瓦	闸瓦折断或丢失	现场处理
制动梁	制动梁支柱圆销	制动梁支柱圆销丢失	现场处理
车钩	钩托梁螺栓	钩托梁螺栓丢失	现场处理
车钩	缓冲器拖板螺栓	缓冲器托板螺栓丢失	现场处理
车钩	钩舌圆销	钩舌圆销完全丢失	现场处理

预报故障包含表 4.2 列出的可预报到前方单位处理的故障。

表 4.2　预报故障列表

工位	部件	故障名称	识别率	处理模式
侧架	挡键	挡键丢失	95%	前方处理
中间部	截断塞门	截断塞门手把关闭	95%	前方处理
中间部	截断塞门	截断塞门手把半开关闭或位置不正	95%	前方处理
中间部	防盗罩	120 阀防盗罩丢失	90%	前方处理
侧架	锁紧板	锁紧板变形、异状	85%	前方处理
侧架	滚动轴承	滚动轴承甩油、渗油	85%	前方处理
中间部	拉杆	上拉杆脱槽	80%	前方处理
中间部	车号	车号标签破损、丢失	80%	前方处理
制动梁	心盘螺栓	心盘螺栓丢失	80%	前方处理
侧架	挡键	挡键螺栓松动、折损、丢失	80%	前方处理

2）预报等级

一级报警：包括挡键丢失，截断塞门手把关闭，心盘螺栓丢失，挡键螺栓松动、折损、丢失等。

二级报警：包括截断塞门手把半开关闭或位置不正，120 阀防盗罩丢失，锁紧板变形、异状，滚动轴承甩油、渗油，上拉杆脱槽，车号标签破损、丢失等。

3）预报内容

预报内容如下：

（1）故障车的过车时间；

（2）故障车在当列过车中的辆序；

（3）故障车中具体的故障名称及故障坐标。

4）人工检查

对于预报故障中的一级报警，需要人工现场检查。

5）故障预报及处理流程

故障预报及处理流程如图 4.12 所示。首先，利用轨边图像设备采集列车运行图片。其次，人工通过 TFDS 平台检测图片，若发现图片为故障图片，则将其上传至组长处。之后，由组长二次审核、划分故障级别，并下发故障处置结果，处置结果分为两类：若判定故障等级为一级，则进行一级报警，并通知现场处理；若故障等级未在一级预报故障范围内，则不报警，放行车辆并通知前方作业人员。最后，将现场作业结果反馈至组长处，组长下发至工长并上报故障。

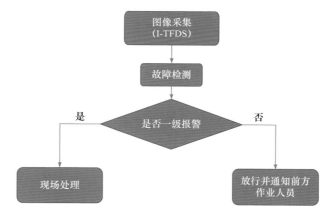

图 4.12　故障预报及处理流程

4.2.6　铁路货车动力学性能监测系统

1. TODS 介绍

TODS 是检测货车动力学性能及车辆故障的多货车动力学状态检测设备，为现有设备故障检测的功能拓展，通过轨边装置检测货车通过时的垂向和横向轮轨力以及轮对横移量等关键参数，最终实现车辆动力学状态的监测、故障的判定，并及时预警和报警，为车辆检修提供参考与数据支持。TODS 检修以安全可靠为原则，根据货车动力学性能以及货车车辆故障发生及变化规律，结合货车技术结构和各探测站的列车运行情况、线路情况、环境气候、地理位置等因素制定运用标准。

2. 设备运用管理

1）监测部件及故障分级

TODS 监测的项点主要为车辆的动力学性能，具体可以识别的故障有车轮缺陷（如扁疤、多边形等）和转向架故障（如导框间隙、旁承磨耗）等，系统由垂向轮轨力测试电桥、横向轮轨力测试电桥、电涡流位移传感器、设备安装定位装置、车号自动识别系统、数据采集器以及远程控制计算机组成。其中监测部件主要为电涡流位移传感器、设备安装定位装置、车号自动识别系统、数据采集器及远程控制计算机。电涡流位移传感器、设备安装定位装置、车号自动识别系统需要人工到现场检测外观是否完好，设备功能状态可直接由远程控制计算机进行远程监控。具体故障分级及处理方式如表 4.3 所示。

表 4.3　TODS 监测部件及故障分级内容

故障级别	故障内容	处理方式
一级故障	紧固件紧固标识变位，设备无错位；设备外层防护（轨腰防护板、电涡流传感器外壳、接近开关外壳、信号机外壳等）局部损伤	由现场工作人员临时紧固，并申请天窗期上线校核力矩。外层防护出现损伤时，如损伤较小可以继续使用，但需上报项目组备案；若损伤较大，内部裸露，则需现场提出维护、加固、更换需求，及时处理
二级故障	个别传感器信号异常，但不影响系统功能的；信号采集与数据处理系统故障等影响系统使用功能的；传感器辅助支撑装置变位或变形，但不影响车辆及系统正常运行的	信号异常时，申请天窗期上线作业检查传感器、线缆、采集仪等状态，并申请小修处理。远程控制网络中断等故障出现时，项目组立即启动冗余设备，申请上线作业检查设备房设备状态并调试。辅助支撑装置变位变形等状态拍照反馈给项目组，项目组申请下次小修更换
三级故障	传感器信号异常影响系统正常功能的；支撑装置及夹具等严重变形并可能危及车辆行车安全的；数据采集器损坏、远程计算机故障等；车号自动识别系统主机故障或磁钢损坏等	当传感器信号异常影响系统正常功能时，项目组从远程控制端了解到相关故障，立即联系现场工作人员进行确认，现场确认故障后，现场人员应立即向调度申请进行作业，对损坏的传感器进行更换。若设备故障可能危及行车安全，则现场人员立即报备，并临时拆除，项目组立即申请天窗期作业进行更换。数据采集器损坏或远程计算机故障等设备故障出现时，由项目组工作人员向现场反映情况后，派遣专业维修人员至现场进行数据采集器更换或远程计算机更换等。车号自动识别系统异常影响系统正常功能时，项目组从远程控制端了解到相关故障，立即联系现场工作人员进行确认，现场确认故障后，项目组立即向调度申请进行作业，对车号自动识别系统进行维修更换

2）系统运用流程

TODS 运用流程如图 4.13 所示。当系统感应到有列车通过时（通过开机磁钢感应），轨边设备唤醒，开始进行数据采集，随后将所采集的数据传送至列检中心服务器进行处理。列检中心服务器处理时首先启用自动识别服务器，进行故障自动识别，并自动发现故障部位，而后推送至列检中心服务器，检车员/工长从列检中心服务器获悉故障后，与室外检车员进行沟通确认故障车辆相关部位是否出现故障，确认无误后在列检中心服务器内进行确认故障上报。最后列检中心服务器在列车经过后进行自动作业数据统计汇总。

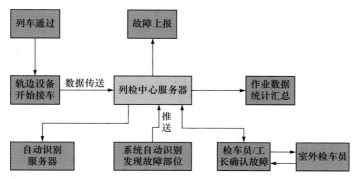

图 4.13　TODS 运用流程

3）故障预报及处理流程

故障预报及处理流程如图 4.14 所示。首先通过巡检观察装置的外观是否有缺陷或故障，若发现外观缺陷或故障，即对故障进行分级，外观故障基本属于一级故障或二级故障，然后根据表 4.3 对故障进行相应处理。

日常巡检无外观故障时，开始线上远程自检，首先看远程控制端是否能控制设备房计算机，若无法远程连接，则需要判断问题是出现在网络连接上还是远程计算机上。若是网络故障，则需要及时联系现场工作人员，对计算机网络进行确认，包括检查网络接口以及网线是否完好等，随后针对故障进行网络连接的维修。若是计算机故障，则项目组方面需要安排相关维护人员至现场进行远程计算机的检修和维护，当网络确认无误，确保正常远程连接后才可进入下一步操作。

远程控制端控制远程计算机后，首先需要查看数据是否能正常采集，如果发现数据无法正常采集，则需要判断故障来自传感器还是数据采集器。若判断为数据采集器故障，则同样需要联系现场工作人员确认数据采集的故障情况，随后安排相关维修人员至现场进行三级故障维修，维修完成后返回线上重新进行自检流程。而如果是传感器故障，则需要联系现场工作人员确认传感器损坏情况。若传感器损坏超过四个，则项目组需要安排维修人员至现场对系统进行维修；若传感器损坏数少于四个，则还需要判断损坏的传感器是否影响系统故障诊断，如果对系统影响较小，则可以正常开启数据采集，进行故障状态检测，否则同样需要进入三级故障维修流程。

当上述自检过程都没有任何问题后，可以开启数据采集和监测系统，完成对相关故障的处理后，需要上报相关故障情况以及处理情况。

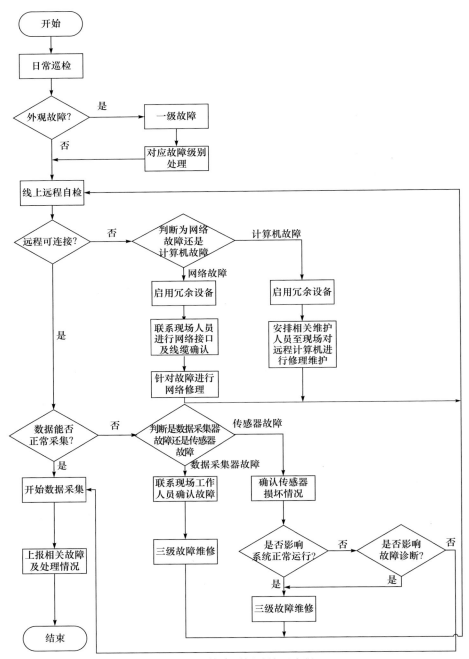

图 4.14 故障预报及处理流程

4.2.7 基于激光和红外热成像技术的动态转向架监测系统

1. 系统介绍

基于激光和红外热成像技术的动态转向架监测系统主要构成如图4.15所示。采用激光辅助的高速工业视觉系统（双目视觉采集系统）对运行中的转向架进行检测，构建转向架关键部件的三维模型；采用红外热像采集系统对运行中的转向架进行检测，采集转向架关键部件的热辐射分布状况；把转向架关键部件热辐射状况映像到由可见光构建的三维模型中，建立形象的带热辐射状况的转向架三维模型；通过系统学习和知识驱动，逐步建立转向架关键部件运行状态与红外热辐射的关系，最终目标是通过转向架红外热辐射状况自动对转向架运行状态进行监测和预警。

基于激光和红外热成像技术的动态转向架监测系统主要分为轨边检测系统和轨边机房控制系统。轨边检测系统用于现场测量和采集，轨边机房控制系统用于进行控制、数据处理及分析等。

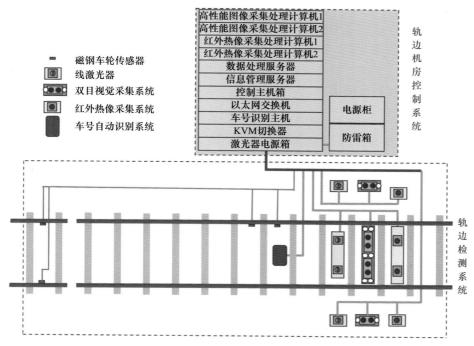

图4.15 基于激光和红外热成像技术的动态转向架监测系统主要构成

1）轨边检测系统

轨边检测系统安装在轨道中间和轨道侧边，其构成如图4.16所示，用于对运行的动态转向架进行采集和检测，包括双目视觉采集系统、红外热像采集系统和车号自动识别系统，以及辅助的磁钢车轮传感器、线激光器、补偿光源等。

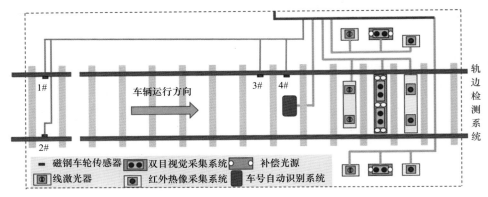

图 4.16　轨边检测系统构成

2）轨边机房控制系统

轨边机房控制系统是基于激光和红外热成像技术的转向架疲劳监测系统的核心，主要由高性能图像采集处理计算机、红外热像采集处理计算机、数据处理服务器、信息管理服务器、控制主机箱、以太网交换机、车号识别主机、KVM 切换器、激光器电源箱、电源柜、防雷箱、显示器等组成，通过硬件和软件设计实现多路视频图像同步采集与处理、热像采集与处理、控制、计轴、计辆、测速、车号识别等功能。

2. 监测数据处理

基于激光和红外热成像技术的动态转向架监测系统数据处理流程如图 4.17 所示。监测系统采用两套系统同时采集同一个转向架信息，其中红外热像采集系统采集的是转向架的热成像（温度）信息，输入到红外热像采集处理计算机；双目视觉采集系统采集的是转向架形状与轮廓尺寸信息，输入到高性能图像采集处理计算机，数据为三维（3D）点云数据，可形成 3D 轮廓模型。

由于红外热像信息能反映图像上每个区域的温度场状况，但存在图像上的转向架轮廓与部件不清晰的问题；而双目采集 3D 数据的优点是转向架轮廓与部件清晰，但无法反映转向架各部位上的温度。因此，在数据处理过程中需把两套采集系统的优点集成在一起，通过两套采集系统的同步信号和图像上的特征匹配（结构示意图中有线激光，线激光会在两种图像上提供相同的特征），匹配两幅图像上转向架的相同部位，把红外热像图中的温度信息投射映像到 3D 轮廓模型上，最终实现在 3D 轮廓模型上显示出温度信息，便于直观地观察转向架的温度场分布。

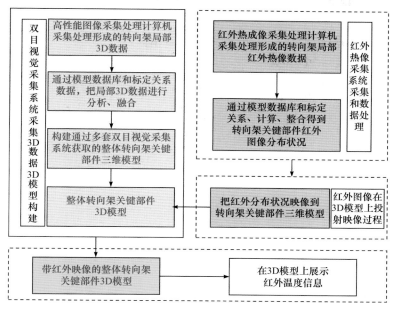

图 4.17　基于激光和红外热成像技术的动态转向架监测系统数据处理流程

第 *5* 章

铁路货车状态修工艺规程与管理体系

5.1 铁路货车状态修工艺规程制定依据与原则

5.1.1 总体目标

铁路货车状态修工艺规程制定旨在通过对零部件失效规律、剩余寿命、安全限值、零部件寿命管理体系、综合判别模型等理论和基础研究成果进行全面梳理，系统地开展重载铁路货车状态修修程修制研究工作，明确修程设置、检修范围、检修工艺、质量标准、检修信息技术及管理要求，最终形成在线修、状态修规程和检修工艺文件。总体目标如下：

（1）快速精准、降本增效。有序地实施整列入修，批量检、批量修、批量换，实现快速、批量、精准、高效、降本的目标。

（2）创立标准、引领方向。建立完整的车辆及零部件状态修标准体系，实现机械化、自动化、智能化和信息化检修制度。

（3）寿命管理、信息追踪。明确车辆及零部件全寿命周期信息化管理要求，实现信息的传递、存储、分析、查询、反馈等科学管理。

（4）科学评判、精准施修。实现固定修和针对修，依据 HCCBM 推送的车列、车辆、零部件诊断报告进行修理。

（5）工序紧凑、精简流程。制定车辆换件修和零部件快速修工艺标准，实现快速检修、提高效率、降低成本的要求。

5.1.2 制定依据

1. 铁路货车运用检修实际情况

对车辆运用检修情况进行现场调研，掌握了车轮、减振系统磨耗规律，钩体、钩舌等裂纹情况、制动梁、弹性旁承等尺寸和形状变化情况、制动阀等失效情况，系统掌握了各零部件故障情况，用于零部件检修范围和检修要求的制定。

2. 零部件寿命管理体系、失效规律

通过零部件失效规律和寿命管理分析，明确了全寿命零部件寿命里程；制定了全寿命、使用寿命、易损零部件适宜检修里程数，实现检修时机匹配、一致；提出了关键零部件质量保证管理内容和质保期限；规定了相关零部件的检查和修理限度；确定了应用射频识别技术进行信息采集管理的零部件范围。上述成果有力支撑了检修规程的制定。

3. 模拟状态修运行试验验证

针对编写的在线修、状态修（Z1 修至 Z4 修）检修规程和检修工艺，在 C70A、C80 型敞车上组织开展了模拟验证。对检修规程规定的检修范围、内容、要求及标准进行了验证，同时对工装设备适应性、检查与修理工艺方法、作业质量验收标准及工艺流程等进行了验证，并根据验证结果修订和完善了检修规程和检修工艺，为检修工艺规程的制定提供技术支撑和实践依据。

4. 载荷谱确定

通过 C80 车载荷谱测试，形成了铁路专有的货车载荷谱，并完成了车体、摇枕、侧架、钩舌和钩尾框等关键部件服役可靠性分析，以及 C80 车体疲劳试验，基本掌握了关键零部件服役状态和受力情况，为检修规程的制定提供支持。

5. 车辆实际运用经验

多年来持续跟踪调研车辆运用状态和磨耗规律，通过不断的技术改进和技术升级提高车辆运行品质，相继开展了货车转向架服役性能演变规律、轮轨轮瓦运动监测及车轮磨耗规律、TPDS 预警车辆分值及检修研究、转向架磨耗状态下的动力学试验、环行线 120km/h 提速货车可靠性试验等基础理论研究，为检修工艺规程的制定提供参考依据和理论支撑。

6. 既有检修工艺现场应用经验

根据工艺经验，对检修现场开展系统调研，识别没必要进行检测的工艺内容和性价比不高的修理内容。取消修复率低的修理工序，如轴承一般修和钩舌检修等；对于在线检测设备可测量的内容，不再设置重复的检测工序；针对使用中不变化的尺寸，不再进行尺寸检测而采用外观检查的方式，如踏面检测和制动梁的各种尺寸检测等。

5.1.3 制定原则

1. 先甄别、后建立

在深入开展既有规程与状态修适应性研究的基础上，以及在满足状态修总体要求的前提下，制定检修工艺规程。

2. 固定修和针对修相结合

根据确定的零部件适宜检修里程进行固定修，依据 HCCBM 推送的数据进行状态确认和针对性修理。

3. 检查标准和质量验收标准统一

在线修、状态修修程检查标准统一，状态修修程下不同修理等级各零部件修理质量验收标准统一。

4. 快速修、精准修

依据智能化的诊断决策判别系统的判定结果，确定故障零部件实施快速修和精准修的检修装备和工艺方法。

5. 把握重点、兼顾一般

对制定检修周期的标识零部件进行重点把握，对影响安全的零部件（轮对、摇枕、侧架、制动阀、轴承）进行重点关注，兼顾其他寿命零部件的检修周期。

6. 数据及时性、准确性、完整性

构建满足数据录入、传递、采集的系统方案，确保数据录入合理、方便、快捷，建立信息化规范。

5.2 铁路货车状态修总体工艺规程与技术标准

5.2.1 状态修总体工艺规程

状态修修程决策重点强调车辆状态的检测和诊断，为准确判定车辆修程，根据车辆运行监测设备的状态检测信息和自动调用的车辆技术中心的存储数据，综合考虑设备检测结果、运行里程、历史检修等信息，分析状态修诊断决策信息系统的修程判定标准。

从磨耗规律、性能衰减、寿命普遍性角度出发，以每类零部件为对象，分析零部件可靠寿命周期，确定状态修各修程的最佳检修间隔里程；基于经济性原则，制定具有普遍性要求的检修作业范围；基于运行安全及恢复技术性能原则，制定各修程的检修限度和检修验收标准。铁路货车在线修、整备修、全面修工艺规程研究基本流程如图 5.1 所示。

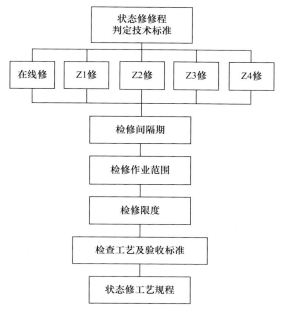

图 5.1　铁路货车在线修、整备修、全面修工艺规程研究基本流程图

1. 状态修修程判定

状态修修程的基本判定依据为车辆运行里程，此外，由于每个车辆的技术状态不同，相同里程的车辆可能因状态差异而修程不同。开展状态修诊断决策评价指标体系的构建，分析状态修综合判别模型的决策模式，制定模型决策标准，并以此作为系统进行状态修修程判定的基础条件。

2. 修程划分

根据重载铁路货车状态修总体技术构架，状态修设置在线修和状态修两级修程，其中状态修修程分为状态一修、状态二修、状态三修和状态四修（分别简称“Z1 修”“Z2 修”“Z3 修”和“Z4 修”）。在掌握车辆零部件失效规律的基础上，基于普遍性原则确定保障车辆安全性能的薄弱环节，分析各修程设置的必要性和合理性，根据结果优化调整修程划分。

3. 检修间隔期

按部件失效形式分类研究各类零部件的失效周期，结合状态修铁路货车零部件的寿命管理体系和铁路货车运行状态的服役性能，确定影响车辆安全运用的关键部件失效周期，制定确保车辆安全运行的检修周期，分析零部件的寿命可靠性以及更换部件的经济性，对现有铁路货车各主要零部件的寿命管理期限进行修正补充。

4. 检修作业范围

1）在线修

在线修由列检人员在停车现场完成，其任务是保证车辆安全运行。在线修主要内容包括闸瓦更换、车辆部件紧固、缺失件补充等，主要以保证车辆符合运行安全为主。结合我国铁路货车运用维修规程，减少或部分取消在线列检作业内容，研究在线修可以处理的故障形式和故障处理作业条件，以及在线修检修车辆信息收集与处理方式。

2）Z1 修

Z1 修是按整列入线、针对性修理的作业方式，依据全面检查、整列换瓦、集中处置、专项修复等方式进行检修。

3）Z2 修

Z2 修是采用整列扣修、架车分钩、转向架和钩缓装置不分解的作业方式，依据全面检查、钩舌探伤、批量更换、集中检修、状态确认、性能恢复等方式进行检修。

4）Z4 修

依据 HCCBM 推送的信息，对整列车摇枕、侧架、制动梁、交叉杆、车钩、牵引杆等大部件集中探伤，寿命到期零部件集中批量更换，检修到期零部件集中检修，闸调器、缓冲器大修，涵盖 Z3 修作业内容。

5. 检修限度

开展铁路货车服役性能调研，分析关键零部件、规律磨耗件、性能衰减件、批量替换件的故障形式和故障表征，明确状态修对车辆部件失效的表征要求，分析部件失效表征，根据我国现有铁路货车各修程的检修限度，通过配件装车运行试验，制定在线修、整备修、全面修检修限度及车辆运用维修限度。

6. 检查工艺及验收标准

开展车辆检修验收的检查工艺技术研究，根据各修程的车辆检修质量验收技术条件，检测工装、设备技术条件，检查工艺方法与作业标准，编制车辆检修接收准则，使车辆满足各修程相应的检修质量要求，确保在下次修程检修前性能良好。

7. 状态修工艺规程

对影响检修周期的主要部件开展质量保质期、使用寿命和检修周期匹配性分析，使主要零部件检修周期与状态修修程间隔相适应。

根据在线修、一级整备修、二级整备修、全面修检修范围和检修限度要求，研究制定相应的检修作业规程、质量检测及试验技术规范。

5.2.2　状态修工艺规程技术标准

根据国内外铁路货车检修技术现状，基于铁路货车运用、检修实际，制定符合铁路货车实际运用情况的状态修工艺规程技术标准，以有效指导现场检修工作的开展，其实用性、指导性、可操作性更强。

1. 在线修检修规程

在线修主要针对铁路货车运行安全监测系统的预报故障，遵循"机检"为主、辅助"人检"的原则，通过先进的铁路货车运行安全监测系统和完善的信息化管理手段，优化列检作业布局，规范货车运用管理，合理界定"机检"和"人检"作业范围，保障运行安全和运输畅通。在线修分为"机检"和"人检"两种作业方式。"机检"是采用现有的铁路货车安全监测系统的作业方式；"人检"根据铁路货车的运输特点，分为卸空检查作业、装重检查作业和应急处置三种作业方式。在线修与既有运规主要差异对照详见表 5.1。

卸空检查作业是在列车集中卸空区域的列检作业场进行作业，对车辆按规程进行全面检查，并对整个循环内的铁路货车运行安全监测系统的所有预报故障进行确认，各卸空检查作业场间对同一列车不重复作业，保证安全区间为一个循环（制动和装车损伤除外）。

装重检查作业是在列车集中装重区域的列检作业场进行作业，重点对车辆制动和车体破损进行有针对性的检查，各装重检查作业场对同一列车不重复作业，保证安全区间为一个单程。

应急处置是对列车运行途中发生的危及行车安全、不能继续运行的故障车辆进行处置。

表 5.1　在线修与既有运规主要差异对照表（卸空检查）

优化项点	优化内容
总体要求	因增设了 Z1 修，取消了大件修内容； 因增设了 Z1 修，基本取消了列车换瓦工作； 因增设了 Z1 修，一定程度上减少了摘车修数量或杜绝了摘车修； 卸后人工检查保证安全区间为一个循环

续表

优化项点	优化内容
增加的机检内容	C-TPDS 设备，曲线通过性能综合监测； 闸瓦监测设备，闸瓦剩余厚度监测数据及报警提示； TWDS+监测设备，轮缘垂直磨耗、踏面圆周磨耗、轮缘厚度、轮辋厚度等轮对状态在线综合监测； 全方位车辆状态检测系统，通过拍照系统监控列车装、卸后车辆车体状态
车体减少的人工检查范围	地板、浴盆板破损或腐蚀穿孔不超限、铁路货车车号自动识别标签无丢失； 绳栓无折断； 基础制动拉杆、杠杆吊架/托架无折断、脱落（C80 车除外）； 制动吊架无脱落； 缓解阀拉杆吊架无脱落（C80、KM98 车除外）
转向架减少的人工检查范围	轴承前盖无丢失； 承载鞍无破损、错位，转 K2 型转向架承载鞍顶面无金属碾出，侧架导框纵向与滚动轴承外圈无接触； 轴承挡键无丢失，螺母无松动、丢失； 摇枕、侧架无折断； 下心盘螺栓无折断，螺母、开口销无丢失； 侧架立柱磨耗板、斜楔及主摩擦板无破损、窜出、丢失，侧架立柱磨耗板折头螺栓、铆钉无折断、丢失，摇枕斜楔摩擦面磨耗板无窜出； 交叉支撑装置盖板及交叉杆体无折断、变形，扣板螺栓、铆钉无丢失，安全索无丢失，交叉杆端部螺栓无松动、脱出、丢失； 横跨梁无折断，螺母及开口销无丢失； 制动梁梁体、支柱无折断，支柱夹扣螺母无丢失，制动梁安全链无脱落，制动梁安装位置正确、无脱落； 基础制动装置的各拉杆、杠杆、圆销及开口销无折断、丢失，固定杠杆支点座、固定杠杆支点、固定杠杆支点链蹄环及圆销、开口销无折断、丢失，拉铆销套环无丢失，拉杆、杠杆无折断、脱落
钩缓装置减少的人工检查范围	钩舌销及开口销无折断、丢失； 钩锁锁腿无折断； 车列首尾端部车钩钩舌 S 面无裂损、三态作用试验良好； 从板无折断、丢失，缓冲器无破损； 钩提杆及复位弹簧无折断、丢失； 两连接车钩中心水平线高度之差（以下简称互钩差）不超限
制动装置减少的人工检查范围	基础制动杠杆、拉杆、圆销及开口销无折断、丢失，制动缸后杠杆支点及圆销、开口销无折断、丢失（C80 车除外）； 缓解阀拉杆无折断、丢失或脱落，缓解阀拉杆开口销无折断、丢失（C80、KM98 车除外）； 集成制动装置制动缸连接软管无破损、脱落，制动缸安装座拉铆销套环无丢失，制动缸推杆及 β 型插销无丢失，制动缸活塞行程指示器、标识牌无丢失； 制动阀防盗罩无脱落； 空重车自动调整装置限压阀、调整阀、传感阀无破损、丢失； 制动软管、远心集尘器及组合式集尘器、缓解阀无丢失； 制动软管吊链无丢失，挂钩与制动软管无脱出； 脱轨自动制动装置塞门手把无关闭

2. Z1 修

根据整列车闸瓦磨耗状态检测结果,由 HCCBM 列车及车辆诊断报告开启 Z1 修。Z1 修作业地点为指定的作业场地,依据 HCCBM 推送的信息,对整列车批量换瓦、全面检查、故障信息核对及处置,对轮轴故障、钩缓故障及摘车临修故障进行专项修复,集中处理制动关门车、车体破损故障等。

Z1 修应用指定的作业场地进行检修,无须进入临修库就可以修复制动关门车和车体破损故障。作业场地包括作业区、维修库、交付区及配套设施,具备整列入线和整列始发的条件。

作业区具备自行调车及编组、距离维修分公司较近、线路平直且无坡度等条件;具有车号自动识别系统及 HCCBM,配备手持机等;具备完整的风、水、电设施安装和间隔配置以及排水功能等基础条件;具备电焊二次线完整布局、列车试风及单车试风设施、闸瓦更换的新旧零部件运输通道,以及具有良好的轮对、钩缓、制动阀、车门等主要零部件的储备条件。

维修库须设置架车起重设备、照明设备,以及电焊、换轮、换钩工装设备等。

Z1 修作业内容主要包括作业区车辆状态确认、作业区车辆状态修、通过式维修库检修、车辆替换及交付几种作业方式。

作业区车辆状态确认:对自动推送的预警故障进行确认;对列车进行初试风,检查并确认制动故障部位;依靠智能巡检机器人系统辅助人工对列车进行快速检查;同时还须对车辆技术状态进行全面检查。根据检查结果确认无法修复的车辆并提出替换申请。

作业区车辆状态修:对列车闸瓦进行集中更换,包括磨耗处理;同时还须对制动关门车、车体破损等故障进行处理;对制动阀、闸调器、空重车装置和脱轨装置等更换或调整时,须进行单车试验。检修作业结束后进行终试风。

通过式维修库检修:在通过式临修库内对轮轴故障、钩缓故障进行集中处理,更换轮轴车辆须进行单车试验,更换钩缓装置的车辆须进行三态作用和防跳性能检查。

车辆替换及交付:在存车线对需要摘车临修车辆进行摘车替换,车辆恢复编组,交付时进行持续一定时间的全部制动试验。

批量(固定)修检修内容:批量更换闸瓦。

状态(弹性)修检修内容:对铁路货车运行安全监控系统预报和人工检查发现的故障进行针对性修理,如制动关门车、车体破损、轮轴和钩缓故障等。

3. Z2 修

根据列车车轮踏面磨耗状态及钩舌、车辆空气制动装置监测结果,由 HCCBM 列车及车辆诊断报告开启 Z2 修。Z2 修作业地点为维修公司检修车间,依据

HCCBM 推送的信息，对整列车轮轴、制动阀、空重车阀、钩舌进行集中检修，其余零部件外观检查状态良好可不分解，进行制动单车试验及车钩三态作用和防跳性能试验。Z2 修涵盖 Z1 修作业内容。

批量（固定）修检修内容：轮轴送专用场地检修；闸瓦更换新品；弹性旁承检测磨耗板与滚子（支承磨耗板）距离并按规定进行调整；钩舌分解探伤；制动阀、空重车阀分解检修，制动阀、传感阀、调整阀、集尘器下体的安装胶垫及软管垫更换新品；组合式集尘器集尘盒须从现车卸下除尘；各储风缸的螺堵分解，清除内部积水及污物；进行车钩三态作用和防跳性能检查以及单车试验；涂打 Z2 修检修标记。

状态（弹性）修检修内容：其余依据《车辆技术状态诊断报告》对 Z1 修未处理的、列检预报上传的、监测预报的、质检预检发现的故障信息进行核查并开展针对性修理。Z2 修与既有段修主要差异对照详见表 5.2。

表 5.2　Z2 修与既有段修主要差异对照表

系统名称	零部件名称	Z2 修检修要求	既有段修检修要求
车体	底架各梁及盖板	外观检查	外观检查，检测腐蚀及磨耗
	前后从板座及磨耗板	外观检查	外观检查，对工作面磨耗进行检测，对前后从板座工作面内距进行检测
	牵引梁内侧磨耗板、钩尾框支板及磨耗板、尾框磨耗板	取消检修要求	外观检查焊缝开裂及裂纹情况，并对磨耗进行检测
	上心盘	仅进行外观检查	外观检查，对心盘直径和平面磨耗进行检测
	上旁承及上旁承磨耗板	外观检查，并检查上旁承与上心盘平行度及上旁承高度差	外观检查，检查上旁承与上心盘平行度及上旁承高度差；进行上旁承与上心盘中心横向尺寸检测、磨耗板磨耗检测
	撑杆	检查撑杆折断、丢失故障	检查撑杆折断、丢失故障，并检测变形、裂损及腐蚀
	端、侧墙	检查侧柱外胀，墙板内凹、外胀，上侧梁、角柱、端柱弯曲超限故障	检查侧柱外胀及旁弯，墙板内凹、外胀，上侧梁、下侧梁、角柱、端柱弯曲及旁弯超限等故障
转向架	转向架组成	转向架除轮轴、旁承外，其余不分解，仅进行外观检查	除摇枕、侧架、交叉支撑装置外，其余全部分解检修
	侧架组成	仅进行外观检查	外观检查，对导框部位、中央方框部位、滑槽磨耗板、立柱磨耗板等磨耗进行检测
	摇枕组成	仅进行外观检查	外观检查，对斜面磨耗板、摇枕斜楔槽、摇枕挡等磨耗进行检测

续表

系统名称	零部件名称	Z2 修检修要求	既有段修检修要求
转向架	基础制动装置	不分解，仅进行外观检查	分解，外观检查，对杠杆，拉杆及圆销各磨耗部位的磨耗进行检测
	制动梁组成	不分解，仅进行外观检查	分解，外观检查，对瓦托滑块根部进行探伤，对全长、中心距、L 差等尺寸进行检测
	横跨梁组成	不分解，仅进行外观检查	分解，外观检查，对各部尺寸和磨耗进行检测
	轴箱橡胶垫	不分解，仅进行外观检查	分解，外观检查
	弹性旁承	分解，检测旁承磨耗板距滚子高度	分解，检测旁承磨耗板距滚子高度，检测旁承体自由高，检测旁承座、磨耗板、滚子及滚子轴磨耗
	承载鞍	仅进行外观检查	外观检查，对鞍面磨耗、顶面厚度、推力挡肩、导框磨耗进行检测
	组合式斜楔	不分解，仅进行外观检查	分解，外观检查，对斜楔主摩擦板、斜楔副摩擦面磨耗及主摩擦板组装间隙进行检测
	弹簧	不分解，仅进行外观检查	分解，外观检查，对弹簧腐蚀、磨损和自由高进行检测
	下心盘	不分解，仅进行外观检查	分解，外观检查，对磨耗进行检测
	心盘磨耗盘	不分解，仅进行外观检查	分解，外观检查，对磨耗进行检测
钩缓装置	车钩组成	外观检查	外观检查，对钩尾销孔中部、上下部长短轴等进行尺寸检测
	钩舌	分解检修，探伤检查	分解检修，探伤检查，对钩舌锁面、座锁台等尺寸进行检测
	钩尾框	不分解，外观检查	探伤检查，对相关尺寸及磨耗进行检测
	钩尾销		
	转动套		
	从板	不分解，外观检查	外观检查，对相关尺寸进行检测
	牵引杆		
	缓冲器		
	钩尾框托板	不分解，外观检查	分解，对磨耗进行检测
	钩尾销托梁		
	安全托板		
	车钩支撑座尼龙磨耗板		
	钩尾销托梁磨耗板		
	钩尾框托板磨耗板		

续表

系统名称	零部件名称	Z2 修检修要求	既有段修检修要求
制动装置	控制阀防盗罩及限压阀防盗挡	取消	分解、检查、组装
	制动软管	不分解，外观检查	分解，外观检查，风水压试验
	单车试验	取消过球试验要求	有过球试验要求
检修标记	车种、车号、载重、自重等铁路货车性能标记及其他提示标记	标记清晰完整	车种、车号、载重、自重、自备车、铁路货车性能标记及其他提示标记重新涂打
	整车检修标记	涂打 Z2 修标记	厂修、段修标记重新喷涂
	配件检修标记	取消配件检修标记涂打（寿命追溯）	配件检修时需涂打检修标记
落成要求	车钩部位	检查车钩上翘、下垂量，车钩高及车钩三态作用试验；对新组装的 16 型车钩及 RFC 型牵引杆须进行转动试验	检查车钩钩肩与冲击座间距，支撑装置与相关部位的组装间距，车钩提杆相关尺寸，车钩上翘、下垂量，车钩高等；并进行车钩三态作用试验，16 型车钩及 RFC 型牵引杆须进行转动试验
	牵引杆	取消相关尺寸检查	检查牵引杆处牵引梁上平面与轨面距离及距离差
	端梁上平面与轨面水平面的垂直距离	取消相关尺寸检查	检查同一端梁上平面与轨面水平面与垂直距离左、右相差不大于 20mm
	脚蹬	取消相关尺寸检查	检查脚蹬下平面至轨面水平面的垂直距离须为 400~500mm
	车钩提杆	取消相关尺寸检查	检查作用车钩钩提杆手把下端面至轨面水平面的垂直距离须大于 380mm

Z2 修与既有段修检修要求相比差异主要如下。

车体：取消各磨耗板、前后从板座、上心盘、上旁承等分解检测，仅进行外观检查；取消底架附属件、冲击座和上心盘等检修要求；取消底架各梁及盖板裂损、腐蚀、磨耗变形等检修要求。

转向架：转向架取消清洗要求；除轮轴外，其余不分解，仅外观检查，轮轴送专用场地检修；取消制动梁探伤；除弹性旁承磨耗板距滚子高度检测调整外，其余零部件尺寸、磨耗、形状不进行检测。

钩缓装置：除钩舌分解检修外，其余不分解，仅进行外观检查；取消钩舌销、钩尾框、转动套的探伤检查；取消所有尺寸、磨耗的检测；取消钩体尾部及牵引杆两端的裂纹检测。

制动装置：制动软管连接器不分解，取消软管风水压试验，现车外观及性能状态检查；减少控制阀防盗罩及限压阀防盗挡安装。

检修标记：取消零部件检修标记的涂打；取消车种、车号、载重、自重、性能标记及其他提示标记的重新涂打。

4. Z3 修

根据列车车轮踏面磨耗状态、转向架橡胶件寿命到限状态、车辆空气制动装置和钩缓装置监测结果,由 HCCBM 列车及车辆诊断报告开启 Z3 修。依据 HCCBM 推送的信息,对整列车转向架的心盘磨耗盘、轴向橡胶垫、轴箱橡胶垫、弹性旁承体等寿命到期零部件集中批量更换,对车钩、钩尾框、缓冲器进行检修,其余零部件外观检查状态良好可不分解。符合 Z2 修标准及以上的轮轴均可装在 Z3 修的检修车辆上。Z3 修涵盖 Z2 修作业内容。

批量（固定）修检修内容：轮轴送专用场地检修；闸瓦更换新品；轴箱橡胶垫、轴向橡胶垫、弹性旁承体、心盘磨耗盘等寿命到期零部件更换新品；钩缓装置分解,钩尾框、转动套、钩舌、下锁销组成、钩锁、钩舌推铁、钩舌销、钩尾销进行抛丸除锈,钩舌、钩尾框、转动套、钩舌销进行探伤检查；制动阀、空重车阀分解检修,制动阀、传感阀、调整阀、集尘器下体的安装胶垫及软管垫更换新品；组合式集尘器集尘盒须从现车卸下除尘；各储风缸的螺堵分解,清除内部积水及污物；进行车钩三态作用和防跳性能检查,进行单车试验；按规定涂打车型、车号、车种、铁路货车性能标记、产权图标及 Z3 修检修标记等。

状态（弹性）修检修内容：其余依据《车辆技术状态诊断报告》对 Z1 修未处理的、列检预报上传的、监测预报的、质检预检发现的故障信息进行核查并开展针对性修理。Z3 修与既有段修主要差异对照详见表 5.3。

表 5.3　Z3 修与既有段修主要差异对照表

系统名称	零部件名称	Z3 修检修要求	既有段修检修要求
车体	底架各梁及盖板	外观检查	外观检查,检测腐蚀及磨耗超限故障
	牵引梁内侧磨耗板、钩尾框支板及磨耗板、尾框磨耗板	外观检查焊缝开裂、裂纹故障	外观检查焊缝开裂及裂纹情况,并对磨耗进行检测
	上心盘	仅进行外观检查	外观检查,对心盘直径和平面磨耗进行检测
	上旁承及上旁承磨耗板	外观检查,检查上旁承与上心盘平行度及上旁承高度差	外观检查,检查上旁承与上心盘平行度及上旁承高度差；进行上旁承与上心盘中心横向尺寸检测、磨耗板磨耗检测
	端、侧墙	检查侧柱外胀、墙板内凹、外胀、上侧梁、角柱、端柱弯曲超限故障	检查侧柱外胀及旁弯,墙板内凹、外胀、上侧梁、下侧梁、角柱、端柱弯曲及旁弯超限等故障

续表

系统名称	零部件名称	Z3 修检修要求	既有段修检修要求
转向架	侧架组成	仅进行外观检查	外观检查，对导框部位、中央方框部位、滑槽磨耗板、立柱磨耗板等进行磨耗检测
	摇枕组成	仅进行外观检查	外观检查，对斜面磨耗板、摇枕斜楔槽、摇枕挡等进行磨耗检测
	基础制动装置	分解，仅进行外观检查	分解，外观检查，对杠杆、拉杆及圆销各磨耗部位的磨耗进行检测
	制动梁组成	分解，外观检查，更换滑块磨耗套	分解，外观检查，更换滑块磨耗套，对瓦托滑块根部进行探伤，对全长、中心距、L 差等尺寸进行检测
	交叉支撑装置	分解，更换轴向橡胶垫	分解，更换轴向橡胶垫，进行交叉杆探伤检查
	横跨梁组成	不分解，仅进行外观检查	分解，外观检查，对各部尺寸和磨耗进行检测
	承载鞍	仅进行外观检查	外观检查，对鞍面磨耗、顶面厚度、推力挡肩、导框磨耗进行检测
	组合式斜楔	不分解，仅进行外观检查	分解，外观检查，对斜楔主摩擦板、斜楔副摩擦面磨耗及主摩擦板组装间隙进行检测
	弹簧	不分解，仅进行外观检查	分解，外观检查，对弹簧腐蚀、磨损和自由高进行检测
	下心盘	不分解，仅进行外观检查	分解，外观检查，对磨耗进行检测
钩缓装置	车钩组成	外观检查，仅检测钩尾销孔后壁到钩尾端部距离	外观检查，对钩尾销孔中部、上下部长短轴等进行尺寸检测
	钩舌	分解检修，探伤检查	分解检修，探伤检查，对钩舌锁面、座锁台等进行尺寸检测
	钩尾框	探伤检查	探伤检查，对相关尺寸及磨耗进行检测
	钩舌销		
	转动套		
	从板	外观检查	外观检查，对相关尺寸进行检测
	牵引杆		
	缓冲器		
	钩尾框托板	分解，外观检查	分解，外观检查，对磨耗进行检测
	钩尾销托梁		
	安全托板		

续表

系统名称	零部件名称	Z3 修检修要求	既有段修检修要求
钩缓装置	车钩支撑座尼龙磨耗板	分解，外观检查	分解，外观检查，对磨耗进行检测
	钩尾销托梁磨耗板		
	钩尾框托板磨耗板		
制动装置	控制阀防盗罩及限压阀防盗挡	取消	分解、检查、组装
	闸调器	不分解，外观检查	分解、大修
	单车试验	取消过球试验要求	有过球试验要求
检修标记	车种、车号、载重、自重、自备车、铁路货车性能标记、产权图标及其他提示标记	标记重新喷涂，取消涂打自备车标记（图案标识保留）、转动车钩端厂/段修检修标记、下侧梁上的车型车号（仅 C80）	车种、车号、载重、自重、自备车、铁路货车性能标记及其他提示标记重新涂打
	整车检修标记	取消段修标记，新造标记重新喷涂，增加涂打 Z3 修标记	厂修、段修标记重新喷涂
	配件检修标记	取消配件检修标记涂打（寿命追溯）	配件检修时需涂打检修标记
落成要求	端梁上平面与轨面水平面的垂直距离	取消相关尺寸检查	检查同一端梁上平面与轨面水平面的垂直距离左、右相差不大于 20mm
	脚蹬	取消相关尺寸检查	检查脚蹬下平面至轨面水平面的垂直距离须为 400～500mm
	车钩提杆	取消相关尺寸检查	检查作用车钩钩提杆手把下端面至轨面水平面的垂直距离须大于 380mm

Z3 修与既有段修检修要求相比差异主要如下。

车体：车体钢结构检修与既有要求差异不大；减少上心盘与上旁承磨耗板磨耗检测；减少底架各梁及盖板裂损、腐蚀、磨耗变形等检修要求。

转向架：转向架取消清洗要求；除轮轴及寿命到期零部件外，其余不分解，仅进行外观检查；轮轴送专用场地检修；取消制动梁探伤。

钩缓装置：对钩体、牵引杆、转动套的尺寸限度进行调整，减少因磨耗超限无法修复的报废比例；其他零部件仅保留磨耗较大尺寸的检测要求，其余尺寸不再检测；从板、牵引杆、缓冲器等仅进行外观检查。

制动装置：减少控制阀防盗罩及限压阀防盗挡安装，提升制动阀及空重车限压阀的更换效率；闸调器不分解，仅进行外观检查；单车试验中取消过球试验要求。

检修标记：取消零部件检修标记的涂打；取消涂打自备车标记、转动车钩端、厂/段修检修标记、下侧梁上的车型/车号（仅 C80）。

5. Z4 修

根据车辆关键零部件探伤时机及列车技术状态检测结果，由 HCCBM 列车及车辆诊断报告开启 Z4 修。Z4 修依据 HCCBM 推送的信息，对整列车摇枕、侧架、制动梁、交叉杆、车钩、牵引杆等大部件进行集中探伤，寿命到期零部件集中批量更换，到达检修期限的零部件集中检修，闸调器、缓冲器大修。符合 Z4 修标准及以上的轮轴均可装用于 Z4 修的检修车辆上。Z4 修涵盖 Z3 修作业内容。

批量（固定）修检修内容：对车辆各部位按规定进行分解、除锈、探伤、检测、试验等，全面恢复性能。

状态（弹性）修检修内容：结合系统预报和人工检查发现的故障进行针对性修理。

Z4 修与厂修主要差异对照详见表 5.4。

表 5.4　Z4 修与厂修主要差异对照表

系统名称	零部件名称	Z4 修检修要求	既有厂修检修要求
车体	底架各梁及盖板	外观检查	各梁及盖板腐蚀、磨耗进行检查、检修
	上心盘	仅进行外观检查	外观检查，对心盘直径和平面磨耗进行检测
	上旁承及上旁承磨耗板	外观检查，并检查上旁承与上心盘平行度及上旁承高度差；新更换上旁承时对上旁承与上心盘中心横向尺寸进行检测	外观检查，对上旁承与上心盘中心横向尺寸进行检测，对磨耗板磨耗进行检测
转向架	制动杠杆	外观检查，检测衬套磨耗	外观检查，检测衬套磨耗，抛丸除锈并重新涂漆
	制动拉杆	外观检查，检测孔的磨耗	外观检查，检测孔的磨耗，抛丸除锈并重新涂漆
	固定杠杆支点	外观检查，检测孔的磨耗	外观检查，检测孔的磨耗，抛丸除锈并重新涂漆
	制动圆销及拉铆销	分解，检测磨耗	分解，检测磨耗，除锈探伤并进行重新防腐处理
	横跨梁	分解，检查磨耗和变形	分解，检查磨耗和变形，重新涂漆

续表

系统名称	零部件名称	Z4 修检修要求	既有厂修检修要求
转向架	承载鞍	分解，外观检查，检测鞍面和推力挡肩磨耗	分解，外观检查，对鞍面、推力挡肩、顶面厚度、导框纵向和横向磨耗进行检测
	下心盘	分解，仅进行外观检查	分解，外观检查，对磨耗进行检测
	斜楔	分解，仅进行外观检查	分解，外观检查，对斜楔磨耗进行检测
	轮轴组成	只要符合 Z2 修及以上的轮轴均可装用于 Z4 修的车辆上	轴承全部退卸，按轮规规定检修
钩缓装置	钩体	探伤检查，取消钩尾销孔中部、上下部长短轴等尺寸检测	探伤检查，对钩尾销孔中部、上下部长短轴等尺寸进行检测
	钩舌	探伤检查，取消尺寸检测	探伤检查，对钩舌锁面、座锁台等尺寸进行检测
	钩尾销	探伤检查，取消变形调修	探伤检查，变形时调修
	钩舌销	探伤检查，取消变形调修	
	转动套	探伤检查，取消前端与上、下销孔边缘距离、外径的修理限度	探伤检查，对相关尺寸进行检测
	从板	外观检查，取消长度、厚度检测	外观检查，对相关尺寸进行检测
	钩尾框托板	分解，进行外观检查	分解，外观检查，对磨耗进行检测
	钩尾销托梁		
	安全托板		
	车钩支撑座尼龙磨耗板		
	钩尾销托梁磨耗板		
	钩尾框托板磨耗板		
制动装置	控制阀防盗罩及限压阀防盗挡	取消	分解、检查、组装
	风缸	不分解，外观检查	分解检修、水压试验、重新涂漆
	手制动机	不分解，外观检查及性能试验	分解检修、性能试验、重新涂漆
	杠杆、拉杆	分解，检查裂纹和衬套磨耗	分解，检查裂纹和衬套磨耗，抛丸除锈和重新刷漆

系统名称	零部件名称	Z4 修检修要求	既有厂修检修要求
检修标记	车种、车号、载重、自重、自备车、铁路货车性能标记、产权图标及其他提示标记	标记重新喷涂，取消涂打自备车标记（图案标识保留）、转动车钩端、厂段修检修标记、下侧梁上的车型车号（仅 C80）	涂打车种、车号、载重、自重、自备车、铁路货车性能标记及其他提示标记
	整车检修标记	涂打 Z4 修检修标记	喷涂厂/段修标记
	配件检修标记	取消配件检修标记涂打（寿命追溯）	配件检修时需涂打检修标记

Z4 修与既有厂修检修要求相比差异主要如下：

车体：车体钢结构检修与既有规程差异不大；减少上心盘磨耗检测；减少上旁承与上心盘中心横向尺寸检测。

转向架：制动杠杆、中拉杆取消抛丸除锈和重新涂漆要求；制动圆销及拉铆销仅检测磨耗情况，取消除锈探伤并重新防腐处理要求；承载鞍除鞍面磨耗和推力挡肩距检测，其余进行外观检查；斜楔和下心盘取消磨耗检测；横跨梁取消重新涂漆要求；轮轴取消轴承全部退卸要求，只要符合 Z2 修及以上的轮轴均可装用于 Z4 修的车辆上。

钩缓装置：钩体取消钩尾销孔中部、上下部长短轴等尺寸检测；钩舌仅进行探伤检查，取消相关尺寸检测；转动套取消前端与上、下销孔边缘距离、外径的检测及修理要求；钩尾框托板、钩尾销托梁、安全托板、车钩支撑座尼龙磨耗板、钩尾销托梁磨耗板、钩尾框托板磨耗板取消磨耗检测。

制动装置：减少控制阀防盗罩及限压阀防盗挡安装，提升制动阀及空重车限压阀的更换效率；风缸不分解，仅进行外观检查，取消水压试验、重新涂漆要求；手制动机性能试验正常，无须分解。

检修标记：取消零部件检修标记的涂打；取消涂打自备车标记、转动车钩端、厂/段修检修标记、下侧梁上的车型车号（仅 C80）。

5.2.3 状态修工艺规程信息交互与管理

准确掌握车辆及关键零部件的运用、检修数据是实施状态修的基础，通过对寿命追溯零部件的信息数据进行有效管理。形成完整的电子化一列一档、一车一档、一件一档，为制定检修质量标准和检修范围起到关键性作用，实现列车修程准确开启及车辆精准施修，同时为综合诊断判别模型、失效规律模型和寿命管理提供数据支撑。

通过对铁路货车服役性能和关键零部件的梳理，结合状态修要求，明确了 25

种寿命追溯零部件，对其基本信息进行管理。按特性分为两类：一类为标签管理零部件，采用标签传递跟踪零部件信息数据；另一类为非标签管理零部件，不采用标签传递跟踪零部件信息数据，仅跟踪零部件装车时间和到期拆卸报废时间。寿命追溯零部件管理明细详见表 5.5。

表 5.5　寿命追溯零部件管理明细表

管理方式	零部件名称	零部件基本信息		
		固定信息（一次录入）	规定信息（一次录入）	状态信息（定期采集更新）
标签管理	车体钢结构（车号代替标签管理）、摇枕、侧架、车轴、车轮、轴承、制动梁组成、交叉杆、斜楔、弹性旁承、承载鞍、闸调器、制动阀、空重车阀、钩体、钩舌、牵引杆、钩尾框、缓冲器	包括 ID 编码、名称、型号、规格、材质、制造日期、制造单位名称及代码等	包括适宜检修里程及对应的修理等级、全寿命阈值、使用寿命阈值、质量保证期、检修限度等	包括装车时间、装用车号及位数、运行里程或时间、故障及缺陷信息、试验及检测数据、检修信息等
非标签管理	立柱磨耗板、斜面磨耗板、心盘磨耗盘、滑块磨耗套、轴箱橡胶垫	包括名称、型号、制造日期、制造单位名称及代码等	包括适宜检修里程及对应的修理等级、全寿命阈值、质量保证期、检修限度等	包括装车时间、拆卸及更换时间等，按规定定期采集、更新

车辆检修时须对标签管理零部件的固定信息、规定信息和状态信息进行记录及管理，形成从装车到报废整个寿命期内的数据记录，其中状态信息在检修时需要及时录入和更新。

更换标签管理零部件时，须在换下的零部件上安装标签（有固定标签零部件除外），录入车号和位数，调取 HCCBM 中既有车辆及零部件的基本信息及 ID 编码，绑定标签；对新装车的寿命追溯零部件，须读取标签获取零部件的基本信息及 ID 编码，记录车号和位数上传到 HCCBM 中，完成记录更新，同时标签解绑。

在线修和 Z1 修更换寿命追溯零部件时须对其基本信息进行采集、记录并上传至 HCCBM。

Z2 修须对车体钢结构、车轮、车轴、轴承、弹性旁承、制动阀、空重车阀、钩舌的基本信息进行采集、记录并上传至 HCCBM。

Z3 修须对车体钢结构、车轮、车轴、轴承、制动阀、空重车阀、钩体、钩舌、牵引杆、钩尾框和缓冲器的基本信息进行采集、记录并上传至 HCCBM，记录弹性旁承体、滑块磨耗套、心盘磨耗盘、轴箱橡胶垫拆卸报废时间。

Z4 修须对车体钢结构、车轮、车轴、轴承、摇枕、侧架、制动梁组成、交叉杆、斜楔、承载鞍、制动阀、空重车阀、闸调器、钩体、钩舌、牵引杆、钩尾框、缓冲器的基本信息进行采集、记录并上传至 HCCBM，记录弹性旁承体、滑块磨耗套、心盘磨耗盘、轴箱橡胶垫、立柱磨耗板和斜面磨耗板等拆卸报废时间。

5.3 铁路货车状态修基础设施布局

智能运维 Z1 整备线位于国能铁路装备有限责任公司沧州机车车辆维修分公司厂区内，是国内铁路行业第一条智能运维整备线。该线拥有两条股道，双线全长 6.62km，有效到发线长度 1392m，设有 3 台自动化图像识别巡检机器人、1 台不架车更换轮对设备、1 台适应不同车型架车作业电动架车机、1 台车体整形机、2 台车钩拆装机、2 台牵引杆拆装机、2 台缓冲器拆装机、3 台单车试验器及 3 台拉铆机共 18 台检修设备，配属有 40 台智能手持终端的四个工种的检修人员 47 人，可同时为 108 辆铁路自备货车实施 Z1 修。该整备线工装设备先进齐全，能够实现故障的精准定位、快速维修和零部件批量更换，使故障处置得更为彻底，同时整备线配备防雨棚，作业环境优越，大幅改善了传统列检作业的恶劣自然环境。依据状态修健康状态诊断模型及 HCCBM，可实现系统诊断判定为需要进行 Z1 修的铁路自备货车整列驶入，整列精准施修，整列修竣，整列发车，具有高度的智能化和自动化水平，极大地提高了铁路自备货车的检修效率与精准度。通过以列为单位对车辆故障进行全面检查与维修，可减少列检作业量和临修量，有效缓解列检工作压力，压缩列车技检时间，大幅提升运输效率。整备线所配属的智能手持终端，可实现智能运维 Z1 修作业过程的采集，实现人员分组、派工，点对点接收 5T 和沿线列检发现的三车典故故障，实现运用故障指导检修，同时对接收的故障的一致性进行闭环确认，为车辆健康状态判别诊断模型的优化提供持续的训练数据；列检作业手持机全程采集 Z1 修进度、检修故障、质量检验数据，形成 Z1 修的作业实景数据写实，建立数字化 Z1 修档案库；Z1 修作业手持机采用条码、RFID 读取功能自动读取换下、换上配件基本信息，是开展货车寿命管理配件全寿命周期跟踪的重要辅助手段。

5.4 铁路货车状态修生产管理体系

5.4.1 建设思路与总体框架

按照质量管理体系的要求，以状态修技术标准为依据，运用信息化管理手段，制定状态修生产管理标准、制度、指标、流程等，形成"以指标为导向、以计划为龙头、以质量为中心、以制度为保障、以信息系统为载体、PDCA（plan、do、 check、act）过程闭环控制"完整的生产管理体系。

状态修生产管理体系是状态修体制下铁路货车检修制度、标准的重要组成部分，根据状态修设置的总体技术路线、车辆及零部件运行里程下寿命管理、车辆零部件分类和寿命阈值及失效规律结果、列车（车辆）智能化信息诊断决策、全新的列车（车辆）检修修程判定、图示化的列车（车辆）健康状态实时监控调度生产指挥等新特点，以货车检修的现状和既有管理体系为基础进行研究和建立的，为检修业务由计划预防修向状态修的平稳过渡提供制度保障。

状态修生产管理体系的基本框架由两个层级构成，具体构成如图 5.2 所示。第一层级为管理细则、管理规范（管理规章），是在状态修相关理论研究结果的基础上制定的状态修生产管理体系的综合性、系统性文件，对状态修生产管理的总体要求、基本原则、管理范围及标准等进行了规范和统一，以有效保证状态修相关规定在不同维修分公司执行的一致性。由在线修检修管理细则、Z1 修检修管理细则、Z2 修检修管理规范、Z3 修检修管理规范、Z4 修检修管理规范等组成。第二层级为管理制度，是管理细则、规范管理内容及要求的进一步细化和补充。

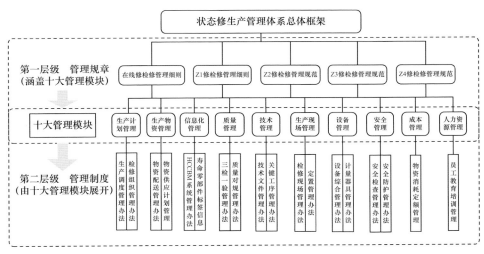

图 5.2　状态修生产管理体系总体框架

状态修生产管理体系的建立遵循以下基本原则：

（1）组织机构的稳定性。保持既有组织机构的基本稳定，根据状态修管理体系的要求，提出岗位职责要求，以责定岗，对相关岗位职能进行调整或增设必要岗位。

（2）管理规定的延续性。对与状态修管理要求不相冲突或不相干涉的现有管理规定予以继承，保持规定（内容、要求、方法、手段等）执行的连续性、习惯性。

（3）与现行生产管理的融合性。结合状态修修制特点，将现行管理模式调整和转化为状态修管理模式，在既有检修作业条件下实现状态修模式的检修、运用管理。

（4）符合性。符合国家、集团、铁路装备公司的相关规章制度、法律法规、体系文件、工艺规程等，符合各维修分公司状态修生产实际。

5.4.2 状态修生产管理体系主要模块

1. 管理细则与规范

以铁路运输组织模式和货车检修实际情况为基础，围绕状态修规程所涉及的修理等级设置、检修里程周期、检修对象、作业方式、作业流程、检修范围、检修限度等变化，信息化系统应用所涉及的寿命追溯零部件数据信息、车列（车辆）基础数据、车列故障数据、轨边设备故障数据的采集和记录方式改变，HCCBM所涉及的监控、查询、统计分析、诊断决策等项点的建立方面变化情况及新的要求，通过对状态修模式与计划预防修模式管理内容差异的全面识别，从管理体系总体结构、职能职责、工作流程、管理控制等方面入手，制定状态修各修理等级的管理细则、规范，构成状态修各修理等级生产管理体系的总体结构。状态修模式与计划修模式管理内容的主要差异见表5.6。

表 5.6 状态修模式与计划修模式管理内容差异

管理模块	主要项点	变化项点识别	
		计划修模式	状态修模式
技术管理	修程设置	列车通过修、段修、厂修	在线修、Z1 修、Z2 修、Z3 修、Z4 修
	周期测算	以时间为单位测算	以运行里程为单位测算
	检修标准	运规、站规、段规、厂规	在线修、Z1 修、Z2 修、Z3 修、Z4 修检修规程
	场地设置	编组站集中装卸站等	集中卸空站、沿途多 T 监测点、装重、Z1 修整备场
	作业范围	规定作业范围	按修理等级设置确定的检修范围及预报故障修理
	检修限度	运用限度、临修限度、段修限度、厂修限度	检查限度、修理限度
生产计划管理	生产指挥系统	无	由 HCCMB 统一管理，实时在线显示、具备监控、查询、预警预报、统计分析、诊断决策功能
	生产计划制订	根据车辆定检周期制订年度、月检修计划	根据 HCCBM 按列分析预测，为各修理等级编制检修计划提供依据
	故障预报	无	入线检修列车，故障推送预报

续表

管理模块	主要项点	变化项点识别	
		计划修模式	状态修模式
生产计划管理	检修单元	以"辆"为单元进行扣修	按固定编组，以列为单元进行扣修
	作业方式	全数分钩、架车	Z1 修不分钩、不架车，Z2 修、Z3 修、Z4 修分钩、架车
生产物资管理	零部件分类	寿命管理零部件、一般零部件	全寿命、使用寿命、易损零部件
	寿命零部件追溯	部分追溯寿命零部件	全部追溯寿命零部件
质量管理	检验范围	既有厂修、段修规程确定的检验范围	状态修规程规定的各修理等级检验范围，新造 KM98（AH）等新车型检验项目
	检验记录	人工手写纸质记录	手持机系统录入
信息化管理	故障信息采集	人工检查、手工纸质记录，集中录入 HMIS	推送故障信息+人工检查。故障明细自动生成，故障录入手持机采集，自动上传至 HCCBM
	轨边检测信息	轨边检测信息没有纳入 HMIS 管理	轨边检测信息全部纳入 HCCBM 系统
	状态检测	HMIS 数据局部查询、监控	HCCBM 全面查询、监控
	基础数据	车辆基础数据一车一档、10 项零部件一件一档	列车一列一档、车辆基础数据一车一档、25 项零部件一件一档
	数据传输	HMIS 每日 18:00 数据上传	HCCBM 数据实现实时上传
	零部件追溯	无	HCCBM 设置 25 项零部件，寿命追溯零部件 16 种（19 项），记录其标签及 ID 号
	零部件检修记录	HMIS 13 项零部件记录	HCCBM 22 项零部件记录
设备管理	安全监控设备	TFDS、TADS、THDS、TPDS	增加 C-TPDS、TWDS、闸瓦厚度监测设备、车辆装卸安全图像监控系统以及车载监测设备等
安全管理	安全防护	既有安全防护	增设 Z1 修调车安全防护，KM98（AH）底门触碰特殊要求
人力资源管理	岗位职责	按既有模式设定	按状态修模式设定
	职工教育培训	检修标准培训内容为国铁标准	检修标准培训内容为状态修标准
成本管理	成本测算	经验值估算+消耗测算	HCCBM 对寿命零部件装车信息全数记载，易损零部件装车信息记载数量，实现车辆的成本测算

状态修管理细则、规范主要由总则、总体要求、基本原则、寿命零部件管理

及质量保证、检修库（作业场）设置、生产计划与劳动组织、检修作业流程、检查要求、检修技术要求、信息化管理、质量检查管理、安全管理、物资管理、设备管理、现场管理、备用轮轴管理、技术管理、职工教育、岗位责任制等方面内容组成，系统阐述了状态修作业的特点、修程及修理等级划分、HCCBM 运用、综合管理要求，各修理等级的检修范围、作业方式、作业时间、场地设施设备及质量保证等内容，对生产计划管理、生产物资管理、信息化管理、质量管理、技术管理、生产现场管理、设备管理、安全管理、成本管理及人力资源管理等十大管理模块的组织机构设置、管理流程、管理内容及标准提出明确的规定和要求。

2. 管理制度

在管理规范、细则编制的基础上，根据状态修的修理等级设置、检修里程周期、检修对象、作业方式、检修范围、检修限度等变化情况，对管理规范、细则中涉及的专项工作项点与既有管理制度的差异进行分析。重点针对管理制度办法的整体结构、目的、适用范围、管理职责、工作流程、管理要求、监督考核等，根据状态修项点的变化程度，将规范（细则）所涉及的具体项点在制度办法中进行细化和分解。

制定的状态修生产管理体系管理制度充分考虑与既有文件在组织机构的稳定性、管理规定的延续性、与状态修要求的一致性、与现行生产管理的融合性等方面因素，保证制度文件的适应性和可操作性。

管理制度覆盖状态修生产管理十大模块的各环节，包括新增（如 HCCBM 管理办法）、修订（如三检一验管理办法，对检查范围进行修订）、延用（如设备综合管理办法）三大类。

基于状态修的铁路货车生产管理制度主要从以下三个方面进行改进。

1）寿命追溯零部件剩余寿命分层管理

鉴于全寿命零部件、使用寿命零部件从装车使用、拆卸检测修理、再装车使用等循环过程，需要对零部件使用寿命进行追溯，为达到新品至报废的全寿命过程追溯控制，建立了完善的过程控制管理办法，以保证其寿命零部件在各修理等级的拆、修、装过程中得到有效管理和控制，并保证在拆、修、装过程中信息完整、连续、有效追踪，避免超寿命使用，如轮对轮辋厚度控制，新造轴承和大修轴承运行里程控制，制动梁、缓冲器在寿命控制里程范围内装车使用。

2）不同修理等级的差异化管理

（1）状态修各等级修理涉及具体车辆检修时，存在一定的差异化检修内容，在具体操作层面，建立了预检专项检查工作项点管理要求，包括推送数据核对、车辆全面检查、故障全数标识、故障全数录入上传，确定具体施修项点和故障明细表，以保证批量检修和精准施修予以实施。

（2）建立预、质检工作界定，职能职责、检查范围，与作业者互控责任关系、作业过程控制流程等，确保车辆批量检修和精准施修予以实施。

3）建立全新的信息化及寿命零部件管理办法

（1）货车状态修全过程实行信息化管理，为确保信息数据采集、应用及管理的及时性、准确性和完整性，制定 HCCBM 管理办法，对 HCCBM 中新增的诊断决策系统、生产指挥系统等系统的使用权限、管理要求、工作流程、维护等进行了明确规定。

（2）制定寿命管理零部件标签管理办法，对寿命零部件标签绑定、信息录入的人员、流程及工作要求等进行规定，确保检修过程中零部件分解、检测、修理、组装过程信息的完整准确记载，实现零部件寿命可追踪、信息可追溯。

第6章

铁路货车状态修决策方法与判别模型

6.1 铁路货车状态修综合评价与系统决策方法

6.1.1 总体思路

状态修综合判别模型的构建包括以下两个方面的内容：一方面，通过分析铁路货车零部件失效规律，结合零部件寿命管理体系，实现对全寿命零部件、使用寿命零部件的寿命管理，并对关键零部件进行剩余寿命预测；另一方面，依靠先进的车辆综合检测技术与装备体系，掌握车辆零部件技术状态，对车辆状态进行综合评估。将剩余寿命预测模型与车辆技术状态检测模型相融合，实现对零部件状态的综合评分，进而对车辆、车列进行评分，建立智能化的状态修诊断与决策信息系统，对车辆健康状态进行综合研判，指导修程的合理判定。状态修综合判别模型总体技术路线如图 6.1 所示。

1. 建立零部件剩余寿命预测模型

对货车全部零部件重新开展分类管理，根据零部件的三类划分，即全寿命零部件、使用寿命零部件、易损零部件，确定能参与车辆健康状态评分的部件。

对于全寿命零部件和使用寿命零部件，进行 FMECA[1]，包括危害性分析和故障模式及影响分析，结合专家系统，建立零部件剩余寿命预测模型。

全寿命零部件剩余寿命模型是基于状态修的铁路货车零部件寿命管理体系建立的。对于纳入全寿命零部件管理范畴的零部件，根据货车的使用情况将其使用年限指标换算为里程指标，依据零部件剩余寿命预测模型的评分原则对零部件进行评分。

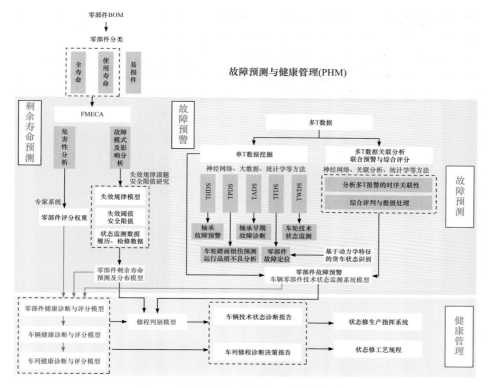

图 6.1　状态修综合判别模型总体技术路线

对于使用寿命零部件剩余寿命模型，基于铁路货车零部件失效规律确定特征参数，建立特征参数性能退化模型，对模型进行参数估计，在此基础上，结合多维度状态下铁路货车关键部件动态性能演变过程、零部件失效阈值标准和零部件性能参数退化模型，建立零部件剩余寿命预测模型，实现对零部件寿命的预测，并根据零部件剩余寿命预测模型的评分原则对零部件进行评分。结合关键零部件剩余寿命预测模型及车辆子系统评判方法验证剩余寿命模型的合理性以及转向架、钩缓子系统评判的准确性。

2. 建立车辆技术状态检测系统模型

针对货车中利用检测设备进行状态检测的零部件，如轴承、轮对等，采用神经网络、大数据、统计学等方法，对单 T 数据进行沿运行里程（时间轴）的纵向深度挖掘，基于故障数据进行深度学习，建立零部件的单 T 检测系统模型，预测并评估零部件状态。针对 THDS 数据，研究轴承故障预警算法；针对 TPDS 数据，研究车轮踏面损伤预测算法，进行运行品质不良分析；针对 TADS 数据研究轴承的早期故障诊断方法；针对 TFDS 数据实现零部件故障定位；针对 TWDS 数据实现对车轮的技术状态检测。同时基于大数据方法深度分析和挖掘各检测设备数据的关联性，建立多 T 检测系统关联模型，分析报警的时序关联性，通过多 T 检测数据预测和评估零部件状态，进行综合评判和提级处理。结合单 T 检测系统模型和多 T 检测系统关联模型，综合对零部件进行状态评估。基于动力学特征的铁路货车状态识别实现故障辨识和故障定位。

3. 建立车列健康诊断模型

基于零部件剩余寿命模型和车辆技术状态检测系统模型，融合两个模型的输出结果，综合进行零部件状态评估，制定状态修扣修标准，建立修程判别模型。根据零部件影响列车运行安全的重要程度，设计零部件权重系数，实现对车辆状态的评价，同时给出需要批量更换的零部件清单。在零部件、车辆状态评价的基础上，结合修程判别模型，给出整列车的健康诊断报告和车列健康状态诊断报告。

4. 制定状态修车列扣修标准

结合状态修、运用布局及检修工艺的输出成果，制定状态修车列扣修标准。以车列得分和各辆车得分为主要评价依据，同时考虑重大故障以及与之相关的扣分项制定扣修标准，使其与状态修修制相一致。利用该标准指导状态修修程下车列的扣修，提高扣修准确率，最大限度地减少漏扣、错扣情况的发生。

6.1.2　评价方法与准则

1. 车列及车辆状态评分方法

1）层次分析法

层次分析法（analytic hierarchy process，AHP）是目前使用较多的一种方法，是将半定性、半定量复杂问题转化为定量计算的一种有效决策方法[2]。该方法对各指标之间重要程度的分析更具逻辑性，再加上数学处理，可信度较大，应用范围较广。该方法由于具有坚实的理论基础、完善的方法体系而应用广泛，并在实践中创造了多种多样的变形方法。

在针对铁路货车的车列及车辆状态评分方法中，将铁路货车建立成一个多层次的递阶结构，由上至下分为车辆、大部件、零部件等级层次，采用层次分析法实现每层元素的权重求解和逐级评分。

层次分析法大体分为六个步骤，即明确问题、建立层次结构、构造判断矩阵、层次单排序及其一致性检验、层次总排序、做出相应决策。现对上述步骤总结如下。

步骤 1：明确问题。

首先确定该系统的总目标，弄清决策问题所涉及的范围、所要采取的措施方案和政策、实现目标需要依据的准则和各种约束条件等。总之，第一步需要广泛地收集相关信息，为后续步骤做充足的准备。

步骤 2：建立层次结构。

应用层次分析法分析社会的、经济的以及科学管理领域的问题，要把问题条理化、层次化，构造出一个层次分析结构的模型。构造一个好的层次结构对于问题的解决极为重要，它决定了分析结果的有效程度。

目标层：表示解决问题的目的，即应用层次分析法所要达到的目标。

准则层：实现预定目标所涉及的中间环节。

方案层：表示解决问题的具体方案。

对于一般的问题，建立问题的层次结构模型是层次分析法中最重要的一步，把复杂的问题分解成称为元素的各个组成部分，并按元素的相互关系及其隶属关系形成不同的层次，同一层次的元素作为准则对下一层次的元素起支配作用，同时它又受上一层次元素的支配。最高层次只有一个元素，它表示决策者所要达到的目标；中间层次一般为准则、子准则，表示衡量是否达到目标的判断准则；最低一层表示要选用的解决问题的各种措施、决策、方案等。层次之间元素的支配关系不一定是完全的，即可以存在这样的元素，它不支配下层次的所有元素。即除目标层，每个元素至少受上一层一个元素支配；除方案层，每个元素至少支配下一层一个元素。层次数与问题的复杂程度和需分析的详尽程度有关。每个层次中的元素一般不超过 9 个，因为同一层次中包含数目过多的元素会给两两比较判断带来困难[3]。

层次结构的建立是在评价者对问题全面深入认识的基础上，根据对问题的初步分析，将问题包含的因素按照是否共有某些特性将它们聚集成组，并将它们之间的共同特性看成系统中新的层次中的一些因素；而这些因素本身也按照另外一组特性组合，形成另外更高层次的因素，直到最终形成单一的最高因素，这往往可以看成决策分析的目标。这样即构成目标层、若干准则层和方案层的层次分析结构模型。

步骤 3：构造判断矩阵。

建立层次结构模型之后，就可以在各层元素中进行两两比较，构造出比较判断矩阵。层次分析法主要是人们对每一层次中各因素相对重要性给出判断，这些判断通过引入合适的标度用数值表示出来，写成判断矩阵。判断矩阵表示针对上一层次因素，本层次与之有关因素之间相对重要性的比较，反映了人们对各因素相对重要性的认识，一般采用 1～9 标度及其倒数的标度方法。为了从判断矩阵中提取出有用的信息，达到对事物的规律性认识，为决策提供科学的依据，就需要计算每个判断矩阵的权重向量和全体判断矩阵的合成权重向量[4]。不把所有因素放在一起比较，而是两两相互比较，采用相对尺度，以尽可能减少性质不同的诸因素相互比较的困难，以提高准确度。如对某一准则，可以对其下的各方案进行两两对比，并按其重要性程度评定等级，从而完成从定性分析到定量分析的过渡。这是层次分析法的基本思想，也是进行相对重要度计算的重要依据。

步骤4：层次单排序及其一致性检验。

判断矩阵 A 的特征根问题 $AW = \lambda_{\max}W$ 的解 W，经归一化后即同一层次相应因素对于上一层次某因素相对重要性的排序权值，这一过程称为层次单排序。为进行判断矩阵的一致性检验，需要计算一致性指标为

$$CI = \frac{\lambda_{\max} - n}{n-1} \tag{6.1}$$

式中，$\lambda_{\max}$ 为判断矩阵 A 的最大特征根；n 为判断矩阵 A 的阶数。CI 越小，说明一致性越大，CI=0，有完全的一致性；CI 接近于 0，有满意的一致性；CI 越大，不一致越严重。为衡量 CI 的大小，引入随机一致性指标 RI：

$$RI = \frac{CI_1 + CI_2 + \cdots + CI_n}{n} \tag{6.2}$$

其中，随机一致性指标 RI 和判断矩阵的阶数有关，一般情况下，判断矩阵阶数越大，出现一致性随机偏离的可能性也越大。考虑到一致性的偏离可能是由随机因素造成的，因此在检验判断矩阵是否具有满意的一致性时，还需要将 CI 和随机一致性指标 RI 进行比较，得出检验系数 CR，公式如下：

$$CR = \frac{CI}{RI} < 0.10 \tag{6.3}$$

一般地，若 CR<0.1，则认为该判断矩阵通过一致性检验，否则就不具有满意的一致性。

当检验系数 CR 满足随机一致性比例时，可以认为层次单排序的结构有满意的一致性，否则需要调整判断矩阵的元素取值。

步骤5：层次总排序。

计算各层元素对系统目标的合成权重，进行总排序，确定结构图中最低层各个元素在总目标中的重要程度，这一过程是从最高层次到最低层次逐层进行的。

步骤6：做出相应决策。

通过数学运算可以计算出最低层各方案对最高目标相对优劣的排序权值，从而对备选方案进行排序。

2）灰度关联法

灰色系统理论是 20 世纪 80 年代提出并创建的一种基于数学理论[5]的新兴系

统工程学科，主要是对少数据、贫信息不确定性的问题进行研究的一种方法，主要以"部分信息已知，部分信息未知"的"小样本""贫信息"不确定系统为研究对象。通常把信息未知的事物用"黑"表示，把信息完全明确的事物用"白"表示，把部分信息明确、部分信息不明确的事物用"灰"表示。因此，信息未知的系统称为黑色系统，信息完全明确的系统称为白色系统，部分信息明确、部分信息不明确的系统称为灰色系统。灰色系统理论包括灰色决策，灰色系统预测、决策、控制，灰色模型，灰色关联分析等理论。并且灰色系统理论对研究数据没有明确的要求，因此在经济、社会、工农业等方面应用广泛。

灰色关联分析利用灰色关联度来表征两个事物的关联程度。对于两个系统之间的因素，其随时间或不同对象而变化的关联性大小，称为关联度。在系统发展过程中，若两个因素变化的趋势具有一致性，即同步变化程度较高，则二者关联程度较高；反之，则关联程度较低。因此，灰色关联分析方法是根据因素之间发展趋势的相似或相异程度，即灰色关联度，作为衡量因素间关联程度的一种方法。灰色关联分析的具体计算步骤[6]如下。

（1）确定分析数列。

确定分析数列即确定反映系统行为特征的参考数列和影响系统行为的比较数列。反映系统行为特征的数据序列称为参考数列，影响系统行为的因素组成的数据序列称为比较数列。设参考数列（又称母序列）为 $Y=\{y(k)|k=1,2,\cdots,n\}$，比较数列（又称子序列）为 $X_i=\{X_i(k)|k=1,2,\cdots,n\},i=1,2\cdots,m$，其中 n 为指标的个数，m 为比较数列的个数。

（2）变量的无量纲化处理。

系统中各因素比较数列中的数据可能因量纲不同，不便于比较或在比较时难以得到正确的结论，因此在进行灰色关联度分析时，一般都要进行数据的无量纲化处理，即

$$x_i(k)=\frac{x_i(k)}{x_i(l)},\quad k=1,2,\cdots,n;i=1,2,\cdots,m \qquad (6.4)$$

（3）计算关联系数。

分别计算每个比较数列与参考数列对应元素的关联系数。比较数列 $x_i(k)$ 与参考数列 Y 的关联系数计算过程如下：

$$\xi_i(k)=\frac{\min_i\min_k|y(k)-x_i(k)|-\rho\max_i\max_k|y(k)-x_i(k)|}{|y(k)-x_i(k)|-\rho\max_i\max_k|y(k)-x_i(k)|} \qquad (6.5)$$

记 $\Delta_i(k)=|y(k)-x_i(k)|$，则

$$\xi_i(k) = \frac{\min_i \min_k \Delta_i(k) - \rho \max_i \max_k \Delta_i(k)}{\Delta_i(k) - \rho \max_i \max_k \Delta_i(k)} \quad (6.6)$$

$\rho \in (0, \infty)$，称为分辨系数。ρ 越小，分辨力越大，一般 ρ 的取值区间为（0，1），具体取值可视情况而定，通常取 $\rho = 0.5$。

（4）计算关联度。

因为关联系数是比较数列与参考数列在各个时刻（即曲线中的各点）的关联程度值，所以它的数不止一个，而信息过于分散不便于进行整体性比较。因此，有必要将各个时刻（即曲线中的各点）的关联系数集中为一个值，即求其平均值，作为比较数列与参考数列间关联程度的数量表示。关联度 r_i 计算公式如下：

$$r_i = \frac{1}{n}\sum_{k=1}^{n}\xi_i(k), \quad k = 1, 2, \cdots, n \quad (6.7)$$

（5）关联度排序。

将关联度按大小排序，若 $r_1 < r_2$，则参考数列 Y 与比较数列更相似。在算出 $x_i(k)$ 序列与 $Y(k)$ 序列的关联系数后，计算各类关联系数的平均值，平均值 r_i 就称为 $Y(k)$ 与 $x_i(k)$ 的关联度。

2. 车列状态评分与修程判别准则

1）状态评分准则

车列的健康状态按照到过期状态和技术状态分为三类。

（1）红色状态：THDS 激热，扣 100 分，立即拦停。

到过期状态：Z1 修超过 1 万 km，Z2～Z4 修超过 2 万 km，整列有 1 辆超过这一列车算红色。

技术状态：扣 50 分的三车典故及单 T 报警车。

（2）黄色状态。

到过期状态：Z1 修在±1 万 km 之间，Z2～Z4 修在±2 万 km 之间，整列有 1 辆超过这一车列算黄色。

技术状态：扣 30 分的三车典故及单 T 报警车。

（3）绿色状态：其他车列。

2）修程判别准则

状态修下的修理等级确定是依据指定的一些零部件质量状态来制定的。

（1）Z1 修：闸瓦更换，决定 Z1 修修理等级开启。

（2）Z2 修：闸瓦的更换情况和轮对踏面磨耗情况，决定 Z2 修修理等级的开启。

（3）Z3 修：闸瓦、轮对、车钩、橡胶件（制动梁端部尼龙套、心盘磨耗盘、滚动轴承的橡胶垫、下旁承橡胶块、交叉杆轴向橡胶垫）更换修理，决定 Z3 修修理等级开启。

（4）Z4 修：侧架、摇枕探伤时机决定 Z4 修修理等级开启。

6.2 铁路货车运行状态性能评分模型

6.2.1 铁路货车零部件状态性能综合评分模型

1. 评分依据

参与评分的零部件与对应的评分依据如表 6.1 所示，零部件评分的总体原则如下：

（1）以寿命作为基础得分，状态检测作为扣分项，假设零部件得分为 G，使用寿命得分为 U，状态检测扣分为 T，则零部件得分为

$$G = U - T \tag{6.8}$$

（2）寿命评分可分为全寿命零部件的寿命评分和使用寿命零部件的寿命评分。设定零部件的初始寿命得分为 100 作为基础分，寿命得分的范围为 100～60 分，当零部件寿命到限或退化量到限时寿命得分为 60 分。

（3）状态检测作为扣分项，扣分范围为 0～100 分。

（4）参与评分的零部件主要为 30 种全寿命零部件、使用寿命零部件以及闸瓦。每个零部件参与评分的要素主要包括使用里程、失效规律、多 T 监测等。

（5）对于 TFDS 发现及列检发现并记录的，不在这 30 种全寿命零部件以及闸瓦零部件范围之内的零部件故障，模型对故障进行记录，用于指导检修，并在车辆上进行扣分。

（6）当零部件具有多个状态参数指标时，如车轮的轮辋厚度、轮缘厚度、踏面圆周磨耗、踏面擦伤等参数，根据专家系统所得出的各参数重要性，对每个参数分别设置不同的权重系数。

表 6.1 零部件评分依据

评分项	参与评分的零部件	评分依据
寿命评分	全寿命零部件（轴向橡胶垫、轴箱橡胶垫、弹性旁承体、心盘磨耗盘、滑块磨耗套、旁承磨耗板等）	根据使用里程进行寿命评分
	使用寿命零部件	根据退化量和失效率进行评分
状态检测扣分	状态检测零部件	结合 THDS、TPDS、TADS、TFDS、TWDS 的监测情况综合得出 0～100 范围内的扣分

2. 评分算法

评分算法主要包括两个方面的内容：基于零部件剩余寿命的评分算法和基于零部件状态检测的扣分算法。

1）基于零部件剩余寿命的评分算法

零部件剩余寿命的评分主要包括两方面的内容，一是全寿命零部件剩余寿命的评分，二是使用寿命零部件剩余寿命的评分。

（1）全寿命零部件。

对于全寿命零部件的寿命评分采用使用剩余寿命和检修剩余寿命相结合的方式，其中，使用剩余寿命=寿命里程限值–运行里程，即

$$L = D_{\max} - D_{\text{current}} \tag{6.9}$$

检修剩余寿命=检修里程限值–上一次检修时的里程，即

$$L_{\text{repair}} = D_{\text{repair}} - D'_{\text{repair}} \tag{6.10}$$

使用剩余寿命是指当前到寿命管理体系中规定的全寿命里程限值的剩余里程；检修剩余寿命是指当前到寿命管理体系中规定的最长检修周期的剩余里程。

使用寿命的前 1/3 阶段可以认为其在使用寿命上仍有较好的表现，故为 100 分，后 2/3 阶段在其使用寿命和检修寿命周期内均从 60 分至 100 分按比例评分，之后对使用寿命和检修寿命赋予相应的系数，再输入到评分方法中。如上所述，全寿命零部件寿命里程规定为 $D_{\max}$，检修里程规定为 D_{repair}，当前运行里程为 D_{current}，D'_{repair} 为上一次检修时的里程，则该零部件的寿命得分 S 可表示为

$$S = \begin{cases} \lambda_1 \times 100 + \lambda_2 \times \left(100 - 40 \times \dfrac{D_{\text{current}} - D'_{\text{repair}}}{D_{\text{repair}}}\right), & D_{\text{current}} < \dfrac{1}{3} D_{\max} \\[4mm] \lambda_1 \times \left(100 - 40 \times \dfrac{D_{\text{current}} - \dfrac{1}{3} D_{\max}}{\dfrac{2}{3} D_{\max}}\right) + \lambda_2 \\[4mm] \times \left(100 - 40 \times \dfrac{D_{\text{current}} - D'_{\text{repair}}}{D_{\text{repair}}}\right), & D_{\text{current}} \geqslant \dfrac{1}{3} D_{\max} \end{cases} \tag{6.11}$$

式中，λ_1、λ_2 分别为使用寿命和检修寿命所占的比例，且 $\lambda_1 + \lambda_2 = 1$。

（2）使用寿命零部件。

使用寿命零部件的寿命得分计算分为退化类零部件寿命评分和失效类零部件寿命评分。退化类零部件是指有明确的退化量可以表示零部件的寿命情况，如车轮的轮辋厚度和闸瓦厚度。失效类零部件是指没有明确的退化过程，主要由偶发

故障失效,如制动阀,又分为没有明确失效规律的零部件和有失效规律的零部件,其中没有失效规律的零部件按照检修寿命进行评分,如交叉杆、脱轨自动制动装置等零部件;有失效规律的零部件主要包括钩舌、钩体、钩尾框、牵引杆。

① 退化类零部件评分。

退化类零部件评分主要在使用限度内用 60~100 线性评分,初始值为 100 分,失效阈值参数为 60 分,根据退化程度线性比例扣分,退化类的零部件寿命得分 $S_{退}$ 可表示为

$$S_{退} = 100 - 40 \times \sum_{i=1}^{n} \lambda_i R_i \qquad (6.12)$$

式中,$\sum_{i=1}^{n} \lambda_i = 1$;R_i 为第 i 种零部件的退化程度(0~100%),以车轮为例,轮辋厚度可以作为车轮剩余寿命的评分依据,踏面圆周磨耗可以作为检修寿命的评分依据。对于车轮的寿命评分,可根据轮辋厚度和踏面圆周磨耗分别进行线性评分,之后综合考虑轮辋厚度和踏面圆周磨耗对车轮的影响,轮辋厚度作为寿命得分,踏面圆周磨耗作为扣分项。

② 失效类零部件评分。

对于一些使用寿命零部件,其失效不是退化造成的,零部件的健康状态不能用退化量的大小来衡量。这类零部件的失效大多是由某些偶发故障如零部件的开焊、裂纹、折断等引起的。

a. 基于检修里程的寿命评分规则。

对于目前没有失效规律的零部件,按照检修寿命进行评分:

$$S_{无规律} = 100 - 40 \times \frac{D_{current} - D'_{repair}}{D_{repair}} \qquad (6.13)$$

式中,D_{repair} 为检修里程;$D_{current}$ 为当前使用里程;D'_{repair} 为上一次检修时的里程。

b. 基于失效概率的寿命评分规则。

对于有确定失效规律的零部件,综合考虑失效概率得分与检修里程得分进行寿命评分:

$$S_{有失效} = \lambda_1 \times S_{失效概率} + \lambda_2 \times S_{检修寿命} \qquad (6.14)$$

式中,$S_{失效概率}$ 为失效概率得分;$S_{检修寿命}$ 为检修寿命得分,计算方法与上述全寿命零部件检修寿命计算方法相同;$\lambda_1 + \lambda_2 = 1$ 。

针对部分失效类零部件,可以通过统计同类零部件的故障发生情况,得到零部件在不同里程下的可靠度。可靠度的大小能够反映该里程下零部件出现故障的概率。

通过历史失效数据，得到零部件失效的概率密度函数，进而计算零部件的累计失效率：

$$F(x) = \int_0^x f(x)\mathrm{d}x \qquad (6.15)$$

式中，$F(x)$为零部件的累计失效率；$f(x)$为零部件失效的概率密度函数。

基于当前运行里程对指定里程的失效概率进行估计，计算公式为

$$P(d|D_0) = \frac{\Pr\{D_0 < l < D_0 + d\}}{\Pr\{l > D_0\}} = \frac{F(D_0 + d) - F(D_0)}{1 - F(D_0)} \qquad (6.16)$$

$$s = X - S_0 \qquad (6.17)$$

式中，$P(d|D_0)$为基于最近一次探伤时的里程，再次运行对应里程后的失效概率；D_0为最近一次探伤时的运行里程（万 km），包括 Z2 修、Z3 修；X为当前累计运行里程（万 km）；S_0为上次检修时的里程（万 km）；s为经检修后，再次使用的里程（万 km）。

失效概率得分：规定当零部件失效概率为 0 时，零部件得分为 100 分；当失效概率为 1 时，零部件得分为 60 分；由此进行非线性拟合打分。以车钩为例，其失效概率得分为

$$S_{车钩} = 100 - F(P(d|D_0)) = 100 + 95 \times (P(d|D_0))^4 - 262 \times (P(d|D_0))^3 \\ + 270 \times (P(d|D_0))^2 - 143 \times (P(d|D_0)) \qquad (6.18)$$

此类零部件包括钩舌、钩体、钩尾框、牵引杆，图 6.2 为零部件得分与其失效概率的关系曲线，失效概率越大，零部件得分越低。

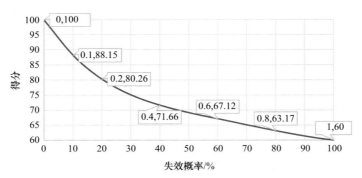

图 6.2　零部件得分与其失效概率关系曲线

检修寿命得分 $S_{检修寿命}$：计算规则与上述基于检修里程的寿命评分规则一致。

此处对 λ_1 和 λ_2 的取值进行讨论，以钩舌为例，如图 6.3 所示，可以看出，当考虑失效规律较低时，钩舌在进入 Z2 修、Z3 修、Z4 修时得分更低，更能体现即

将进入修程；考虑失效概率较高时，车辆运行里程与得分的规律性更明显；综合考虑两者，取 $\lambda_1 = 0.4$，$\lambda_2 = 0.6$。

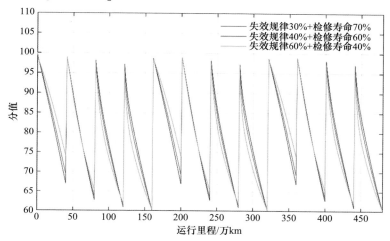

图 6.3　λ_1、λ_2 在不同取值下钩舌得分对比

2）基于零部件状态检测的扣分算法

对于状态检测，则由单 T 报警和预警情况进行扣分，包括利用 THDS、TADS 对轴承监测和故障预警；利用 TPDS、TWDS 对轮对的故障监测；利用 TFDS 监测，如滚动轴承甩油、闸瓦厚度超限、上拉杆窜出；利用多 T 分析，即 THDS、TPDS、TADS、TWDS、TFDS 对零部件的联合预警，进行提级处理和扣分。状态检测扣分设置上限，根据监测报警等级划分扣分等级，取各种监测设备最高扣分作为零部件状态检测扣分。

（1）THDS 扣分规则。

目前，基于 THDS 的轴承故障预警算法采用了一种滑窗累加的方法。滑窗累加法主要是选定车辆当前探测站的探测数据以及当前探测站之前一定数量的历史探测数据，对其进行数据分析，挖掘其中的故障特征，最终实现故障早期预警。

结合红外线轴温探测系统的报警结果（微热、强热、激热）和铁路货车轴承故障早期预警算法的预警结果（二级预警、一级预警），在经过每个探测站后，实时更新轴承的 THDS 扣分分值，具体扣分规则如表 6.2 所示。

表 6.2　THDS 扣分规则

预警等级	一级预警	二级预警	微热报警	强热报警	激热报警
扣分分值	5	10	15	50	100

其中，若连续 10 次预警或历史 30 次探测中 15 次预警，则升级至一级预警分值；若连续 15 次预警或历史 30 次探测中 20 次预警，则升级至微热报警分值。

（2）TPDS 扣分规则。

通过分析踏面损伤的监测数据以及列检现场反馈数据，发现大部分踏面损伤存在逐步发展的过程，因此 TPDS 扣分考虑踏面损伤累计值和最大报警等级两种条件。

条件 A：计算踏面损伤累计值，扣分分值见表 6.3。

表 6.3   TPDS 扣分条件 A

踏面损伤累计值	≤50mm	50～150mm	150～250mm	250～300mm	>300mm
扣分分值	5	10	15	20	30

条件 B：考虑最大报警等级，扣分分值见表 6.4。

表 6.4   TPDS 扣分条件 B

前 5 次探测中出现最大报警等级	三级	二级	一级
扣分分值	5	10	15

最终，取条件 A、B 中的较大值作为 TPDS 扣分分值。

（3）TADS 扣分规则。

在根据 TADS 检测数据制定轴承扣分标准时考虑如下几点因素：

① 报警等级高低。从 TADS 的报警机理考虑，报警等级越高证明该轴承故障特征越明显。

② 报警故障类型是否相同。每次报警的 TADS 系统给出的故障类型一致性越好，证明故障的可信度越高。否则，可认为故障的典型性不高或者存在误报可能。

③ 报警频率是否连续。报警的频率越高或出现连续报警则可认为故障的可能性越高。现有的 TADS 联网扣修标准为：轴承连续经过 3 次探测，3 次一级报警的；轴承连续经过 5 次探测，其中有 3 次一级报警的；轴承连续经过 6 次探测，其中有 3 次二级及以上报警的；轴承连续经过 8 次探测，其中有 5 次三级及以上报警的。以上情况均需要进行扣车检查。从现有的 TADS 联网扣修标准中也可以看出报警频率的重要性。

④ 历史报警情况。通过分析 TADS 报警案例可以看出从出现第一次报警到最后扣修之间往往存在较长的故障运行时间。因此，在对轴承进行状态评估时要考虑历史报警情况。

综合考虑以上制定了能够对轴承状态进行量化的评价函数，如下所示：

$$W(X_1, X_2, X_3, X_4) = \lambda_5(\lambda_1 X_1 + \lambda_2 X_2 + \lambda_3 X_3 + \lambda_4 X_4) \quad （6.19）$$

该评价函数考虑了 30 次探测的历史数据。首先对报警等级进行量化，一级报警记 4，二级报警记 2，三级报警记 1，公式中各个参数的意义如下：

W——轴承故障程度；

X_1——30 次探测中最大报警等级；

X_2——30 次探测报警等级之和；

X_3——30 次探测中占比最大报警类别所占百分比（注意是报警类别，即外圈、内圈和滚子，而非报警等级）；

X_4——30 次内最大连续报警次数 n，$X_4 = 2^n \times$最大报警等级（注意二级报警和三级报警连续也算连续报警）。

对轴承状态评价时，这四个指标的重要程度是不同的，根据经验采用 2：2：2：4 的权重分配。考虑 X_1、X_2、X_3、X_4 的取值范围和权重分配，取各项系数为 $\lambda_1 = 5$、$\lambda_2 = 2$、$\lambda_3 = 20$、$\lambda_4 = 3$、$\lambda_5 = 0.3$。将以上 4 个评价指标量化为相应的评价函数，根据评价函数结果对相应轴承进行扣分、报警。

（4）TFDS 扣分规则。

TFDS 对车辆运行状态检测具有重要作用。如果对列车运行状态进行量化评分，那么 TFDS 报警情况具有重要参考价值。通过对 TFDS 可发现的故障进行梳理，可将 TFDS 报警划分成三类：

① 报警代表零部件完全失效，如丢失、裂损、折断类。若出现此类报警，则应将该零部件得分归零。

② 报警代表零部件性能下降，保存部分功能，如弯曲、变形类。若出现此类报警，则应将该零部件适当扣分。

③ 报警代表零部件本身未故障，但其方位或配合关系存在问题，如窜出、方位不正。若出现此类报警，则应将该零部件所属大部件适当扣分。

对零部件的重要程度进行分析如下。

零部件重要度：

A——故障率较高，且出现故障需要紧急停车并回送检修车间修复；是决定修程的核心指标件。

B——故障率较低，对行车安全影响大、失效速率较慢，可现场处理或者延迟回送检修车间修复；是决定修程的重要零部件。

C——故障率不高，对行车安全影响较大，可现场处理或者延迟回送检修车间修复；是决定修程的一般零部件。

故障模式重要度：

1——故障率相对较高，危害相对较大。

2——故障率一般，危害一般。

3——故障率相对不高，危害相对较低。

结合零部件故障易发性和故障危害度分别对关键零部件故障进行打分，得到零部件失效模式评价专家打分结果，见表 6.5，分值为 1～4，1 表示故障常发生，故障严重；4 表示故障几乎不发生，故障危害度最低。打分过程中对 TFDS 可发现的故障扣分部位划分为三类，即车辆、大部件、零部件；扣分等级分为 30 分、20 分、10 分，规则为：

① 在车辆上进行扣分，属于影响行车安全且故障模式重要度为 1。

② 在大部件上进行扣分，属于影响车辆运用安全，且较为重要的故障类型。

③ 在零部件上进行扣分，属于影响零部件可靠性，且故障危害相对较低。

表 6.5　零部件失效模式评价专家打分表示意

大部件	零部件	故障名称	故障易发性 根据故障发生概率选填： 1（常发生） 2（较常发生） 3（偶尔发生） 4（几乎不发生）							故障危害度 根据危险严重性等级选填： 1（严重：严重影响行车安全，需立即拦停） 2（较严重：影响行车安全，需尽快维修） 3（中等：可容忍故障暂时存在，对行车安全影响较小，需安排维修） 4（轻度：危害度低，具有可替代性，短期内不影响行车安全）						
			专家1	专家2	专家3	专家4	专家5	专家6	专家7	专家1	专家2	专家3	专家4	专家5	专家6	专家7
转向架	摇枕	摇枕横裂纹	4	4	4	3	4	3	3	1	1	1	1	1	2	1
		摇枕纵裂纹	4	3	3	4	3	3	3	1	2	2	3	2	1	1
		摇枕斜楔摩擦面弯角处横裂纹	3	3	3	4	3	3	3	2	2	4	1	2	3	3
		摇枕斜楔摩擦面弯角处纵纹	3	3	3	4	3	3	3	2	2	2	2	3	3	3
		摇枕摇动座磨耗超限	3	3	3	3	3	3	3	2	3	3	2	3	3	3
		摇枕 A 部位裂纹	3	3	3	3	3	3	3	1	1	1	1	1	2	1
		摇枕 B 部位裂纹	3	3	3	3	3	3	3	1	1	1	1	1	2	1
	摇枕斜楔摩擦面磨耗板	斜楔摩擦面磨耗板裂损	3	2	3	3	3	2	2	2	3	4	3	2	3	3
		摇枕斜楔面磨耗板丢失	3	3	3	3	3	3	3	1	3	3	3	1	3	3

续表

大部件	零部件	故障名称	故障易发性 根据故障发生概率选填: 1（常发生） 2（较常发生） 3（偶尔发生） 4（几乎不发生）							故障危害度 根据危险严重性等级选填: 1（严重: 严重影响行车安全，需立即 拦停） 2（较严重: 影响行车安全，需尽快维修） 3（中等: 可容忍故障暂时存在，对行 车安全影响较小，需安排维修） 4（轻度: 危害度低，具有可替代性， 短期内不影响行车安全）						
			专家1	专家2	专家3	专家4	专家5	专家6	专家7	专家1	专家2	专家3	专家4	专家5	专家6	专家7
转向架	固定杠杆支点座	固定杠杆支点座裂纹	3	3	3	4	3	3	3	1	3	2	1	1	3	3
		固定杠杆支点座开焊	3	3	3	3	3	3	3	1	3	2	1	1	3	3
	固定杠杆支点座衬套	固定杠杆支点座衬套丢失	3	3	3	3	3	3	3	3	3	3	4	4	4	4
	下心盘	下心盘垫板破损	3	4	3	3	3	3	3	3	4	4	4	4	4	4
		下心盘螺栓折损	3	4	3	4	3	3	3	3	3	3	3	3	3	3
		下心盘螺栓松动	2	3	2	2	2	2	2	3	4	3	4	4	4	4
		下心盘螺栓丢失	3	4	3	4	3	3	3	2	3	3	2	3	4	3
		心盘中心销折损	4	4	4	4	3	3	3	1	1	3	1	1	3	3
		下心盘螺母丢失	3	4	3	4	3	3	3	2	3	3	2	3	4	3
		心盘磨耗盘磨耗超限	4	3	4	3	3	3	3	2	4	4	2	4	4	4
		心盘磨耗盘裂损	3	3	3	3	3	2	2	3	4	4	3	4	4	4

（5）TWDS 扣分规则。

TWDS 主要用于对踏面圆周磨耗的状态检测扣分，扣分范围为 0~30 分，扣分方式为线性扣分，如踏面圆周磨耗为 4mm 时扣 15 分。仅依据 TWDS 相关信息所得出的车轮得分 S 如下:

$$S = 100 - \min(30, 30 \times 0.125 \times M)$$

其中，M 为踏面圆周磨耗。

（6）联合预警扣分规则。

① THDS+TADS 联合预警扣分规则。

以时间范围 30 天内的 THDS、TADS 报警记录和预警记录为准，联合扣分分值如表 6.6 所示，例如，TADS 三级报警 1 次且 THDS 一级预警 1 次联合扣分 10分，TADS 二级报警大于 1 次且 THDS 微热报警联合扣分 28 分。

表 6.6　THDS+TADS 联合扣分规则

TADS ＼ THDS	一级预警	二级预警	微热报警	强热报警	激热报警
三级报警（1 次）	10	15	20	50	100
三级报警（>1 次）	13	18	23	50	100
二级报警（1 次）	16	21	26	50	100
二级报警（>1 次）	20	24	28	50	100
一级报警	20	25	30	50	100

② THDS+TPDS 联合预警扣分规则。

以时间范围 30 天内的 THDS、TPDS 报警记录和预警记录为准，联合扣分分值如表 6.7 所示，例如，TPDS 三级报警 1 次且 THDS 二级预警 1 次联合扣分 17分，TPDS 二级报警大于 1 次且 THDS 微热报警联合扣分 30 分。

表 6.7　THDS+TPDS 联合扣分规则

TPDS ＼ THDS	二级预警	一级预警	微热报警	强热报警	激热报警
三级报警（1 次）	17	20	23	50	100
三级报警（>1 次）	20	23	26	50	100
二级报警（1 次）	23	26	28	50	100
二级报警（>1 次）	26	28	30	50	100
一级报警	30	30	30	50	100

3. 案例分析

1）失效类零部件评分案例

对于基于检修里程进行寿命评分的零部件，以交叉杆为例，交叉杆的检修里程为 160 万 km，当运行里程为 62 万 km 时，得分为 84.5 分。得分与运行里程的关系如图 6.4 所示。

对于基于失效概率进行寿命评分的零部件，以钩舌为例，根据式（6.16）计算 16H 型钩舌的部分条件失效概率，结果见附录，表示在当前行驶里程（附录表格中的行方向）下，再行驶对应里程（附录表格中的列方向）时的失效概率。此处选取步长为 1 万 km，即将对应公里数以四舍五入的方法取整到万 km为单位。

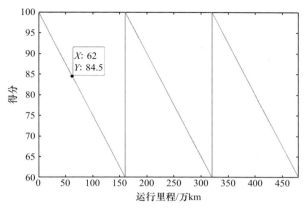

图 6.4　交叉杆得分与运行里程关系曲线

为了进一步阐述清楚，以一些特定里程下车钩得分作为说明：假设一辆车进行钩舌探伤的里程分别为 40 万 km、79 万 km、119 万 km，直到 160 万 km 时，寿命到限，在各次探伤时，均未发现裂纹等故障形式，通过查车钩条件失效概率表（见附录），进而计算车钩得分。

示例一：当运行里程为 10 万 km 时，因是新零部件，出发时没有发现裂纹等故障，则认为上次探伤里程为 0 万 km，因而查表：在 0 万 km 的列，再运行 10 万 km 的行，对应的失效概率为 0.03，则得分为

$$S_{钩舌1}=100-F(P(d|D_0))=100+95\times0.03^4$$
$$-262\times0.03^3+270\times0.03^2-143\times0.03=95.95(分)$$

示例二：当运行里程为 78 万 km 时，即将进行 Z2 修，且在前一个 Z2 修 40 万 km 时，未发现裂纹等故障，因而查表：在 40 万 km 的列中，再运行 38 万 km 的行，对应的失效概率为 0.48，则得分为

$$S_{钩舌2}=100-F(P(d|D_0))=100+95\times0.48^4$$
$$-262\times0.48^3+270\times0.48^2-143\times0.48=69.64(分)$$

示例三：当运行里程为 81 万 km 时，刚进行了 Z3 修，且在运行里程为 79 万 km 的探伤时，并未发现裂纹等故障，因而查表：在 79 万 km 的列，再运行 2 万 km 的行，对应的失效概率为 0.06，则得分为

$$S_{钩舌3}=100-F(P(d|D_0))=100+95\times0.06^4$$
$$-262\times0.06^3+270\times0.06^2-143\times0.06=92.34(分)$$

示例四：当运行里程为 118 万 km 时，即将进行 Z2 修，且在前一个 Z3 修 79 万 km 时，未发现裂纹等故障，因而查表：在 79 万 km 的列中，再运行 39 万 km

的行，对应的失效概率为 0.80，则得分为

$$S_{钩舌4} = 100 - F(P(d|D_0)) = 100 + 95 \times 0.80^4$$
$$- 262 \times 0.80^3 + 270 \times 0.80^2 - 143 \times 0.80 = 63.17(分)$$

示例五：当运行里程为 120 万 km 时，即刚进行完 Z2 修，且在运行里程为 119 万 km 的探伤时，并未发现裂纹等故障，因而查表：在 119 万 km 的列，再运行 1 万 km 的行，对应的失效概率为 0.06，则得分为

$$S_{钩舌5} = 100 - F(P(d|D_0)) = 100 + 95 \times 0.06^4$$
$$- 262 \times 0.06^3 + 270 \times 0.06^2 - 143 \times 0.06 = 92.34(分)$$

示例六：当运行里程为 160 万 km 时，进入报废阶段，但在前一个 Z2 修 119 万 km 时，未发现裂纹等故障，因而查表：在 119 万 km 的列中，再运行 41 万 km 的行，对应的失效概率为 0.95，则得分为

$$S_{钩舌6} = 100 - F(P(d|D_0)) = 100 + 95 \times 0.95^4$$
$$- 262 \times 0.95^3 + 270 \times 0.95^2 - 143 \times 0.95 = 60.57(分)$$

将上述六个示例整理在一个表格中，见表 6.8。

表 6.8　钩舌在不同运行里程下失效概率得分情况

运行里程/万 km	10	78	81	118	120	160
钩舌失效概率得分	95.95	69.64	92.34	63.17	92.34	60.57

因在 40 万 km、79 万 km、119 万 km 时，分别进行探伤时均未发现裂纹等故障，故在接近 79 万 km 探伤时机时，得分为 69.64 分，探伤结束，未发现故障，得分上升，在 81 万 km 时得分为 92.34 分；同理，在 118 万 km 探伤时机时，探伤前得分为 63.17 分，探伤结束，未发现故障，得分为 92.34 分；直到 160 万 km 时，寿命到限时，得分为 60.57 分。

2）TADS 扣分案例

为了验证评价函数对轴承状态的量化效果，利用部分案例进行验证，如表 6.9 所示，分别记录 7 个轴承近 30 次探测报警情况，包括报警类型和故障等级。根据式（6.19）轴承状态评价函数，能够分别计算出各轴承的扣分情况。轴承 7 报警的连续性和一致性较强，导致其扣分最多。

可以看出，情况各异的报警形式，经过轴承状态评价函数，能够得到对轴承质量的量化评价结果，为轴承和车辆状态的综合评分提供依据。

表 6.9　轴承报警情况分析

历史报警情况

序号	探测序号	1	2	3	4	5	6	7	8	9	10	11	12	13	14	15	16	17	18	19	20	21	22	23	24	25	26	27	28	29	30	扣分
1	报警类型					外圈			滚子										外圈						外圈		滚子			滚子	滚子	
	故障等级	0	0	0	0	3	0	0	2	0	0	0	0	0	0	0	0	0	2	0	0	0	0	0	3	0	2	0	0	2	2	20.8
2	报警类型		滚子								滚子																				滚子	
	故障等级	0	2	0	0	0	0	0	0	0	2	0	0	0	0	0	0	0	0	0	0	0	0	0	0	0	0	0	0	0	2	16.2
3	报警类型								滚子								滚子	滚子														
	故障等级	0	0	0	0	0	0	0	2	0	0	0	0	0	0	0	2	2	0	0	0	0	0	0	0	0	0	0	0	0	0	19.8
4	报警类型																					外圈		外圈		外圈		外圈				
	故障等级	0	0	0	0	0	0	0	0	0	0	0	0	0	0	0	0	0	0	0	0	3	0	3	0	3	0	3	0	0	0	11.7
5	报警类型			滚子		外圈		滚子						外圈	滚子												外圈					
	故障等级	0	0	2	0	3	0	2	0	0	0	0	0	3	2	0	0	0	0	0	0	0	0	0	0	0	3	0	0	0	0	18.6
6	报警类型													外圈								外圈	外圈	外圈					外圈	外圈		
	故障等级	0	0	0	0	0	0	0	0	0	0	0	0	2	0	0	0	0	0	0	0	3	3	3	0	0	0	0	2	3		21
7	报警类型																					外圈	外圈	外圈					外圈	外圈		
	故障等级	0	0	0	0	0	0	0	0	0	0	0	0	0	0	0	0	0	0	0	0	3	2	3	0	0	0	0	2	2		28.2

6.2.2　铁路货车车辆状态性能评分模型

1. 评分算法

为构建车辆、车列的评分模型，需要确定参与货车健康状态诊断的零部件。参与评分的零部件为所有全寿命零部件和有检测手段或失效规律的零部件。对于不同的零部件需要考虑不同的评分因素，如全寿命零部件的剩余寿命、使用寿命零部件的退化规律或失效概率分布情况、零部件技术状态检测情况等。装备健康状态评估是一个层次性评估，下一层的健康状态直接影响上一层的健康状态，上一层的健康状态是对下一层健康状态的综合。在进行装备健康状态评估时，要从被监测对象出发，从下到上依次进行健康状态评估。

为了清晰地表示车辆参与评分的零部件以及各零部件的评分要素，构建了综合评判层及分析图。车辆综合评分步骤如下。

1）建立递进层次结构

以货车状态修诊断模型为例，为了评价的准确性，将评价对象划分为车体（包括底架）、转向架、基础制动装置、空气制动装置、钩缓装置、轮轴六个大部件，为实现对铁路货车车辆健康状态的综合评价，需要了解不同零部件以及零部件不同失效形式对车辆健康状态影响程度的大小。并设置由零部件到大部件的二级权重系数，以及由大部件到车辆的一级权重系数。

确定参与评分的零部件包括所有全寿命零部件和有检测手段或失效规律的零部件，共 31 种零部件，对其权重进行评级打分，表 6.10 为全寿命零部件的寿命里程，表 6.11 为全寿命、使用寿命和易损零部件的适宜检修周期。

表 6.10　全寿命零部件的寿命里程

系统组成	零部件名称	寿命里程
车体	车体钢结构	480 万 km
	摇枕	480 万 km
	侧架	480 万 km
	车轴	480 万 km
	立柱磨耗板	320 万 km
	斜面磨耗板	320 万 km
	斜楔	320 万 km
	主摩擦板	160 万 km
	交叉杆 U/X 型弹性垫	12 年或 160 万 km
	交叉杆扣板（螺栓连接结构）	12 年或 160 万 km（随弹性垫报废）
转向架	卡入式滑槽磨耗板	160 万 km
	轴承	16 年或 160 万 km
	轴端螺栓	10 年
	轴向橡胶垫	6 年或 80 万 km
	轴箱橡胶垫	6 年或 80 万 km
	弹性旁承体	6 年或 80 万 km
	旁承磨耗板	6 年或 80 万 km

续表

系统组成	零部件名称	寿命里程
转向架	心盘磨耗盘	6 年或 80 万 km
	滑块磨耗套	6 年或 80 万 km
空气制动装置	制动软管连接器	6 年或 80 万 km
钩缓装置	牵引杆	480 万 km
	钩尾框	480 万 km
	缓冲器	480 万 km
	钩体	240 万 km
	钩舌（铸造）	160 万 km

表 6.11　全寿命、使用寿命和易损零部件的适宜检修周期

分类	系统组成	零部件名称	适宜检修周期
全寿命	车体	车体钢结构	160 万 km
	转向架	摇枕	160 万 km
		侧架	160 万 km
		车轴	160 万 km
		立柱磨耗板	160 万 km
		斜面磨耗板	160 万 km
		斜楔	160 万 km
		主摩擦板	160 万 km
		交叉杆 U/X 型弹性垫	160 万 km
		交叉杆扣板（螺栓连接结构）	160 万 km
		卡入式滑槽磨耗板	160 万 km
		轴承	80 万 km
		轴端螺栓	80 万 km
		轴向橡胶垫	80 万 km
		轴箱橡胶垫	80 万 km
		弹性旁承体	80 万 km
		旁承磨耗板	80 万 km

续表

分类	系统组成	零部件名称	适宜检修周期
全寿命	转向架	心盘磨耗盘	80 万 km
		滑块磨耗套	80 万 km
	空气制动装置	制动软管连接器	80 万 km
	钩缓装置	牵引杆	80 万 km
		钩尾框	80 万 km
		缓冲器	80 万 km
		钩体	80 万 km
		钩舌（铸造）	40 万 km
使用寿命	车体	撑杆组成	160 万 km
		车门组成	160 万 km
		拉杆	160 万 km
		制动杠杆	160 万 km
		控制杠杆	160 万 km
		制动主管	160 万 km
		制动支管	160 万 km
		链条组成	160 万 km
		滑轮座组成	160 万 km
		拉杆导架	160 万 km
		防脱导框	160 万 km
		滑轮组装	160 万 km
		手制动滑轮（XBLPA 型）	160 万 km
		钩尾框托板组成	160 万 km
		车钩安全托板	160 万 km
		车钩托梁组成	160 万 km
		支撑座	160 万 km
		支撑弹簧	160 万 km
		车钩提杆	160 万 km

续表

分类	系统组成	零部件名称	适宜检修周期
使用寿命	车体	车钩提杆座	160 万 km
		开钩框及开钩框座（16 型车钩）	160 万 km
		上旁承体	160 万 km
		上心盘	160 万 km
		心盘座	160 万 km
		冲击座	160 万 km
		前后从板座	160 万 km
		车辆标签	160 万 km
		缓解阀拉杆	40 万 km
	转向架	上、下交叉杆组成	160 万 km
		交叉杆扣板（铆接结构）	160 万 km
		支撑座	160 万 km
		支点座	160 万 km
		制动杠杆	160 万 km
		中拉杆	160 万 km
		弹簧	160 万 km
		横跨梁组成	160 万 km
		制动梁组成	80 万 km
		承载鞍	80 万 km
		前盖	80 万 km
		后挡	80 万 km
		旁承座	80 万 km
		旁承滚子及滚子轴	80 万 km
		交叉杆端头螺栓	80 万 km
		车轮	40 万 km
		下心盘	40 万 km
		挡键	40 万 km

分类	系统组成	零部件名称	适宜检修周期
使用寿命	空气制动装置	防盗罩	160 万 km
		不锈钢组合式集尘器	160 万 km
		球芯塞门	160 万 km
		制动缸	160 万 km
		储风缸	160 万 km
		脱轨自动制动阀	160 万 km
		手制动机	160 万 km
		闸瓦间隙自动调整器	160 万 km
		120/120-1 阀	40 万 km
		KZW-A 阀	40 万 km
	钩缓装置	钩锁	80 万 km
		上锁销组成	80 万 km
		下锁销组成	80 万 km
		钩尾销托	80 万 km
		钩舌推铁	80 万 km
		从板	80 万 km
		钩尾销	80 万 km
		转动套	80 万 km
易损	车体	金属磨耗板	160 万 km
		调整垫板	160 万 km
		搭扣	160 万 km
		圆销	160 万 km
		绳栓	160 万 km
		牵引钩	160 万 km
		紧固件	160 万 km
		车钩止挡铁	160 万 km
		制动管吊	160 万 km

续表

分类	系统组成	零部件名称	适宜检修周期
易损	车体	高强螺栓（车钩托梁、钩尾框托板、安全托板和撑杆处螺栓）	160 万 km
		拉铆钉	160 万 km
		拉铆销	160 万 km
		拉簧	160 万 km
		衬套	160 万 km
		非金属磨耗板	40 万 km
		扶手	40 万 km
	转向架	磨耗垫板	160 万 km
		调整垫板	160 万 km
		衬套	160 万 km
		圆销	160 万 km
		拉铆销	160 万 km
		折头螺栓	160 万 km
		锁紧板	80 万 km
		双耳垫圈	80 万 km
		安全索	80 万 km
		施封锁	40 万 km
		防松片	40 万 km
		螺栓（挡键）	40 万 km
		标识板	40 万 km
		闸瓦	5 万 km
	空气制动装置	压紧式快装管接头	160 万 km
		法兰接头	160 万 km
	钩缓装置	防跳插销	80 万 km
		钩舌销	80 万 km

2）确定评价的因素集及评语集

根据 C80 车辆结构，并结合从 HMIS 零部件失效编码中筛选得到的零部件主要失效形式，划分了车辆-大部件-零部件-失效形式的四级层级关系，制作零部件故障危害度评价表，用于评价某一零部件对大部件的影响程度。

对于货运列车零部件的评价，经由多位专家按故障易发性和故障危害度两个指标分别对 7 个装置的零部件进行评价打分。专家咨询的本质在于把专家渊博的知识和丰富的现场经验，通过对众多相关因素的比较，转换成决策所需要的有用信息。根据严重程度，将零部件故障易发性和故障危害度分为四种不同的等级。针对转向架，打分结果见表 6.12，7 位行业内专家对转向架中每个零部件评级，实现故障模式、影响和危害性分析。

表 6.12　专家打分表（转向架）

转向架	故障易发性 根据故障发生概率选填： 1（常发生） 2（较常发生） 3（偶尔发生） 4（几乎不发生）							故障危害度 根据危险严重性等级选填： 1（严重：严重影响安全，需立即拦停） 2（较严重：影响行车安全，需尽快维修） 3（中等：对行车安全影响较小，需安排维修） 4（轻度：危害度低，具有可替代性，短期内不影响行车安全）						
零部件	专家1	专家2	专家3	专家4	专家5	专家6	专家7	专家1	专家2	专家3	专家4	专家5	专家6	专家7
斜楔	3	3	4	3	3	3	3	1	3	4	2	2	2	3
组合式斜楔尼龙主摩擦板	3	3	3	3	3	3	3	3	2	3	4	3	2	3
摇枕	4	4	4	4	4	3	3	1	2	2	1	1	1	1
摇枕斜楔摩擦面磨耗板	3	3	4	3	3	2	2	2	4	4	2	2	4	4
固定杠杆支点座	4	4	3	3	3	3	4	3	3	3	1	1	1	4
固定杠杆支点座衬套	4	3	4	3	4	3	3	3	4	4	3	3	4	4
下心盘	4	4	4	3	3	3	4	1	2	4	2	1	4	2
心盘磨耗盘	3	3	4	3	3	3	3	4	3	4	4	2	4	4
侧架	4	4	4	4	4	3	3	1	2	2	1	1	1	1
侧架立柱磨耗板	3	3	3	3	3	3	3	1	3	4	4	2	2	3
侧架立柱磨耗板螺栓	3	3	3	3	3	3	3	1	3	4	3	2	2	3
制动梁滑槽磨耗板	2	2	3	3	3	3	3	1	4	4	4	2	2	3
支撑座	4	3	4	4	3	3	4	1	3	3	2	1	1	2

3）构造判断矩阵

确定各零部件的等级后即可构造判断矩阵，为了使决策判断定量化，常根据一定的比例标度将判断定量化。构造判断矩阵的方法是一致矩阵法，即不把所有因素放在一起比较，而是两两相互比较；判断矩阵 x_{ij} 的标度及其含义见表 6.13。

表 6.13　判断矩阵标度及其含义

标度	含义
1	表示两个因素相比，具有同样重要性
3	表示两个因素相比，一个因素比另一个因素稍微重要
5	表示两个因素相比，一个因素比另一个因素明显重要
7	表示两个因素相比，一个因素比另一个因素强烈重要
9	表示两个因素相比，一个因素比另一个因素极端重要
2,4,6,8	上述两相邻判断的中值
倒数	因素 i 与 j 比较的判断为 x_{ij}，则因素 j 与 i 比较的判断为 $x_{ji}=1/x_{ij}$

称 a_{ij} 组成的矩阵为正的互反矩阵。然而分级太多会超越人们的判断能力，既增加了判断的难度，又容易因此而提供虚假数据，一般地，进行 $n-1$ 次两两判断是必要的。以专家 7 对转向架打分为例，经过处理，得到判断矩阵见表 6.14。

表 6.14　判断矩阵（转向架）

a_{ij}	A_1	A_2	A_3	A_4	A_5
A_1	1	1/6	1	1/4	1/6
A_2	6	1	6	4	1
A_3	1	1/6	1	1/4	1/6
A_4	4	1/4	4	1	1/4
A_5	6	1	6	4	1

4）采用和积法计算各部件的权重作为层间评分系数

计算得到判断矩阵后，对其按列进行归一化处理：

$$\bar{a}_{ij} = \frac{a_{ij}}{\sum\limits_{i=1}^{n} a_{ij}}, \quad i,j = 1,2,\cdots,n \qquad (6.20)$$

计算权重向量：

$$w_i = \frac{\sum\limits_{i=1}^{n} \overline{a}_{ij}}{n}, \quad i = 1, 2, \cdots, n \qquad (6.21)$$

按以上公式得到最终的权重向量，即可通过各个专家对零部件的打分得出每个零部件在大部件下的权重值。

然后，对结果进行一致性检验，一致性指标的计算过程见式（6.1）和式（6.3）。若 CR < 0.10，则判断矩阵的一致性可以接受；若 CR > 0.10，则认为判断偏离一致性过大，排序权重作为决策依据将出现问题。此时一般有两种处理方法：①要求专家重新对原问题进行判断打分；②对判断矩阵进行调整，使其满足判断一致性。

对于第一种处理方法，当影响问题的因素较多时，要给出满足一致性的判断矩阵是比较困难的，因此即使经过专家多次重复打分，仍然未必能得到满足一致性的判断矩阵。所以目前多采用第二种处理方法，如手工调整法、灵敏度分析法、迭代法、对数最小二乘法、最优传递矩阵法等[7]。但是这些方法都存在相同的问题，经过一致性调整后，专家的初始判断矩阵信息会丢失，故不能反向推导出各专家准确的初始判断矩阵信息，并衡量调整后矩阵的可信度（能否代表专家意见），因而造成了这些矩阵一致性调整方法的实用性不高。

因此，需要通过初始判断矩阵 A 计算得到其排序权重向量 w，再由 w 构造一个完全一致性矩阵 B，然后将 A 和 B 进行线性叠加生成矩阵 C，计算 C 的权重向量 w*，对矩阵 C 进行一致性检验，若矩阵 C 不满足一致性要求，则用矩阵 C 替换 A，重复上述过程，直到得到的矩阵 C 满足一致性要求。

5）灰度关联法调整各位专家评分的可靠性

灰度关联法，是将因素之间发展趋势的相似或相异程度，即灰色关联度作为衡量因素间关联程度的一种方法。

本次计算以各专家对大部件下具体部位的平均评价打分作为参考值，分析各个评价打分对该参考值的关联程度从而合理分配各个专家评价的权重。

6）专家打分

由专家对计算出的最终权值进行合理性评判，结合各零部件的得分与权重，计算上一层级的得分。

逐层向上计算得到零部件、大部件、车辆的得分后，进行总的判断一致性检验，即对零部件、大部件的相对权重以及整个递阶层次模型的判断一致性进行检验，即可最终得到车辆大部件及零部件权值表。

2. 案例分析

车辆评分的本质是根据每层级中各部分得分和权重，并减去提级扣分项，逐层向上计算得到车辆得分，依据综合评分计算得到各零部件权重值，并得到车辆寿命得分与运行里程的关系曲线，如图 6.5 所示。由图可以看出，分数可以在一定程度上区分 Z2 修、Z3 修和 Z4 修。

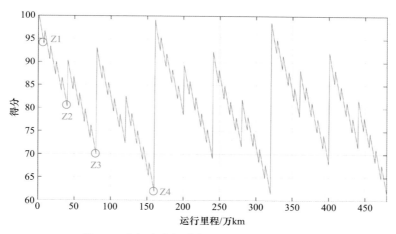

图 6.5　车辆寿命得分与运行里程的关系曲线

通过对图 6.5 进行分析可以看出每进行一次修程，车辆寿命得分均会上升。对于不同里程下进入各修程的车辆，在不考虑状态检测扣分的情况下，车辆得分见表 6.15。

表 6.15　各修程下的车辆得分

修程里程/万 km	Z2 修（Z3 修之前）	Z3 修	Z2 修（Z3 修之后）	Z4 修
0~160	80.91	71.05	73.27	62.96
160~320	78.68	69.47	71.74	61.76
320~480	77.72	67.72	71.44	61.56

通过表 6.15 可以看出，在 Z3 修之前的 Z2 修，其寿命得分均在 80 分左右，Z3 修之后的 Z2 修分数均在 71 分左右，Z3 修均在 69 分左右，Z4 修在 61 分左右，因此在不考虑状态检测扣分的情况下，通过寿命得分可初步判定车辆该进行何种修程。

6.2.3　铁路货车车列状态性能评分模型

1. 评分算法

基于车辆评分模型构建车列评分模型，并综合考虑列车中各车辆得分分布、距下次修程剩余里程等因素计算车列得分，如图 6.6 所示。

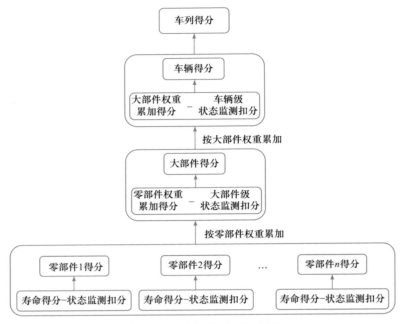

图 6.6　车列评分模型示意图

首先通过零部件寿命得分和状态监测扣分计算可得到零部件得分，各零部件得分经过零部件权重加成后与大部件级状态监测扣分可计算得到大部件得分，各大部件得分经过大部件权重加成后与车辆级状态监测扣分计算可得到最终的车列得分。车列得分 S 用公式可表示为

$$S_{车列} = \lambda_1 \times \left(\frac{X_1}{L_1} \times 40 + 60 \right) + \lambda_2 \times \left(\frac{X_2}{L_2} \times 40 + 60 \right) + \lambda_3 \times \bar{X} - 2\sigma \quad （6.22）$$

式中，$\lambda_1 + \lambda_2 + \lambda_3 = 1$，本次修程为 Z1 修时 $\lambda_2 = 0$，本次修程为 Z2 修时 $\lambda_1 = 0$；X_1 为距本次 Z1 修的剩余里程；X_2 为距本次 Z2 修的剩余里程；L_1 为 Z1 修的规定里程；L_2 为 Z2 修的规定里程；$\bar{X}$ 为车列中所有车辆得分的平均得分；σ 为车列中所有车辆得分的标准差。

2. 案例分析

取 $\lambda_1 = 0.8$，按照上述车列状态性能评分模型对 2 号试验列、7 号试验列、8 号试验列进行打分，它们的检修信息见表 6.16，得分结果见表 6.17。

表 6.16　试验列检修信息

试验列编号	车型	大纲扣车要求	实扣小列号	生产日期范围		上次厂修	上次段修		整备日期
2	C80	段修后 12 个月	8549	2014 0425	2014 0730		2018 0511	2018 0512	2019 0506
7	C80	接近第 3 次段修	8315	2013 0428	2013 0620	未做	2017 0426	2017 0502	2019 0522
8	C80		8223	2013 0228	2013 0627		2017 0422	2017 0423	2019 0508

表 6.17　试验列得分结果示意表

试验列编号	2		7		8	
编组时间	20190508		20190524		20190510	
小列号	8549		8315		8223	
转动端	后		前		后	
序号	车号	分数	车号	分数	车号	分数
1	0015189	78.025	0044574	75.980	0039635	74.287
2	0015190	79.934	0044575	75.204	0039636	75.129
3	0016447	81.349	0081153	75.279	0044208	75.885
4	0016448	81.431	0081154	75.186	0044209	75.168
5	0021885	78.683	0081743	74.970	0081839	76.470
6	0021886	81.428	0081744	73.965	0081840	77.404
7	0022151	79.328	0081745	74.529	0083295	74.857
8	0022152	78.654	0081746	76.986	0083296	76.580
9	0022847	78.864	0081747	76.215	0083303	76.553
10	0022848	82.234	0081748	74.751	0083304	73.461
11	0025311	79.087	0081751	76.062	0083331	76.223
12	0025312	81.010	0081752	75.600	0083332	—
13	0025317	78.256	0081755	76.376	0083671	76.385
14	0025318	78.089	0081756	73.322	0083672	75.020
15	0025319	78.890	0081757	74.945	0083865	75.794
16	0025320	80.227	0081758	73.466	0083866	—
17	0025443	79.869	0081759	74.530	0083891	76.804
18	0025444	79.817	0081760	76.201	0083892	76.495
19	0025525	78.712	0081763	76.817	0084443	77.309
20	0025526	79.039	0081764	75.164	0084444	76.743
21	0025797	78.707	0081765	75.347	0084445	76.018

续表

试验列编号	2		7		8	
编组时间	20190508		20190524		20190510	
小列号	8549		8315		8223	
转动端	后		前		后	
序号	车号	分数	车号	分数	车号	分数
22	0025798	81.461	0081766	75.022	0084446	75.247
23	0025801	79.984	0081767	74.153	0084447	—
24	0025802	80.336	0081768	74.087	0084448	76.535
25	0025805	81.530	0081769	73.685	0084449	75.926
26	0025806	78.302	0081770	75.928	0084450	73.577
27	0025813	79.763	0081771	76.726	0084457	72.832
28	0025814	79.111	0081772	76.891	0084458	72.189
29	0025889	80.925	0081773	75.969	0084459	76.518
30	0025890	78.615	0081774	75.689	0084460	—
31	0025891	77.047	0081775	—	0084461	75.280
32	0025892	79.704	0081776	75.675	0084462	74.571
33	0025895	79.408	0081777	76.138	0084463	76.319
34	0025896	80.149	0081778	77.780	0084464	76.444
35	0025897	81.600	0081779	75.632	0084465	76.095
36	0025898	79.695	0081780	—	0084466	74.510
37	0025899	80.685	0081781	76.087	0084467	73.449
38	0025900	80.667	0081782	74.912	0084468	73.308
39	0025907	81.324	0081783	76.002	0084471	74.757
40	0025908	79.958	0081784	73.779	0084472	74.633
41	0025917	82.461	0081787	76.996	0084473	76.360
42	0025918	78.470	0081788	76.532	0084474	76.460
43	0025919	78.157	0081845	75.088	0084479	72.591
44	0025920	79.724	0081846	76.454	0084480	73.446
45	0025921	79.347	0081877	75.748	0084481	76.478
46	0025922	80.280	0081878	74.890	0084482	76.205
47	0025923	78.409	0083261	74.397	0084483	75.828
48	0025924	79.162	0083262	75.670	0084484	76.745
49	0025929	79.596	0083429	72.931	0084485	76.111
50	0025930	77.772	0083430	75.112	0084486	76.688

续表

试验列编号	2		7		8	
编组时间	20190508		20190524		20190510	
小列号	8549		8315		8223	
转动端	后		前		后	
序号	车号	分数	车号	分数	车号	分数
51	0025931	79.864	0083659	—	0084487	75.213
52	0025932	79.809	0083660	75.751	0084488	76.231
53	0025935	80.515	0083805	—	0084491	75.858
54	0025936	80.210	0083806	75.900	0084492	76.094
平均值	79.735		75.410		75.502	
标准差	1.195		1.042		1.275	
车列得分	73.903		70.792		70.476	

对表 6.16 和表 6.17 的结果进行分析，得到以下结论。

车辆平均得分：2 号试验列的平均得分比 7 号试验列、8 号试验列高，因为 2 号试验列的生产日期和上次段修时间均比 7 号试验列、8 号试验列晚一年的时间，所以 2 号试验列车辆得分均比 7 号试验列、8 号试验列高。

车辆得分分散性：图 6.7 是 2 号试验列、7 号试验列、8 号试验列的车辆得分图，各车辆间得分存在差异是由于各车辆的零部件使用里程、闸瓦的分布情况、车轮的磨耗情况不同，对各车列的得分分布情况进行统计，结果如图 6.8 所示。

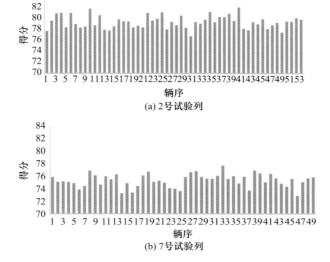

(a) 2 号试验列

(b) 7 号试验列

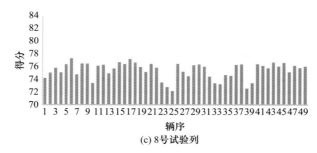

(c) 8号试验列

图 6.7 车辆得分情况

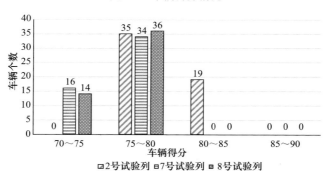

图 6.8 各列车辆得分分布情况

由图 6.8 可知,三辆车得分大部分集中在 75～80,从区间分布数量可以看出,2 号试验列分数的分布最为均匀,而 8 号试验列分数的分布最为分散。

6.3 铁路货车状态修修程判别模型

6.3.1 修程判别总体模型

根据车辆健康状态参数,即零部件剩余寿命参数和多 T 监测数据来判断修程。对于多 T 监测数据,当多 T 发生预警或报警未达到立即拦停的标准时,在列检处进行检查、继续跟踪,当报警达到拦停和扣车标准时,车列进入在线修或摘车临修。对于零部件剩余寿命参数,主要考虑闸瓦、轮对,以闸瓦批量到限作为进入 Z1 修的主要指标,同时考虑车体破损和关门车;以轮对检修作为进入 Z2 修、Z3 修的主要指标,同时考虑轴承、制动阀、钩缓、钩舌等零部件检修周期到限和部分全寿命零部件寿命到限;以大部件批量达到检修周期和零部件批量到限作为进入 Z4 修的主要指标。当有个别车辆的闸瓦到限时,进入列检更换,当有个别轮对需要更换时,扣车进入在线修或摘车临修。修程整体判定流程如图 6.9 所示。

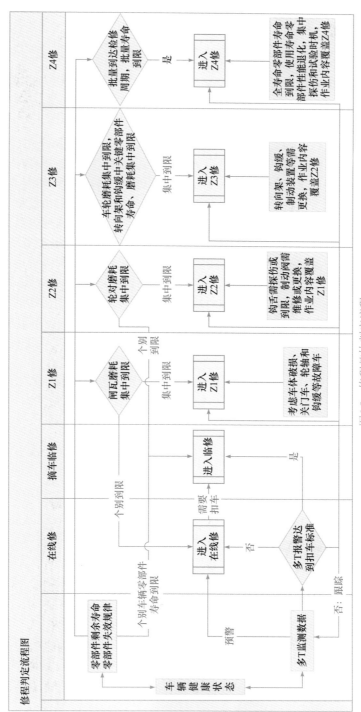

图6.9　修程整体判定流程

6.3.2　各级修程判定方法

1. Z1 修判定方法

以闸瓦批量到限作为进入 Z1 修的主要指标。为体现车列闸瓦的整体磨耗情况，根据闸瓦磨耗规律，在不同行驶里程下仿真闸瓦整体磨耗情况，为了对 Z1 修时机是否合理进行评价，定义了两个指标，即临修率和更换率。

临修率：在进行 Z1 修之前由列检更换的闸瓦比例，用来反映列检工作量。

更换率：在进行 Z1 修时达到更换条件的闸瓦比例，用来反映集中更换效果。

在不同里程进行 Z1 修时，闸瓦更换率和临修率也不相同，如图 6.10 所示，图 6.10 中的两条线分别表示 Z1 修闸瓦更换范围设定为 20～35mm 时不同 Z1 修里程下的临修率和更换率。表 6.18 为不同运行里程下进行 Z1 修时更换 20～35mm 闸瓦的临修率和更换率。从仿真结果中可以看出，6 万 km 开始出现闸瓦磨耗过限。若以闸瓦厚度小于 20mm 即进行列检更换，则到 8 万 km 时的临修率达到 23.8%，到 9 万 km 时的临修率达到 45.2%，10 万 km 时临修率达到 65.9%，临修率具体变化趋势如图 6.10 所示。合适的 Z1 修时机既要保证同批更换的闸瓦比例不能太低，又要保证临修的工作量不能太大，因此需要根据现场生产实际确定可以承受的临修工作量，结合更换比例确定最优的 Z1 修时机，进而确定 Z1 修剩余里程。

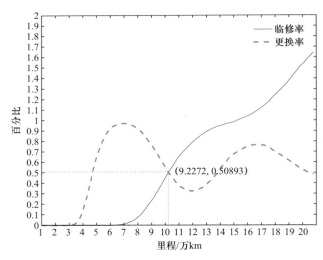

图 6.10　车列闸瓦磨耗 20～35mm 比例曲线

表 6.18　不同 Z1 修时机下更换 20～35mm 闸瓦的临修率和更换率

里程/万 km	临修率/%	更换率/%
0	0	0
1	0	0

里程/万 km	临修率/%	更换率/%
2	0	0
3	0	15.1
4	0	65.9
5	0	92.5
6	1.3	97
7	8	91.7
8	23.8	76.2
9	45.2	55.3
10	65.9	37.6
11	79.7	32.7
12	89.4	38.8
13	95	54
14	98.7	68
15	104.3	75.2
16	112.4	76.5
17	124.7	70.1
18	138.2	61.6
19	153.4	53
20	166.9	48.5

因此，Z1 修判定需考虑以下几个方面：

（1）考虑到闸瓦磨耗的分散性与实际检修能力，设定到限比例阈值，并根据实时监测的闸瓦磨耗数据计算闸瓦磨耗到限比例；

（2）结合实时发生并监测到的关门车、车体破损、轮轴系统报警的车辆数，计算闸瓦磨耗超限比例、关门车比例、车体破碎比例、轮轴系统报警比例；

（3）通过与设定的到限比例阈值比较，对集中到限时机进行预测，进而判定是否进入 Z1 修。

闸瓦磨耗到限比例为

$$P_{\text{闸瓦}} = \frac{\text{Num}(S > S_{\text{warning}})}{\text{Num}(\text{全列闸瓦数})}$$

式中，S 为某闸瓦当前使用里程；S_{warning} 为建议更换里程。

关门车比例为

$$P_{\text{关门车}} = \frac{\text{Num}(\text{关门车辆数})}{\text{Num}(\text{总辆数})}$$

车体破损比例为

$$P_{车体破损} = \frac{\text{Num(车体破损辆数)}}{\text{Num(总辆数)}}$$

轮轴系统报警比例为

$$P_{闸轴系统报警} = \frac{\text{Num(TA+TP+TH报警辆数)}}{\text{Num(总辆数)}}$$

当 $P_{闸瓦} + P_{关门车} + P_{车体破损} + P_{轮轴系统报警} \geqslant P$ 时，车列进入 Z1 修，其中，P 为到限比例阈值。

2. Z2 修判定方法

由于各车轮的差异性，车轮的磨耗速率不同，导致各车轮的状态参数不同，因此经过一次段修期后，车轮磨耗情况具有较强的分散性。个体差异随着运行里程的增加越来越明显，因此需结合建议的维修限度、车轮磨耗情况的整体分布和个体超限情况来决定进入 Z2 修的时机。

Z2 修主要集中检修轮对，并且模型以车轮参数集中达到设定的阈值带作为进入 Z2 修的主要依据，因此针对 Z2 修，提出基于检修限值和到限比例的集中维修时机预测算法。基于检修限值对一列车中各车轮剩余寿命进行实时预测，基于到限比例确定集中维修时机。

除了考虑车轮检修参数的集中到限情况，包括踏面圆周磨耗、轮缘厚度、轮辋厚度、轮径差，以及踏面剥离、擦伤等，同时还要考虑闸瓦到限，如车轴、钩舌探伤周期，约束条件较多，因此判别模型需要综合多个因素预测和调整 Z2 修的里程及时间。Z2 修判定依据如图 6.11 所示，即考虑车轮状态检测参数及闸瓦磨耗是否达到集中到限的阈值，同时考虑不能超过零部件探伤里程。

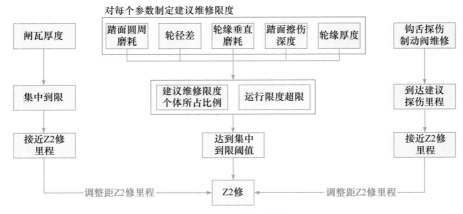

图 6.11　Z2 修判定依据

结合经济性分析，设置一个进入 Z2 修条件的车辆比例阈值带和允许的最大扣修比例，尽量减少扣修车。并结合探伤阈值和闸瓦寿命里程，对进入 Z2 修剩余里程的预测值进行动态调整。

3. Z3 修判定方法

Z3 修涵盖 Z2 修的检修内容，因此在根据车轮、闸瓦、钩舌探伤、制动阀检修判断 Z2 修里程的基础上，结合转向架、钩缓装置、制动装置等零部件的寿命及检修里程，取较小值作为 Z3 修里程。Z3 修判定依据如图 6.12 所示，即考虑车轮状态检测参数是否达到集中到限的阈值，同时考虑全寿命零部件的寿命里程、使用寿命零部件的探伤里程、闸瓦的集中到限里程，并根据实际 Z1 修里程进行动态调整。

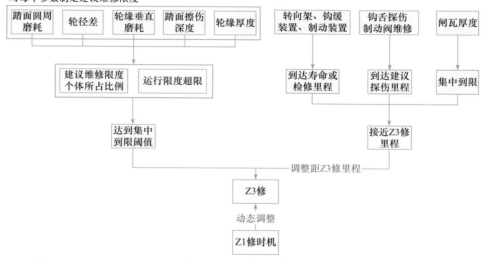

图 6.12　Z3 修判定依据

4. Z4 修判定方法

Z4 修判定的依据具体包括以下四点：

（1）斜楔、侧架、立柱磨耗板、斜面磨耗板等全寿命零部件寿命里程批量到限；

（2）摇枕、侧架、上交叉杆、下交叉杆等部件探伤时机；

（3）结合历次 Z2 修、Z3 修整备修实际维修里程，以及当前轮对健康状态决定 Z4 修时机；

（4）根据 Z1 修里程对 Z4 修进行动态调整。

S_last_z4 为上次 Z4 修程之后的运行里程，当 130km<S_last_z4<170km 时，

动态调整示意图如图 6.13 所示，即下一修程是 Z1 修或 Z4 修。

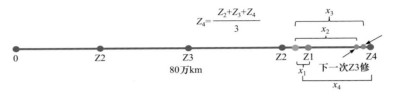

$$Z_4 = \frac{Z_2 + Z_3 + Z_4}{3}$$

图 6.13　130km<S_last_z4<170km 示意图

　　具体判断方法如表 6.19 所示，其中，x_1 表示 Z1 修剩余里程，x_2 表示 Z2 修剩余里程，x_3 表示 Z3 修剩余里程，x_4 表示 Z4 修剩余里程，绿色点是当前行驶里程，红色点是预测 Z1 修至 Z4 修里程，蓝色点是动态调整后里程。当预测下次 Z4 修比 Z1 修里程晚 4km 及以上时，则下一修程是 Z1 修；当预测下次 Z4 修比 Z1 修里程晚 4km 以内，则将两个修程合并，且下一修程是 Z1 修；若预测下次 Z4 修比 Z1 修里程早，则将 Z4 修延后，与 Z1 修合并。

表 6.19　Z4 修动态调整方法

条件		动态调整	示意图
$x_4 - x_1 \geqslant 4\text{km}$		下一修程是 Z1 修	
$0 \leqslant x_4 - x_1 < 4\text{km}$		Z4 修与 Z1 修合并，挪到 Z1 修	
$x_4 - x_1 < 0$	$S + x_1 < 162\text{km}$	将 Z4 修合并到 Z1 修	
	$S + x_1 \geqslant 162\text{km}$	将 Z4 修挪到 162 万 km 处	

　　注：若 Z4 修里程>162km，则 Z4 修里程为 162 万 km 处。

参 考 文 献

[1] 郑伟. 基于 FMECA 分析的地铁车辆检修工艺改善及故障统计分析系统的研发[D]. 成都: 西南交通大学, 2011.

[2] 许树柏. 实用决策方法: 层次分析法原理[M]. 天津: 天津大学出版社, 1988.

[3] 赵静. 数学建模与数学实验[M]. 北京: 高等教育出版社, 2000.

[4] 郭金玉, 张忠彬, 孙庆云. 层次分析法的研究与应用[J]. 中国安全科学学报, 2008, 18(5): 148-153.

[5]　高磊. 灰色关联法在第七采油厂土壤环境评价中的应用[J]. 吉林农业, 2013, (6): 160.

[6]　冯宝, 高雪, 龚亮亮. 电力无线通信系统中基于灰度关联层次分析的异构网络选择算法[J]. 电子设计工程, 2018, 26(10): 35-40.

[7]　郭亚军. 综合评价理论、方法及拓展[M]. 北京: 科学出版社, 2012.

第7章

铁路货车状态修信息化基础建设与构成

7.1 铁路货车状态数据与信息流

货车状态修过程中，无论是基于全寿命周期从历史海量数据中挖掘车辆及零部件的失效规律，还是对车辆及零部件状态值的动态监测，抑或是对新流程、新工艺的控制，都无法靠人工计算或检查的方式来实施。通过信息化手段，积累和存储大量的实际应用信息数据，以求获取货车零部件演化退变规律，不断修订和建立最经济有效的检修工艺流程和检修模式，包括列车检修时机、零部件可靠性、车辆检修范围及修理等级、零部件运用限度和报废限度等。因此，状态修的实施离不开信息化，必须依靠信息化手段来实时监测、自动判别、动态预警和智能控制。在状态修的道路上，信息化必须随行。

7.1.1 铁路货车状态数据及其分类

数据的生命周期一般从数据产生开始，经历采集、存储、建模、分析、变现五个阶段。如果不去定义数据，就无法采集它；无法采集它，就无法分析它；无法分析它，就无法衡量它；无法衡量它，就无法控制它；无法控制它，就无法管理它；无法管理它，就无法利用它。所以对数据进行获取、梳理、定义，明确数据类型与来源是一切数据管理的前提。

1. 货车状态数据

状态修模式的实施，主要依赖于信息系统为其提供实时有效的货车状态数据。而状态修信息系统包含既有系统和新研发系统数据流的支持，其中既有系统包括货车技术管理信息系统（HMIS）、监测系统、车号自动识别系统（ATIS）和运输管理系统等，新研发系统包含车辆及零部件走行里程系统、零部件全寿命周期管理系统、零部件状态动态检测系统等。

1）既有系统数据流

（1）HMIS 数据流。

HMIS 主要采集在线修、整备修、全面修等状态修所需的生产数据。在线修数据流主要包含列车技术检查信息、车辆检修通知信息、检车员工作记录、检修车回送信息、前次定检信息、典型故障明细、制动故障关门车明细、擦伤车故障明细、大件修和小件修基本信息和故障信息、运用工作报表等检修数据；整备修数据流主要包含预检信息、制订修车日计划、车体检修信息、钩缓信息、轮轴信息、转向架信息、单车试验信息、检修车整体落成记录、车号标签核对情况、车辆修竣通知单记录、通知交付信息和整备修工作报表等检修数据；全面修数据流主要包含检修车登记记录、入厂鉴定信息、车体检修信息、钩缓信息、轮轴信息、转向架信息、制动装置信息、车号标签核对记录、油漆标记信息、检修车落成记录、车辆修竣通知单记录、货车出入厂报告等检修数据。

（2）监测系统数据流。

监测系统信息报文主要由列车基本信息、报警信息组成。列车基本信息主要包含探测站名称、列车通过时间、车次、运行方向、平均速度、编组辆数、编组位数、车种/车型/车号、铁路货车标签安装位置判别、列车中铁路货车的总轴承数等数据信息；报警信息主要有热轴报警信息、车轮踏面损伤报警信息、超偏载报警信息、运行品质报警信息等故障信息。

（3）ATIS 数据流。

货车途经各装有 ATIS 的车站、驶入驶出车辆段时，车号自动识别系统采集的货车基本信息包括车号、属性、车种/车型、换长、制造厂、制造年月及驶入/驶出时间等车辆信息。

（4）运输管理系统数据流。

运输管理系统对货车运行管理情况进行实时采集，获取列车的固定编组、运行计划、实时分布、重空状态、车流方向、编组车次、编组辆数、车号、辆序等运输信息数据。

2）新研发系统数据流

状态修信息系统的建设，需要新研发系统数据库的支持，主要有车辆及零部件走行里程系统、零部件全寿命周期管理系统、零部件状态动态监测系统。其中通过走行里程系统可实时统计每辆货车及车辆主要零部件实际运行公里数；零部件全寿命周期管理系统为零部件分配唯一编码，跟踪零部件的寿命和走行里程等信息；零部件状态动态监测系统采集沿线、检测场及车载设备检测的主要零部件运用状态的动态监测数据。

2. 货车状态数据分类

按照分类依据的不同，可以将状态修大数据分为不同类型。

1）按数据类型分类

（1）结构化数据。

现有应用系统中产生的数据通常记录在关系型数据库中，如常用的 Oracle、Sybase 等数据库。这部分数据量巨大，涉及检修、运用、调度等检修运维过程数据。结构化数据又分为主数据、事务数据和分析数据，如图 7.1 所示。

① 主数据。主数据包含了车辆基础数据和运行基础数据，如整车信息、配件信息、车列信息等。

② 事务数据。事务数据即车辆运行过程数据，分为实时数据和非实时数据两部分，其中实时数据包括走行里程、货车追踪信息、调度指令信息等；非实时数据包括修程信息、配件寿命、磨耗信息等。

③ 分析数据。分析数据主要用于后期状态修工作维修决策，包括汇总类数据、分析类数据、决策类数据等。

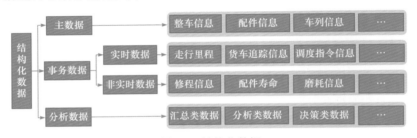

图 7.1　结构化数据

（2）非结构化及半结构化数据。

企业内部存档的大量电子文档、表格和表单等文本文件，以及视频监控系统中的视频、音频和图片等视图信息，这些数据根据结构化程度不同分为非结构化数据和半结构化数据，增长量巨大，而且采集、存储、应用相对困难。其中非结构化数据如图 7.2 所示，分为实时数据和非实时数据：①实时数据包括电报、文件等信息；②非实时数据包括作业指导书、图纸、操作规程等数据信息。

2）按数据业务属性分类

按业务属性，数据分为如下几种：

（1）基础地理数据，包括坡度、弯道、气温等。

（2）车辆运行数据，包括速度、空重、里程等。

（3）车辆制造数据，包括厂家信息、生产日期、过期年限等。

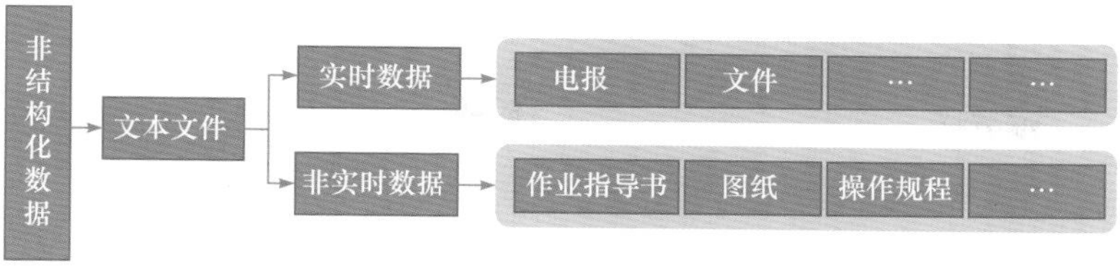

图 7.2　非结构化数据

（4）车辆运用数据，包括"多T"信息、典型故障等。

（5）车辆检修数据，包括收入/支出配件信息、检修故障信息等。

3）按数据来源分类

（1）业务系统数据。

业务系统数据包括 HMIS、运输系统、企业资源计划（ERP）系统等既有业务系统数据。

HMIS：包括 HMIS 历史数据（货车履历、配件基本信息、配件装用记录等）。

运输系统：包括 ATIS 过车数据、多T 过车数据。

ERP 系统：包括配件名称、配件编码等。

（2）轨边及车载设备检测数据。

轨边及车载设备检测数据具体指铁路货车多T 检测或监测系统获取的货车技术状态信息。

4）按数据应用的时效性分类

（1）实时性数据。

实时性数据有走行里程、调度系统等要求实时获得的当前状况数据，对数据的时间性要求高。

（2）非实时性数据。

非实时性数据包括修程修制等指导性数据，不仅为车辆检修操作提供标准，还可用于分析指定的工艺标准与状态修的匹配程度，可按周、月、季、年来查看分析的非实时性要求的数据。

5）按数据采集对象分类

为了保证数据的及时性、准确性、完整性、合理性和高效性，根据应用系统各自的管理特色，从数据的采集对象出发，主要分为车列、车辆、零部件三个维度。

（1）车列有关数据。

车列有关数据以列编组号为关键字段，主要采集数据有车列基本信息、里程信息、运行轨迹、当前位置、诊断报告、扣修记录（修程）、调向记录、编组变更记录。

（2）车辆有关数据。

车辆有关数据以车号为关键字段，主要采集数据包括车辆基本信息、车辆制造信息、里程信息、车辆装用零部件信息、车辆改造信息、车辆历次扣修记录、车辆历次检修记录卡片（检查项点信息、检修故障信息、检修结果信息）、车辆休时、车辆位置、车辆运行轨迹、诊断报告、车辆检修作业流程跟踪信息等。

（3）零部件有关数据。

零部件的技术状态是车辆技术状态的基础，全寿命零部件和使用寿命零部件能够根据零部件的唯一 ID 跟踪到该零部件的基本技术状态信息，历次检修信息，历次检修后运行里程、空重里程、万吨里程、总里程，历次检修检测卡片信息，外形尺寸，使用寿命，组装质量，质量缺陷，运用检查缺陷，动态检测缺陷，行车安全，施修工艺等。

跟踪到的数据信息以车辆零部件结构清单（bill of material，BOM）编码、安装位数信息、制造信息、里程信息、历次检修记录卡片、三检一验信息、历次装卸记录、剩余寿命和生命周期技术状态查询、诊断报告、零部件检修作业流程等方式呈现。

7.1.2　铁路货车状态数据处理与管理

数据处理是指使用电子计算机对大量的原始数据或资料进行录入、编辑、汇总、计算、分析、预测、存储、检索、加工、传输等操作过程。数据的形式可以是数字、文字、图像或声音等。数据处理的基本目的是从大量、杂乱无章、难以理解的数据中抽取出相对有价值、有意义的数据。

车辆技术状态数据中心作为管理数据的规范中心、生产数据的汇集中心、决策数据的加工处理中心、管理应用的发布中心，依靠先进的生产物联网技术、海量存储技术、大数据分析技术、容灾备份技术等，为状态修提供完备的信息化技术平台，是铁路货车状态修的信息化核心处理系统。

1. 状态修数据处理的基本内容

车辆技术状态数据中心根据各级子系统传输的信息进行车列、车辆及配件的走行里程的计算；对车辆技术状态实时监控、预警，实现状态修各级修程基础数据的采集，形成车列、车辆、配件完整的技术档案，并建立大数据分析平台，对故障、失效规律等进行数据挖掘分析，同时建立状态修知识库。

1）数据的采集

状态修数据来源丰富，包括货车运营各部门的既有系统数据和新建系统数据，以及各业务领域与试验相关数据，这些多源异构的数据都将存储在数据中心。通过数据中心的数据采集与处理能力，将不同来源的数据分类，分别采集到数据中心里的指定区域进行保存与调用。

状态修数据采集的方式分为人工采集和自动化数据采集两大类。人工采集的是工作者通过移动终端或固定设备终端手工输入的数据。自动化采集的是由设备/系统本身直接产生的数据，包括车辆运行安全监控系统、曲线通过性能监测系统、货车轮对状态在线综合监测系统、铁路货车动力学性能监测系统、闸瓦监测系统、铁路货车智能机器人巡检系统、铁路货车定位追踪管理系统等产生的数据。其中，自动化数据采集部分以接口形式进入数据中心，此处数据采集仅指通过业务应用系统进行数据录入或使用各种工具软件进行数据导入的数据收集、整理、传输。

2）数据的计算

在完成数据的采集后，数据中心对状态监测、运行里程、技术档案、生产指挥、在线检修、各级修程检测检修等数据进行算术计算和逻辑计算。数据中心为车列、车辆、零部件建立动态技术档案，构建车型-总成-零部件三级管理的树形结构逻辑关系。数据中心为每个零部件初始化一个唯一的 ID 用于全寿命周期内的跟踪与识别，使所有零部件的历次支出装车、收入卸下、检修记录、故障情况均可实现逻辑关联。数据中心将状态修工艺规程数据化，建立各级修程的检修模型，对检修过程的检测数据自动计算，对零部件技术状态进行逻辑判断，实现工序的自动流转。数据中心还建立了列、辆、零部件的里程计算模型，进行运行总里程、月里程、年里程、检修后里程等各类型里程的计算，满足货车车辆状态不同维度评估的需要。同时，数据中心将运行里程以及监测到的车辆技术状态提供给诊断决策综合判别模型进行逻辑处理，定时给出车列车辆的诊断报告，判断其是否需要进行状态修。

3）数据的存储

数据中心采用 Oracle+大数据的存储方式。存储无单独设备，从两台计算机存储资源池中配分，通过双活特性构成，支撑数据库集群和应用集群的存储容量与性能需求。

数据中心将车列、车辆、零部件的实时状态检测数据和历次检修数据以结构化形式存储于 Oracle 数据库中。其日常业务以联机事务处理（on-line transaction processing，OLTP）类型为主，需要高稳定、高 IOPS（每秒进行读写操作的次数，input/output operations per second）的存储类型，因此使用集中式光纤双控制器存储。数据存储于磁盘阵列内置高速企业级固态硬盘中，通过 RAID5 保证硬盘失败时业务的连续运行以及数据不丢失。

数据中心基于 Hadoop 大数据平台，核心设计点为分布式计算与分布式存储，使用完备的生态组件完成对整体业务的支撑。其中，Kafka 实时接收车号自动识别系统和多 T 设备采集到的过车报文等数据，Spark 解析报文数据、计算各项里程、预测检修修程，Hbase 存储元数据以及计算输出的结果。以上组件使数据中心完成了元数据与数据的分割，使数据中心具备快速检索海量数据的能力。同时多副本的分布式计算和存储架构，使数据中心的抗风险能力显著提升。

4）数据的检索与分析

数据中心依托大数据平台进行数据挖掘与分析。大数据分析相比于传统的数据库应用，具有数据处理量巨大、设备利用率高、对设备性能依赖小、可靠性要求高、灵活可扩展以及可处理非结构化和半结构化结构数据等特点。数据中心应用平台由数据支撑平台和数据决策平台两部分组成。

（1）数据支撑平台。主要进行状态修数据资产管理，通过对内和对外的数据交换和数据治理形成状态修的数据资产，将数据资产分为仿真货车状态修过程的数据源、主数据、指标库，建立货车状态修数学模型，包括车辆和关键零部件运行里程计算模型、关键零部件的退化过程和失效规律模型、关键零部件剩余寿命预测模型、车辆状态综合评估模型等，为状态修决策提供数据支撑。

（2）数据决策平台。利用数据支撑平台提供的数据、指标、模型，对状态修过程进行决策诊断评估、生产调度指挥、精准的维修指导与数据采集。数据决策平台提供高性能的即席查询组件、多屏应用组件、可视化组件、自助分析组件，实现亿级数据秒级呈现，界面的个性化定制、自适应、实时刷新、拖拽式自由布局，并支持业务人员自助创建数据集等常用功能。数据决策平台提供机器学习组件，预制时间序列、聚类、回归等算法，集成 R 语言，发挥 R 语言统计分析的优势。决策平台大屏展示组件还可以将分析组件按分析主题组合成数据驾驶舱，通过钻取、联动、筛选对数据进行主题级别的分析，实现数据业务化。

2. 状态修数据的处理方式

数据处理方式主要有：①根据处理设备的结构方式区分，有联机处理方式和脱机处理方式；②根据数据处理时间的分配方式区分，有批处理方式、分时处理方式和实时处理方式；③根据数据处理空间的分布方式区分，有集中式处理方式和分布式处理方式；④根据计算机中央处理器的工作方式区分，有单道作业处理方式、多道作业处理方式和交互式处理方式。

车辆技术状态数据中心均采用联机数据处理的方式，初始化时将状态修所需的基础数据、各项基础数据字典、各项电子文档图纸等数据进行导入，系统上线运行后，数据中心对货车车辆运行的技术状态检测数据、车辆检修各项技术数据、运行里程数据、生产指挥数据等，均采用联机处理方式。数据中心采用批处理方式计算车列、车辆、零部件的月度里程、年度里程数据，采用实时处理方式计算总里程和检修后的里程数据。由于状态修数据实时性要求较高，数据中心需集中部署，所有的技术状态检测数据、检修数据均集中存储、运算、交换、分析、处理。数据中心的大数据平台采用分布式处理方式，通过 Mapreduce、Spark、Storm 等算法实现运行里程的计算和检修修程预测数据的分发。

3. 状态修数据的质量管理

状态修数据的质量管理主要是对状态修数据的治理，主要涵盖五个治理维度，见表 7.1，包括录入数据校验、大数据平台数据治理、Oracle 数据治理、代码块数据校验和主数据管理。

表 7.1　状态修数据的治理

治理维度	描述	应用示例
录入数据校验	包括手工录入与文件导入，全部与设定好的校验规则进行匹配	在轴颈检测岗位，如果输入的轴颈直径不符合规则，在录入界面上提示，并且可以根据轴型来切换不同的限度
大数据平台数据治理	大数据平台通过数据仓库技术即数据抽取、转换、加载（extract-transform-load，ETL）工具对接入的数据根据业务模型进行数据清洗	如大数据平台采集到车辆走行数据后，需要通过数据治理模块把车辆的车种、车型进行二次匹配，核对报文格式是否按照指定的分隔符分隔，以满足所需的各类数据统计指标
Oracle 数据治理	在 Oracle 内针对每张数据表建立数据有效性规则，数据库自动对数据进行补全、清洗等操作	若轮径的整数部分为三位数、小数部分为两位数，则可在 Oracle 中定义类型为 NUMBER（5,2）
代码块数据校验	代码在计算过程中对产生的数据结果进行校验处理，保证计算结果符合业务场景	统计磨耗规律时，不能直接按照轴号首次组装单位、首次组装日来确定一个轮对，因为换轮的轮对需要单独统计，所以需要加上末次组装单位不同的条件
主数据管理	主数据标准统一、信息共享和主数据全寿命周期管理，保证业务应用系统主数据的一致性、完整性与准确性	如重复使用的车辆 BOM 结构数据、各字典数据、统一用户信息数据、业务实体基础描述信息数据等由主数据管理，在数据中心统一发布，若新增修改和废除，需通过标准流程，使其具有共享性、稳定性、唯一性、原始性等基本特征

4. 状态修数据的安全管理

针对铁路货车状态修重要数据，依据数据安全寿命周期，从数据创建、存储、使用、共享、归档至销毁，使用数据分级、数据加密等安全管理措施，保障数据的保密性、完整性、可用性、真实性、授权、认证和不可抵赖性。

数据中心从 Oracle 数据库、大数据、应用程序三方面保证数据安全：

（1）在 Oracle 数据库方面，通过建立用户组，建立数据库文件读写安全性保护机制，对密码进行加密，基于数据的重要性，实现数据对象访问的有效控制与维护，通过建立数据库管理者的安全性策略等方式保证数据安全。

（2）在大数据方面，限制用户身份，只有合法用户才可以访问大数据平台集群。通过权限控制确保用户对平台、接口、操作、资源、数据等具有相应的访问权限，避免越权访问。根据敏感度对数据进行分级，对不同级别的数据提供差异化的流程、权限、审批要求等管理措施，数据安全等级越高，管理越严格。对数据进行生命周期管理，管理数据的来源、使用人员、使用时间、使用地点、使用方法及销毁方式。

（3）在应用程序方面，通过程序资源访问授权、防攻击设计、防结构化查询语言（structured query language，SQL）注入漏洞、应用程序稳定性设计、开放接口授权访问等方式保证数据安全。

7.1.3　铁路货车状态信息流

铁路货车状态数据具有数据量大、数据存储类型多样、数据流程复杂、数据分析维度多样、各子系统之间数据交互实时性需求各异等特点。

1. 状态修业务数据信息流

从计划预防修转变为状态修后，检修模式发生了根本性变化，结合铁路货车状态修工艺流程的规定，通过对状态修业务进行理解与分析，综合实际生产及信息化管理现状，状态修总的业务数据流如图 7.3 所示。

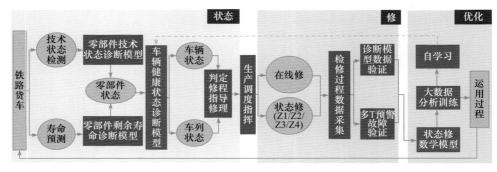

图 7.3　状态修业务数据信息流

首先，通过信息化手段采集铁路货车的技术状态，包括以地对车安全监控为主导的运行技术状态、以运行里程度量的寿命等效状态，由此形成零部件状态、车辆状态、车列状态；其次，建立车列、车辆的健康诊断判别模型，根据车辆技术状态数据和多 T 报警数据，经模型诊断、判别后，给出车列、车辆诊断报告，精准判别车列修程；再次，数据中心将诊断结果通知生产调度指挥系统（又称生产指挥系统），指导检修作业；最后，在检修过程中，运用信息化手段采集检修过程数据，并通过大数据分析和自学习，在运行诊断判别决策模型过程中，通过评估模型运行结果的正确性或优良度，自动优化模型参数或指标以改进模型自身品质，为铁路货车运输提供安全优质的装备资源信息。

由此，数据从原来货车检修过程的辅助采集内容，转化为状态修货车运用、检修过程的推动力，形成基于数据驱动的铁路货车状态修。

2. 状态修数据与各业务接口信息流

车辆技术状态数据中心是状态修的数据加工处理中心，获取各个业务功能的数据、历史系统的数据、设备采集数据等相关信息，为状态修整个业务流程提供数据支持，数据中心对接口数据的加工，以及与外部数据交换逻辑如图 7.4 所示。

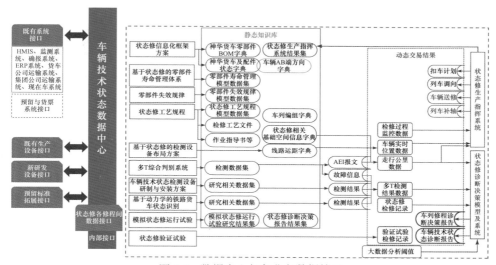

图 7.4　数据中心与各业务数据接口

7.2　铁路货车状态修信息系统

铁路货车状态修改变了铁路货车定期检修模式，依托数据将货车检修从资源驱动转换为数据驱动，从而逐步实现了铁路货车智能检修。状态修从有效跟踪车辆运行状态，到通过诊断模型判断修程，根据诊断结果进行有针对性修理，通过修理的反馈进一步优化模型，整个闭环过程中都需要信息化的支撑；结合状态修对信息化建设的要求，从状态修信息化顶层统筹规划，制定状态修信息化系列标准，统一软硬件平台，统一数据传输平台，统一数据接口标准，统一基础编码，统一数据存储，统一安全保护。

7.2.1　铁路货车技术状态修数据中心

1. 信息化建设总体要求

1）技术要求

运行环境：应用系统要求在 Linux 或 Windows Server 操作系统下运行，原则上采用 Java 语言开发，使用 Oracle 数据库设计。应用服务器采用 Tomcat，将高并发请求量的应用系统要求部署至 Tomcat 集群，必要时可以采用 Weblogic。各应用系统需独立提供正版或开源的操作系统、开发环境、数据库、运行中间件等介质，并对硬件资源有一定要求，包括 CPU 核心主频需求、CPU 核心数量需求、存储需求等。

开发架构：为了方便系统集成、统一门户，要求各系统采用浏览器/服务器（B/S）架构开发。若应用系统更适合用客户端/服务器（C/S）架构开发，则集成到统一门户的业务功能必须用 B/S 架构。

代码规范：为从源头上控制代码质量，要求各系统遵循业界主流开发规范。

2）应用要求

界面风格：各系统的界面风格须符合界面展示设计规范要求，包括结构设计、人机交互设计、视觉设计、规范操作说明及相关示例。要保证用户在统一门户里访问各业务系统，以具有一致的用户体验。

统一身份认证：执行统一用户管理、统一 CAS Server 认证、单点登录，实现用户只需要记住一组用户名和密码就可以登录所有权限的系统，大幅简化用户登录过程，显著提高效率。

3）数据规范

数据编码：数据编码是状态修各系统数据采集、传输以及与其他应用系统进行信息交流的基础，是货车状态修各应用软件开发、应用及管理的标准，内容涵盖单位编码、铁路货车构造编码、货车零部件相关编码和货车检修故障相关编码等。

数据采集：清晰界定人工采集和自动化采集的内容，保证数据的及时性、准确性、完整性、合理性、高效性。

数据存储：合理划分存储资源，采用先进的存储双活功能，在一台存储服务器出现宕机时，前端应用无感知，业务不受影响，提高可持续工作时间，减小由存储故障导致业务停顿的概率。

数据交换共享：涵盖数据交换共享技术规范和交换共享内容，明确规定各既有信息系统、状态修各子系统之间的数据通信原则，严格遵循共享功能、共享方式、共享内容的一般要求。

数据分析：从内容分析策略、数据价值挖掘、场景要点分析、辅助生产决策等方面确定数据分析的维度，界定货车状态修数据分析范围，识别状态修相关可分析内容，包括报告档案、车辆运用情况、检修工作量分析、质量分析、规律分析、自学习、驾驶舱可视化布局、进度监控等方面。从数据分析的技术角度，为保证实时计算能力从太字节（TB）级数据量中随机查询关键数据，实现在用户交互层从不同维度和视角出发构建丰富的商务智能产品，引入大数据和自助分析技术助力状态修数据分析。

4）安全防护

按管理规定进行相关安全防护的部署，对于通常的边界防护，分布式拒绝服务（DDoS）攻击、防火墙安全策略均遵从集团规定；对于运维防护区内的管理，如堡垒机、漏洞扫描等完全遵从安全规定；对于其他相关安全要求，均遵从集团规定。具体从 Oracle 数据库、大数据、应用软件三方面入手，保证数据安全。

5）时钟同步

在数据中心设置时钟同步服务器，实现各系统内部、各系统与数据中心时钟服务器同时保持时钟同步。

6）运行维护

基础设施环境由装备公司系统运维人员统一维护，各应用系统研发单位负责其系统的运维工作，具体按状态修信息化相关运维工作管理办法执行。

2. "121"信息化框架

状态修总体信息化框架可简称为"121"信息化框架，即建立 1 个数据中心，面向 2 级用户需求，建成 1 套具有状态修管理思想的应用软件。

"1"是构建一个数据资源和硬件资源统一管理的车辆技术状态数据中心，为状态修过程提供设备支撑能力、数据采集能力、数据处理能力、数据管控能力、数据开放能力，实现依托数据将货车检修逐步转换为由数据及智能设备驱动的模式。

"2"是服务于铁路装备公司和维修公司两级用户，覆盖经营决策层、业务管理层、现场员工层，实现全域信息化。

"1"是建成 1 套具有状态修管理思想的应用软件——铁路货车状态修信息系统，系统由 10 个部分组成：生产指挥系统、诊断决策系统、知识库系统、车辆检修系统、零部件检修系统、数字化调车系统、运用管理系统、智能分析系统、数据接口服务系统、统一管控平台系统。系统部署于数据中心内，施行统一身份认证管理，各子系统从统一入口单点登录。

7.2.2　架构设计

为保证状态修实时监测、科学评判、精准修理、降低成本的目标，建设基于大数据架构的数据中心，提供相应的软、硬件能力，建立总体架构，确保数据中心的整体能力；在数据中心内按照"知识库建立、里程初始化、初始技术履历建立、里程累加、扣车、整车及配件检修过程跟踪、运用过程跟踪"建立整体业务架构，涵盖状态修的关键业务；建立应用架构，实现业务的应用划分；建立技术架构，涵盖应用系统用到的主要技术；建立大数据架构，展示数据中心应用的大数据技术种类及布局；建立数据架构，描述业务流程需要的信息和应用系统间交换的数据；搭建信息技术基础架构，为状态修提供硬件支撑平台。

1. 总体架构

铁路货车状态修信息化的总体架构如图 7.5 所示。

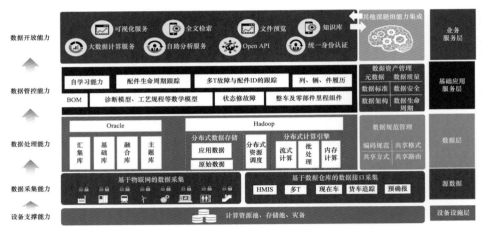

图 7.5   铁路货车状态修信息化的总体架构

（1）设备设施层主要是软硬件支撑平台，包括服务器、网络、操作系统、数据库软件、支持软件、掌上电脑、个人计算机、条码打印机等，为数据中心提供设备支持能力。

（2）源数据包括：①基于数据仓库的数据接口采集部分，如从其他系统接入的数据，如车辆运行安全监控系统、铁路车号自动识别系统、企业资源计划系统及检修设备等；②基于物联网的数据采集部分，采集各级修程的检修过程数据和货车运用数据，为数据中心提供数据采集能力。

（3）数据层设置数据计算平台，采用 Oracle 关系型数据库和 Hadoop 数据中心共存模式。Oracle 关系型数据库主要用于存储系统设置数据、应用系统业务数据、支持业务系统事务型应用。针对各种分析要求，设计多维数据模型，采用分层设计方案，层次结构清晰，保证数据分析和数据访问的稳定性及扩展性，实现一次抽取、多次使用。数据中心采用 Hadoop 分布式存储，高性能大数据存储引擎是大数据的"心脏"，Hadoop 分布式文件系统（Hadoop distributed file system, HDFS）就是这个"心脏"，其具有高容错性、能够混合多种数据存储类型的特点，具备在存在故障的情况下也能可靠地存储数据的能力，实现数据字节级实时备份、高度可靠。数据存储实现数据的分布式存储、资源统一管理等多项功能，存储多T 系统及其他新建轨边/车载设备的监测检测明细数据，对外提供快速实时查询、数据挖掘、深度学习等服务。数据层为数据中心提供数据处理能力。

（4）基础应用服务层提供状态修各修理等级和状态修货车运用过程的跟踪，

同时提供数字化调车、整车及零部件里程跟踪、状态修货车技术履历等功能，为状态修数据中心提供数据管控能力。

（5）业务服务层提供知识库服务、数据分析服务、自助分析服务、机器学习服务和可视化服务，并提供统一的用户管理和对外接口，为数据中心提供开放能力。

2. 业务架构

铁路货车状态修信息化的业务结构如图 7.6 所示。

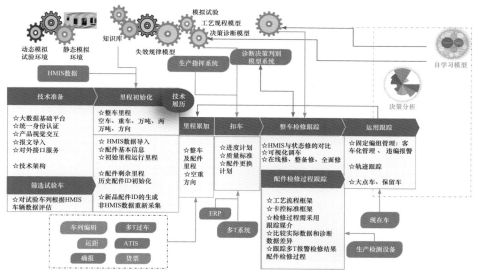

图 7.6　铁路货车状态修信息化业务结构图

（1）接受信息化框架方案的整体指导，依托硬件及平台软件的支撑，建立货车状态修知识库体系。

（2）接收状态修理论研究结果，形成数据中心失效规律、寿命、工艺规程等各项初始模型。

（3）对试验车型里程初始化，包括整车里程（空车、重车、万吨、两万吨、方向）。

（4）形成状态修下的货车技术履历档案，包含配件里程（全寿命、使用寿命）、整车及配件的 ID、基本信息、初始里程、剩余里程，上述数据若存在 HMIS 中，则导入 HMIS 历史数据，否则须重新采集。

（5）结合获取的车号自动识别系统、多 T 过车、运距等信息，根据车辆的跟踪情况，对整车及配件里程进行累加，里程包含空车、重车、万吨、两万吨、方向信息。

（6）接收生产指挥系统数据和诊断决策判别模型系统数据，对状态修车辆进行扣修，同时形成本次修程的进度计划、质量标准、配件更换计划标准。

（7）整车里程扣车时累计停止，修竣后继续累计。配件检修过程中按诊断模型要求采集检修过程数据，比较实际数据和诊断数据差异，跟踪多 T 报警检修结果，按诊断模型计算剩余里程。对于互换修的配件，若为全寿命配件按唯一 ID 跟踪，若为使用寿命配件检修过程需采用跟踪媒介。检修过程中接入生产设备数据，并将检测结果反馈给多 T 系统和诊断决策判别模型系统。

（8）状态修过程中实现可视化调车、流水线设置、质量、配件进度的监控。修竣后重新上线运行，对货车进行运用跟踪，进行固定编组管理、指挥命令等调度相关管理。

（9）将检修、运用数据提交给数据中心进行决策分析和大数据自学习模型的搭建，并将结果反馈给初步模型。通过对模型相关因素的调整，各初步模型经过重新更新进一步提供给数据中心优化过的模型。

（10）数据中心根据优化过的模型跟踪全部状态修货车里程的增加，并诊断、指导扣车，重复检修及故障反馈过程，实现常态数据的反复回馈与模型的优化工作，最终形成铁路货车状态修模型自学习过程。

3. 大数据架构

大数据建设使用了 Hadoop 为原型的生态系统，核心设计点为分布式计算与分布式存储，大数据平台及组件架构如图 7.7 所示。大数据平台采用集群管理模

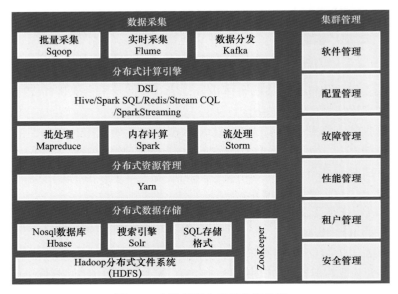

图 7.7　大数据平台及组件架构图

式，由数据采集组件、分布式计算引擎组件、分布式资源管理组件、分布式数据存储组件组成，各组件的主要功能见表 7.2。

表 7.2　各组件功能表

组件名称	功能
Manager	作为运维系统，为平台供高可靠、安全、容错、易用的集群管理能力，支持大规模集群的安装/升级/补丁、配置管理、监控管理、告警管理、用户管理、租户管理等
HDFS	Hadoop 分布式文件系统，供高吞吐量的数据访问，适合大规模数据集方面的应用
Hbase	提供海量数据存储功能，是一种构建在 HDFS 之上的分布式、面向列的存储系统
Oozie	提供对开源 Hadoop 组件的任务编排、执行的功能。以 Java Web 应用程序的形式运行在 Java-servlet 容器(如 Tomcat)中，并使用数据库来存储工作流定义、当前运行的工作流实例(含实例的状态和变量
ZooKeeper	提供分布式、高可用性的协调服务能力，帮助系统避免单点故障，从而建立可靠的应用程序
Redis	提供基于内存的高性能分布式 K-V 缓存系统
Yarn	Hadoop2.0 中的资源管理系统，它是一个通用的资源模块，可以为各类应用程序进行资源管理和调度
Mapreduce	提供快速并行处理大量数据的能力，是一种分布式数据处理模式和执行环境
Spark	基于内存进行计算的分布式计算框架
Hive	建立在 Hadoop 基础上的开源的数据仓库，提供类 SQL 的 HiveQL 语言操作结构化数据存储服务和基本的数据分析服务
Loader	基于 Apache Sqoop 实现 Fusion Insight HD 与关系型数据库、FTP/SFTP 文件服务器之间数据批量导入/导出工具；同时提供 Java API/shell 任务调度接口，供第三方调度平台调用
Hue	提供开源 Hadoop 组件的 Web UI，可以通过浏览器操作 HDFS 的目录和文件，调用 Oozie 来创建、监控和编排工作流，可操作 Loader 组件，查看 ZooKeeper 集群情况
Flume	一个分布式、可靠和高可用的海量日志聚合系统，支持在系统中定制各类数据发送方，用于收集数据；同时，提供对数据进行简单处理，并写入各种数据接受方(可定制)的能力
Solr	一个高性能、基于 Lucene 的全文检索服务器。对 Lucene 进行了扩展，提供了比 Lucene 更为丰富的查询语言，同时实现了可配置、可扩展，并对查询性能进行了优化，并且提供了一个完善的功能管理界面，是一款非常优秀的全文检索引擎
Kafka	一个分布式的、分区的、多副本的实时消息发布-订阅系统，提供可扩展、高吞吐量、低延迟、高可靠的消息分发服务
Spark Streaming	基于 Apache Storm 的一个分布式、可靠、容错的实时流式数据处理的系统，并提供类 SQL（Stream CQL）的查询语言
Spark SQL	基于 Spark 引擎的高性能 SQL 引擎，可与 Hive 实现元数据共享

分布式计算通过 Mapreduce、Spark、Storm 等算法来实现针对一个业务的大规模并行处理（massively parallel processing，MPP）架构计算分发。分布式存储主要针对 Hadoop 分布式文件系统架构的优化，完成元数据与数据的分割、快速检索与数据多副本存储等功能。各组件使用场景见表 7.3。

表 7.3　各组件使用场景列表

组件名称	使用场景
Hbase	存储车辆及零部件运行里程、过车源数据
Hive	通过 SQL 的方式提供大数据访问通道
Flume	实时采集报文服务器上的报文信息
Kafka	采集过车数据传输通道
Spark Streaming	准确实时计算车辆运行里程
Sqoop	大数据平台与 Oracle 的数据抽取
Redis	数据缓冲服务，增加命中率，提高访问性能

4. 信息技术基础架构

状态修模式下，将状态修生产中心设置于黄骅数据中心，容灾中心设置于北京主数据中心，形成双活数据中心。因此，信息技术基础架构是黄骅数据中心的核心建设内容，如图 7.8 所示。

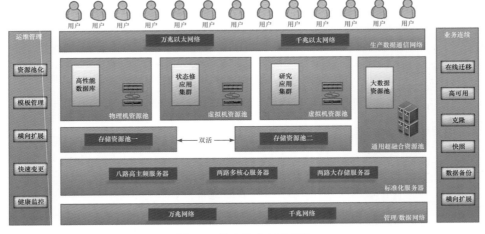

图 7.8　信息技术基础架构

（1）计算资源池分为数据库、状态修应用、研究应用三个资源池。数据库使用 x86 架构物理机，状态修应用和研究应用使用虚拟化资源池。

（2）数据库资源池使用存储资源池一存储结构化数据，状态修资源池与研究资源池使用存储资源池二作为虚拟机系统并存储数据。两个资源池使用存储双活技术实现更高的可用性。

（3）大数据软件架构具有非常高的扩展性，使用两路服务器，配置大容量内置存储，通过大数据存储管理软件，组成统一的数据池，存储大数据中的结构化和非结构化数据，便于大数据引擎高速读取。

（4）网络分为生产网络、管理网络以及 FC-SAN 存储网络三部分，分别实现应用数据传输、应用存取、数据复制，以及数据存储等计算机节点之间、计算与存储设备之间的数据通信。

（5）通过资源与存储的资源池化，可使用模板管理实现横向扩展复制，实现基于业务系统变更的基础架构快速变更。同时，使用单独的管理网络，通过硬件监控与调度软件，实现对基础架构设备的统一监控与自动报警，提高整体运维水平。

（6）基于存储的克隆与快照技术、基于资源池化技术的在线迁移与高可用技术、传统的数据备份技术，配合应用架构的横向扩展提供半自动化的扩展能力，实现对物理失败与逻辑失败等偶发因素的全面保障，为业务系统的连续性提供超强的保障能力。

7.2.3　系统应用

1. 知识库子系统

1）简介

知识库是状态修静态知识型数据的集合，包含基础数据字典、理论研究相关数据集和电子书库三个部分。其中，基础数据字典包括信息化框架规定的所有编码信息，还包括车辆 AB 端方向、运用组织信息、线路运距、车列编组等基础信息；理论研究相关数据集指零部件失效规律与诊断决策判别等模型数据集、运行试验等结果集以及动力学研究等相关数据；电子书库包含作业指导书、检修工艺文件等非结构化的文本或图片，提供全文检索功能。

2）主要功能

知识库中所有内容均支持查询、导出功能，同时具备完善的知识库管理功能，提供流程标准化的新增、变更、废除管理。

3）系统业务流程

（1）建立铁路货车零部件 BOM。

形成以车型为基准的车辆-装置（部件）-配件组装结构模式，包含各车型零部件明细表，零部件 BOM 是构成父项装配件的所有子装配件、零件的清单。

（2）建立铁路货车及配件状态字典。

建立货车的车种、车型、修程、配属等相关编码字典，建立车辆 AB 端方向字典，支持对线路上运行、转向的识别。

建立货车主要零件型号、货车零部件故障、货车故障施修方法编码字典。建立以车型为基准的车辆-装置（部件）-配件的结构模式，以及有针对性的故障状态字典，并支持按照部位等不同层次化维护。

建立状态修相关运用组织字典，方便运用管理中现场用户录入相关信息，提高现场人员工作效率。

（3）建立铁路货车状态修相关基础空间信息数据字典。

对车辆检修有关分公司、各车站、装卸点、列检作业场、多 T 分布点、车号自动识别系统分布点设置可维护的空间基础信息，方便用户进行现状的维护及后续增补。

（4）建立货车线路、运距字典。

收集线路车号识别安装点、装卸站和各点之间的里程情况，建立统一规范的里程基础运距字典。

（5）建立货车列编组字典。

建立状态修货车列编组字典，并实时和运输系统数据共享，提供状态修货车编组数据。

（6）建立基于状态修的零部件寿命管理模型数据。

建立状态修关键零部件寿命管理模型，包括寿命管理配件的分类、跟踪内容、寿命标准等：

①建立基于状态修零部件失效规律的模型数据。

②建立基于状态修工艺规程的模型数据。

③建立状态修诊断决策综合判别模型诊断报告数据。

④建立状态修生产指挥系统结果集。

⑤建立模拟状态修运行试验结果数据集。

⑥建立多 T 综合判别系统的地对车安全检测数据集。

⑦建立车辆技术状态检测设备相关数据集。

⑧建立基于动力学的铁路货车状态识别相关数据集。

⑨建立货车状态修相关的检修工艺、作业指导书、整车及配件图形档案等非结构化数据的电子书库。

4）系统应用

知识库子系统探测设备字典界面如图 7.9 所示。

设备名称	所属车站	设备	所属线路	探测方向	设备公里标	排序	累计里程	公里标	经度	纬度	是否调
大柳塔上行	DL0大柳塔	TH	神朔线	上行	4.481	3	2.71	K4+481	110.22164	39.27876	
大柳塔下行	DL0大柳塔	TH	神朔线	下行	4.481	4	2.71	K4+481	110.22164	39.27876	
朱盖塔下行	ZG0朱盖塔	TH	神朔线	下行	15.212	8	13.45	K15+212	110.304	39.20238	
神木北上行	SM0神木北	TH	神朔线	上行	32.21	10	30.44	K32+210	110.474304	39.005116	
神木北下行	SM0神木北	TH	神朔线	下行	35.97	13	34.2	K35+970	110.474304	39.005116	
黄羊城上行	HY0黄羊城	TH	神朔线	上行	45.785	14	44.02	K45+785	110.51367	39.039616	
黄羊城下行	HY0黄羊城	TH	神朔线	下行	46	15	44.23	K46+000	110.51367	39.039616	
新城川上行	XC0新城川	TH	神朔线	上行	65.78	17	64.01	K65+780	110.71357	39.084743	
新城川下行	XC0新城川	TH	神朔线	下行	65.78	18	64.01	K65+780	110.71357	39.084743	
府谷上行	FGZ府谷	TH	神朔线	上行	95.045	19	93.28	K95+045	111.030975	39.05571	
府谷下行	FGZ府谷	TH	神朔线	下行	98.255	20	96.49	K98+255	111.030975	39.05571	
桥头上行	QAT桥头	TH	神朔线	上行	119.83	21	118.06	K119+830	111.21152	38.94246	
桥头下行	QAT桥头	TH	神朔线	下行	119.83	22	118.06	K119+830	111.21152	38.94246	
阴塔上行	YT0阴塔	TH	神朔线	上行	145.43	23	143.66	K145+430	111.58313	39.093937	
阴塔下行	YT0阴塔	TH	神朔线	下行	145.43	24	143.66	K145+430	111.58313	39.093937	
三岔上行	SC0三岔	TH	神朔线	上行	172.408	25	170.64	K172+408	111.6955	39.122166	
三岔下行	SC0三岔	TH	神朔线	下行	174.79	26	173.02	K174+790	111.6955	39.122166	

图 7.9 知识库子系统探测设备字典界面

2. 检修子系统

1）简介

检修子系统包括车辆检修和零部件检修两部分业务。

车辆检修管理实现车辆检修生产环节的全过程跟踪，对货车的成组车、黄标方向、标签安装位置等重要信息进行初始化，实现最高修理等级每辆车 118 个配件的检修信息、故障信息的数据完整性校核和电子档案归档。

零部件检修管理是针对状态修寿命配件，实现配件与标签绑定，结合现场管理模式，设计标签跟踪的范围、跟踪流程、标签样式、绑定/解绑过程，并建立生产设备与标签间的双向数据共享关系，实现检修过程全员参与基于生产节拍的数据采集。

2）主要功能

（1）调度管理。

检修子系统中的调度管理主要由调度人员使用，生产指挥系统根据诊断报告扣修的车列车辆，以及维修公司根据检修预测扣修的车列车辆，在进入维修公司完成检修后，完成维修公司与车站的交接工作，实现调度流程管理并生成票据。

（2）扣车管理。

扣车管理主要是对维修公司提交的扣车通知进行管理，列检可根据实际情况确认扣车或扣车失败，确认扣车后，车列进入维修公司。

（3）检修日计划。

检修日计划由调度人员制订，调度人员在可视化调车子系统中制订检修日计划，日计划生成后，各检修流水线工作人员可查看此检修日计划，日计划显示具体批次、股道、台位上的车辆信息。

（4）检修管理。

检修管理实现对车辆检修进度状态的实时可视化监控，系统中分流水线对检修业务进行信息化管理，Z1～Z4流水线按照状态修工艺规程中的关键节点依次推进。以Z1修为例，首先进行车辆预检，预检员利用系统记录预检信息对车辆进行快速检查。其次，批量换瓦并对车辆信息进行初始化补充，并对预检故障进行检修。再次，根据检修故障进行质量检查，对列车进行整列的空气制动试验。最终整列修竣，在系统内签发车统33并36，同时对车辆的部件进行无故障签名确认。

（5）统计分析。

对检修子系统中录入的检修数据进行统计分析，包括车辆预检记录、一车一档信息、检修故障统计、典型故障统计、检修工作统计表等，实现车间管理智能化，高效统计检修数据。

（6）状态修初始化。

针对首次进行状态修的车辆，系统自动对车列、车辆的信息进行初始化，以保证状态修的列、辆档案的信息完整，为诊断模型及其他模型提供最准确的基础数据。

（7）零部件检修管理。

根据状态修工艺规程，对状态修现车收入的配件，采集状态修零部件的检修记录，实现状态修转向架检修流水线、车钩检修流水线、制动阀检修流水线、轮轴检修流水线等按状态修工艺规程要求进行数据流转，同时在数据流转过程中规范质量、进度等作业标准；对状态修非现车收入的零部件，同时需完成标签绑定与标签回收、调拨过程中卸车/装车、基本信息的共享等。

3）系统业务流程

（1）Z1修。

Z1修主要工艺是：全面检查（机检盲区、车辆运行安全影响因素、核查监测系统预报）、批量换瓦、集中处置（制动故障、车体破损故障）、专项修复（轮轴故障、钩缓故障）、制动试验（初试进行漏泄、感度、安定保压、持续一定时间的保压试验，终试进行漏泄、感度试验），不架车、不分钩，并对所有检修信息进行记录归档。Z1修主要业务流程如图7.10所示，主要包括选车扣车、车辆预检、检修作业、列辆件信息初始化、车列出线五部分。

① 选车扣车。

分公司调度通过诊断模型指导或Z1修预测对即将需要进行Z1修的车列进行选择和扣修，分公司选择车列进行扣车，提交扣车通知到列检所，列检进行扣车后，反馈给分公司，分公司再进行接车。

② 车辆预检。

车列入线之后，先进行预检工作，需要做预检记录，核对故障信息，进行故障确认反馈，记录配件更换清单；并判断是否有临修车，是否需要解编处理。

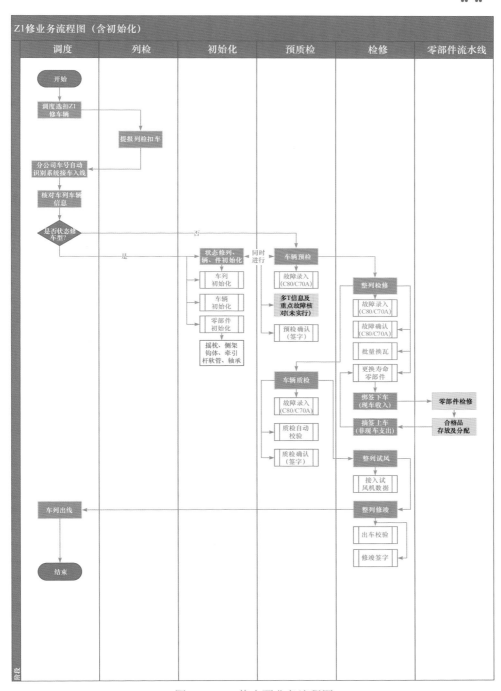

图 7.10　Z1 修主要业务流程图

③ 检修作业。

针对 Z1 修的整列车闸瓦更换新品，对机检盲区和影响运行安全的关键零部件进行检查。检查车门故障以及具备在 Z1 修阶段完成修复的故障。通过列车制动性能试验和单车制动试验，检查制动性能。检查车列，确定诊断判别模型和预检报告信息的准确性；车辆零部件更换的收入和支出，若符合修竣条件，则统一填检修车辆竣工验收移交记录，并交于分公司调度，判断维修车辆是否属于单辆解编车辆，若是单辆解编车辆，则转到生产指挥系统补轴系统待补轴；若非单车，则判断车列是否需要补轴，若需要则转到生产指挥系统进行补轴，若不需要补轴则整列出线。

④ 列辆件信息初始化。

对首次进行 Z1 修检修的车列，需要统一对车列、车辆以及零部件的部分寿命配件对进行初始化，对车辆及零部件等信息进行补全。

⑤ 车列出线。

车列出线后向车站办理交付手续，记录车列出线时间，采集车号自动识别系统报文，数据进入车辆数据中心、开始运行里程累计、更新车列车辆零部件技术档案、更新车列车辆零部件评分分值、更新车列车辆零部件剩余里程、更新多 T 系统故障反馈结果，并上传零部件检测尺寸、检测记录、配件更换情况。

（2）Z2 修和 Z3 修。

Z2 修以整列车轮对磨耗集中到限为主要检修依据，主要工艺为批量更换（轮轴、制动阀、空重车阀等）、探伤检查（钩舌）、制动单车试验、车钩三态作用和防跳性能检查，同时涵盖 Z1 修的作业内容。架车、分钩（架车即将车体抬起来，分钩即将车钩分解开）；不分解转向架和车钩缓冲装置，并对所有检修信息进行记录归档。

Z3 修以整列车转向架和车钩缓冲装置中关键零部件寿命、磨耗集中到限为主要依据，主要工艺为全面检查（整列车）、批量更换（转向架橡胶件等寿命到期零部件）、探伤检查（车轴、钩尾框、转动套、钩舌销、钩尾销等）、性能恢复（故障修复及必要的试验检查），同时涵盖 Z1 修、Z2 修的作业内容。

Z2 修和 Z3 修业务流程如图 7.11 所示。

① 扣车。

状态修诊断判别模型确定当前车列的状态及修程，预测需进行 Z2 修、Z3 修的车列，由铁路装备公司进行生产任务指定，由维修公司生产调度中心执行 Z2、Z3 扣修操作。同时，维修公司获得该车列的所有相关的技术档案以及诊断报告，用于指导本次维修。

② 车列入线。

当车列驶入维修公司时，经过维修公司门口地面车号自动识别设备对车辆进行识别，同时停止该车列所有车辆及车辆当前装用零部件的运行里程累计，并记录入线时间，需要软件系统记录相应数据。

③ 存车线调车。

由维修公司的生产调度人员制订调车作业计划，即钩计划，通过机车调车，将车列送入存车线。

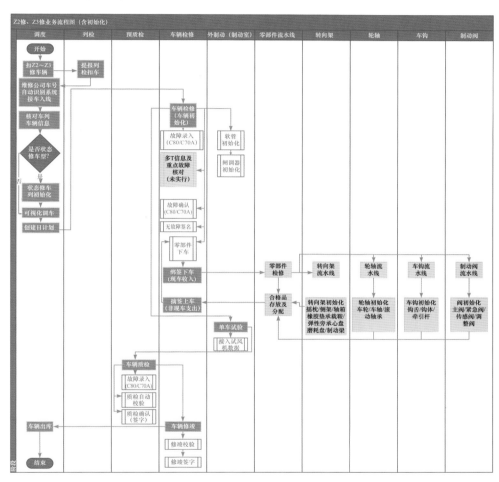

图 7.11　Z2 修和 Z3 修主要业务流程图

④ 检修作业计划。

生产部门的调度工作者根据预检的结果，结合诊断判别模型出具的车列车辆诊断报告，制订生产台位作业计划、配件计划、质量计划等检修计划。

⑤ 台位架车。

根据生产调度制订的台位作业计划，工作者将车辆送入检修库，对整列车进行分钩作业，将分钩后的车辆，架车到相应的作业台位，并将车体与走行部进行分离。

⑥ 工序作业。

对车辆进行检查和修理，对诊断报告推送及多 T 预警发现的故障进行核实和处理。

若修程为 Z2 修，则需批量更换闸瓦、轮轴、制动阀、空重阀等，对钩舌进行探伤；若修程为 Z3 修，则需批量更换闸瓦、轮轴、转向架橡胶件、制动阀、空重阀等寿命到期零部件，并对车轴、钩舌、钩尾框、转动套、钩舌销、钩尾销等进行探伤。

对于换上的零部件，将其与车号进行关联，待车辆修竣出线后，随车辆一起累计运行里程。对车辆进行单车试验，并记录试验结果。对全寿命及使用寿命零部件进行单件管理，对检修良好的零部件，按剩余寿命进行分类摆放，便于支出上车。

⑦ 填发修竣通知书。

对于修竣车辆，经质检验收检验合格后，统一填检修车辆竣工验收移交记录，并交于维修公司调度。

⑧ 车列出线。

修竣后，对于欠编的车列，由生产调度工作者根据铁路装备公司补轴规则，为该车列选择备用车辆进行补轴。补轴后的车列整列出线，通过维修公司门口的车号自动识别设备进行识别。

⑨ 向车站办理交付手续。

车列出线后，由维修公司调度接修竣通知书，通知当地列检，由列检向车站办理修竣列车交付手续，由车站负责入基地并将修竣列车牵出。该车列所有车辆以及车辆装用的零部件均开始累计运行里程。

（3）Z4 修。

Z4 修主要工艺为全面检查、重点检修，即全面分解检修、探伤检查、集中检修、性能系统恢复，同时涵盖 Z1 修到 Z3 修检修的作用内容。Z4 修主要业务流程如图 7.12 所示。

① 扣车。

状态修诊断判别模型确定当前车列的状态及修程，预测需进行 Z4 修的车列，由铁路装备公司进行生产任务指定，由维修公司生产调度中心执行 Z4 修扣修操作。同时，维修公司获得该车列的所有相关的技术档案及诊断报告，用于指导本次维修。

② 车列入线。

当车列驶入维修公司时，经过维修公司门口地面车号自动识别设备对车辆进行识别，同时停止该车列所有车辆及车辆当前装用零部件的运行里程累计，并记录入线时间，需要软件系统记录相应数据。

③ 存车线调车。

　　由维修公司的生产调度人员制订调车作业计划，即钩计划，通过机车调车，将车列送入存车线。

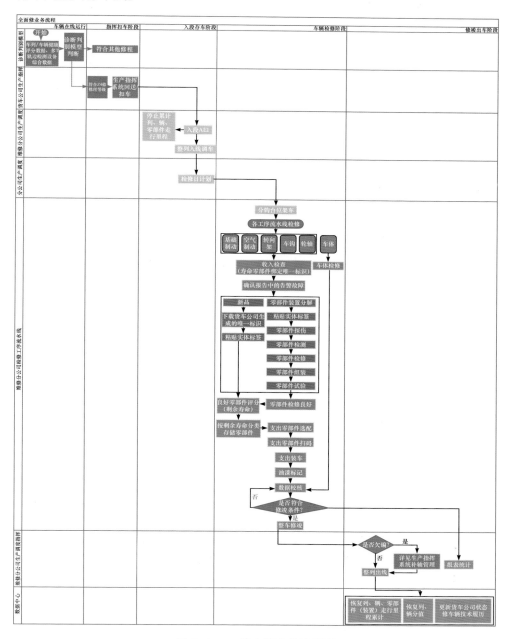

图 7.12　Z4 修主要业务流程图

④ 检修作业计划。

生产部门的调度工作者根据预检的结果，结合诊断判别模型出具的车列车辆诊断报告，制订生产台位作业计划、配件计划、质量计划等检修计划。

⑤ 台位架车。

根据生产调度制订的台位作业计划，工作者将车辆送入检修库，对整列车进行分钩作业，将分钩后的车辆架车到相应的作业台位，并将车体与走行部进行分离。

⑥ 工序作业。

对预检发现的故障以及诊断报告中记录的故障进行处理。

对整车进行抛丸，对车体进行维修，包括车门分解、更换，对地板进行维修、更换等。

对车钩缓冲装置、转向架、底体架进行分解检查、探伤、检测、性能试验等，对有探伤缺陷、符合报废标准的大部件进行报废处理。

工作者对磨耗到限的轮轴以及其他寿命集中到期的零部件，进行批量更换，同时将更换下来的零部件（包括加装标签信息及标签）送往零部件加修车间进行检修。对于换上的零部件，将其与车号进行关联，待车辆修竣出线后，随车辆一起累计运行里程。

对车辆进行检修试验，并记录试验结果。

对全寿命及使用寿命零部件进行单件管理，对检修良好的零部件，按剩余寿命进行分类摆放，便于支出上车。

⑦ 填发修竣通知书。

对于修竣车辆，经质检验收检验合格后，统一填检修车辆竣工验收移交记录，并交于维修公司调度。

⑧ 车列出线。

修竣后，对于欠编的车列，由生产调度工作者根据铁路装备公司补轴规则，为该车列选择备用车辆进行补轴。补轴后的车列整列出线，通过维修公司门口的车号自动识别设备进行识别。

⑨ 向车站办理交付手续。

车列出线后，由维修公司调度接修竣通知书，通知当地列检，由列检向车站办理修竣列车交付手续，由车站负责入基地并将修竣列车牵出。该车列所有车辆以及车辆装用的零部件均开始累计运行里程。

（4）零部件检修。

零部件检修实现为零部件自动匹配最优检修工位流水线，从零部件标签品类设定、绑定、流程跟踪到解绑方案，零部件在系统提醒下按匹配的检修工位流水线自动完成各个工位检修工作。主要流水线包括转向架流水线（不同修程对应不同的流水线）、摇枕流水线、侧架流水线、制动梁流水线、轮轴流水线等。制动梁流水线如图 7.13 所示，关键业务流程节点包括制动梁现车收入、制动梁探伤、制动梁检测、制动梁签名确认。

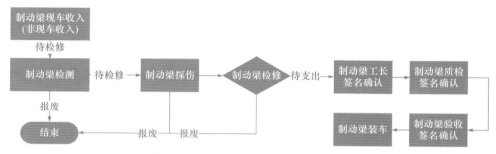

图 7.13　零部件管理（制动梁流水线）

4）系统应用

检修子系统中车辆检修信息查询界面如图 7.14 所示，零部件检修信息查询界面如图 7.15 所示。

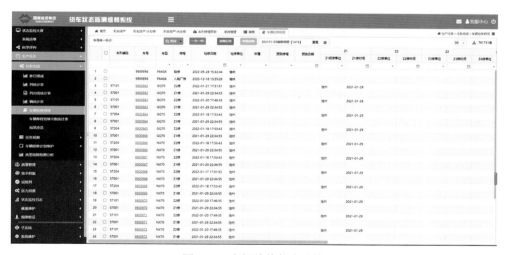

图 7.14　车辆检修信息查询

3. 可视化调车子系统

1）简介

状态修各级修程需要降低车辆休时，提高检修周转效率，因此高效率的调车作业管理十分必要。可视化调车子系统实现维修公司内现车的可视化管理，实时掌控段内车辆分布及车辆的检修状态，以车号为索引，展示车辆的修程、黄标方向、所在股道、修车时间、所属车列编码，通过颜色点选可实现对车辆的智能筛选，方便后续各个环节的生产检修准备。

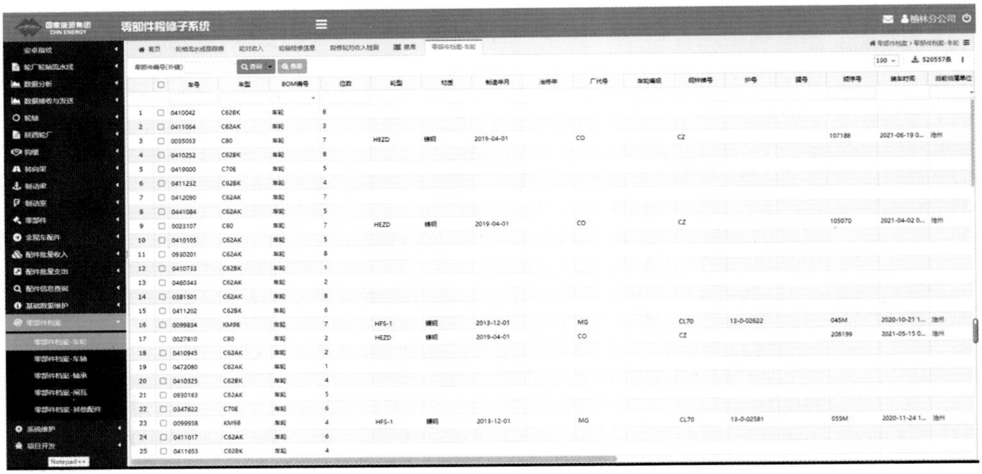

图 7.15　零部件检修信息查询

2）主要功能

可视化调车子系统根据其他系统的车辆状态信息，完成上报扣车申请、接收调度命令等功能。在调度人员选取扣修列车，完成扣车、接车作业后，按照维修公司段内股道顺序及存车量，模拟真实调车过程，调度人员可以通过拖拽方式动态模拟调车作业，系统智能生成钩计划，可展示车辆的车号、修程和修理等级、检修状态等信息，并支持一键导出或打印功能，指导实际调车作业。系统支持统计显示段内股道待检修、检修中、修竣车辆的实时存放状态。在车辆入库检修前，调度人员根据系统自动生成修车日计划，将车辆调车入库，并与车辆检修的修程、批次、车间的股道、台位、各检修流水线等信息相关联。

3）系统业务流程

可视化调车子系统业务流程如图 7.16 所示，流程图中蓝色模块的数据来源于其他系统，橙色模块是可视化调车子系统利用其他系统数据对分公司的车辆进行调度管理的主要流程。系统根据数据中心车列修程预测结果，分公司调度通过该系统跟踪列车状态，并上报车辆扣车申请，公司调度根据预测结果和分公司扣车申请，编制下发调度命令，形成扣车日计划，针对需要紧急拦停的列车下达紧急拦停命令；分公司调度接收调度命令后，通过系统选取需扣修列车并发送到列检，列检作业场执行扣车作业；所扣列车到达分公司后，分公司调度进行接车作业；接车后调度人员根据列车状态和分公司的维修能力，在该系统通过拖拽模拟调车作业，形成钩计划指导实际调车作业，并自动生成修车日计划，发送至检修车间进行车辆检修工作。

4）系统应用

调车作业可视化效果如图 7.17 所示。

图 7.16　可视化调车子系统业务流程

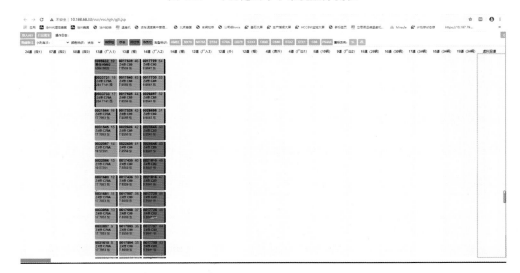

图 7.17　调车作业可视化效果图

4. 运用管理子系统

1）简介

运用管理子系统实现自备车在管内（所属铁路局管辖范围内）的固定编组监控与预警、扣车与补轴管理、运用过程的调度组织、轨迹与位置跟踪、超时预警、流向流量分析与收入统计、检修过程的调度组织、过程监控、履历生成与查询等"一体化"闭环监控，实现全过程完整信息链共享。系统对自备车在管外的轨迹与位置进行跟踪、超时预警、流向流量分析、扣修履历、当前状态等"阶段化"重点监控，确保对外部信息及时掌握。同时，系统对自备车在管内的轨迹与位置跟踪、运输组织、保障里程、当前状态等"动态化"跟踪监控，实现对进入车辆的透明跟踪。

2）主要功能

利用确报系统、货车追踪、现车、ATIS、HMIS、THDS 的信息，实现固定编组管理、18 点统计、生产辅助决策、车流管理、过轨运输管理、检修全过程管理、调度日班计划、安全预警、收益管理、多 T 查询、统计查询等 11 大功能模块，支持多维度统计分析和自由组合查询。

3）系统业务流程

运用管理子系统中固定编组变更流程如图 7.18 所示，当实际运行列车的小列车次和固定编组模块维护的小列车次不一致，即小列车次发生异常时，变更固定编组模块中的异常车号，同时系统自动将变更信息同步至车辆基本信息总表、超级现车、检修全过程和临修扣车模块。

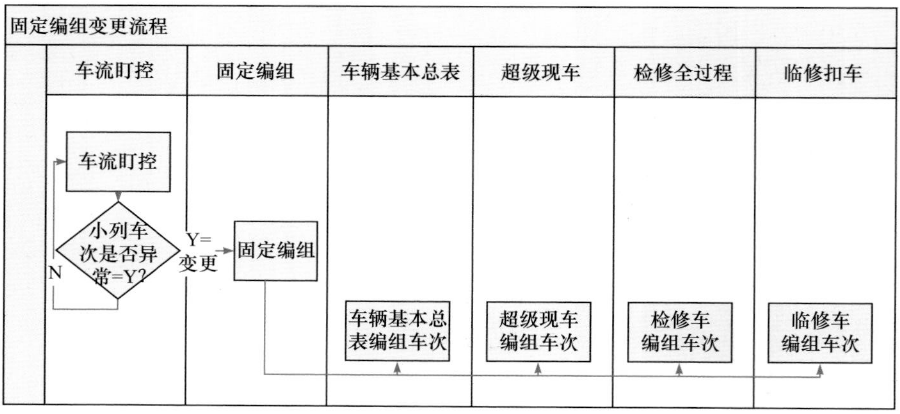

图 7.18　固定编组变更流程

点装卸车流程如图 7.19 所示。由装车点办事处将装车信息录入 18 点统计模块，提交后由各分公司进行装车信息复核，若复核结果不一致，则需修改信息后重新进行复核提交，若复核结果一致，则由调度部将装车信息入库，入库不成功需修改信息后再重新提交，最后由卸车点办事处进行最终的装车信息确认。

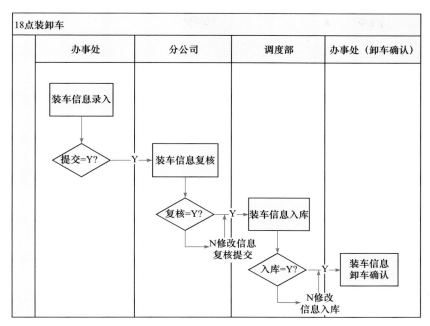

图 7.19　点装卸车流程

4）系统应用

运用管理子系统中车辆保有量界面如图 7.20 所示，欠编编组预警界面如图 7.21 所示，车辆运行轨迹界面如图 7.22 所示，自备铁路线展示车辆现车分布界面如图 7.23 所示。

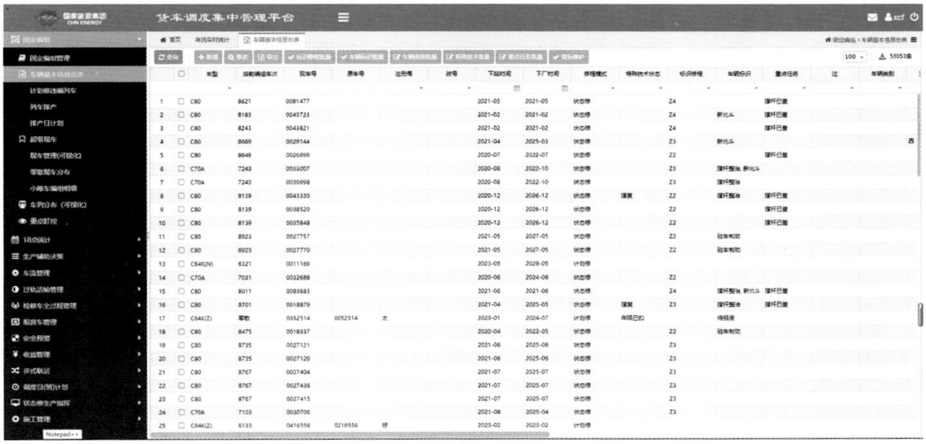

图 7.20　车辆保有量界面

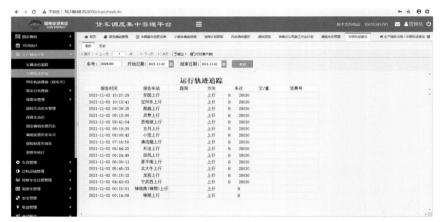

图 7.21　欠编编组预警界面

图 7.22　车辆运行轨迹界面

图 7.23　自备铁路线展示车辆现车分布界面

5. 智能分析子系统

1) 简介

智能分析子系统用于对状态修业务的各类数据进行多层次和多角度的分析。系统搭载自主分析平台,具备可扩展性、高实时性、快速响应能力、业务数据可关联能力、数据有效可视化的特点。用户以灵活拖拽操作方式即可实现在标准化分析体系下的自服务数据分析,非专业人员也可快速掌握平台的使用方法,轻松满足驾驶舱定制、敏捷可视化等应用需求。

2) 主要功能

系统实现对车辆检修过程数据的查询、检索及统计分析。同时,数据中心建立自助分析平台,根据个性化需求,自主完成分析工作。在 HCCBM 上线运行产生一定数据量的积累后,通过大数据分析技术,数据中心可以为各模型阈值的修正提供偏差分析。

(1) 技术档案管理。

对车列、车辆、零部件的基本属性、装用状态、运行里程、诊断结果、故障信息及处理结果、历次检修过程及结果进行管理,建立车列、车辆、零部件的技术档案,并根据检修单位上报的数据,对技术档案进行更新。当车列、车辆进行维修时,系统将该车列、车辆技术档案发送到检修单位,用于指导检修作业。

(2) 运行里程计算。

铁路货车状态修以运行里程作为车列、车辆检修周期的计量单位。基于既有线路、车站、THDS 等基础数据,建立基础数据字典,接入多 T、ATIS 等外部数据,构建运行里程计算架构,实现对整车运行里程和对配件运行里程的自动计算。同时,建立可视化展示模式,实现线路、车站布局及过车信息快速查询,实现多 T 与车号自动识别设备布局、预警的可视化展现与提醒,实现车列、车辆动态信息查询等功能。

(3) 车辆使用情况分析。

车辆使用情况分析包括车辆利用率分析、车辆休时分析、车辆状态分布分析以及车列、车辆的当前位置与运行轨迹查询分析。

(4) 检修工作量分析。

检修工作量分析用于对零部件清单进行分析,以车型为基准的车辆-装置(部件)-配件的结构模式,依据制造厂提供的标准配件名称、规格型号等信息,对既有物资材料编码进行整理,实现物资材料编码的唯一性。

分析检修工作量,对各检修单位每日的扣车、出车、残车信息,各项检修工作报表以及各检修单位车辆的休时进行统计分析。

（5）质量分析。

对车列、车辆的质量分析，包括健康评分、排名、低分提醒等；对故障的统计分析，包括故障里程、故障数量、发生季度、故障处理情况等；对主要寿命零部件的质量分析，包括比较各检修单位对整列做了同一种修程后，分析列车运行里程与后续整列诊断报告之间的关系，从而评价各检修基地的检修质量等；对监测设备的质量分析，包括对检测设备预报、预测故障的准确率进行分析；对供应商的分析，针对同一个零部件，结合多 T 预警故障和人工确认结果，以及检修过程中发现的故障，进行各零部件生产厂家之间的质量对比，并进行产品供应厂家质量排名。

（6）规律分析。

规律分析包括对列、辆、零部件剩余寿命进行统计分析，对修程进行预测分析，对零部件的磨耗规律进行统计分析。

（7）自助分析。

通过对各个维度的数据项进行个性化勾选，并结合时间、地区等信息，对所需报表进行自由组合，实现业务人员和分析人员的自助分析、自助取数，从而达到辅助决策的目的。

（8）驾驶舱。

管理驾驶舱从全景角度、检修基地角度、工序角度等维度，对状态修列、辆、零部件的状态进行实时监控、反馈，可视化展现列车分布、设备布局、车辆预警、检修单位的生产布局、生产进度等信息。

3）系统应用

监控大屏效果图如图 7.24 所示。

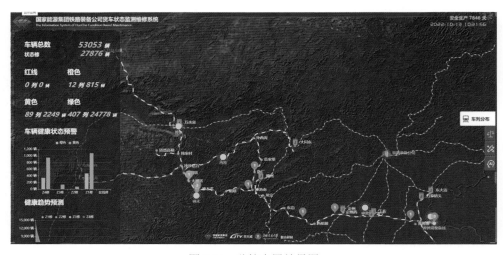

图 7.24　监控大屏效果图

6. 生产指挥系统

1）简介

状态修生产指挥系统研究是在状态修新模式的状态诊断决策模型下，监控列车的运输组织，监控车辆质量变化、寿命零部件退化趋势及质量缺陷导致的剩余寿命变化；监控轨边检测设备对车辆运行品质及重要零部件检测判定的安全程度的变化；按列车健康状态数据判定修程实施整列扣修；按在线修、Z1 修、Z2 修、Z3 修、Z4 修各等级修要求进行生产调度管理，智能化推荐待修列车送修方案，动态跟踪车辆在检修基地从预检、入库修理到修竣各阶段的进度及作业状况。生产指挥系统通过全方位跟踪监控列车状态变化及检修运用作业过程，满足状态等级检修新模式下的业务需求，实现状态修模式下生产作业的高效指挥调度。

2）主要功能

生产指挥系统主要功能如下：

（1）遵循状态修信息化框架要求，按状态修信息化框架提出的数据标准、技术路线、数据交换方案进行整体建设。

（2）接收车辆技术状态数据中心提供的车辆位置信息、技术状态档案信息、走行里程信息、检修过程监控信息、黄标方向字典信息，接收状态修诊断决策综合判别模型车列决策诊断报告、车辆技术状态诊断报告，作为状态修生产指挥的基础数据。

（3）年度、月度修车计划的编制。根据车辆技术状态数据中心提供的技术状态档案信息，以及状态修诊断决策综合判别系统提供的车列、车辆决策诊断报告，进行综合分析，并结合各维修单位的检修能力，编制公司年度、月度修车计划，均衡生产。

（4）列检作业阶段计划的制订。根据列车运行计划，制订列检作业计划，掌握四小时进站列车车次及列车预测状态。

（5）列车运用中的扣车管理。根据状态修诊断决策综合判别系统的列车健康诊断报告，对健康状态分值较低的列车进行扣车处理。根据诊断结果，综合问题列车的状态和各检修单位的当前检修能力，发布安全、高效的整列扣车调度命令，完成扣车及送修作业。

（6）重点列车与车辆（试验列车及试验车）的管理。为了保证状态修工作的顺利进行，对大量列车、零部件投入试验，及时掌握试验列车及试验车的运行里程、位置、轨迹及状态，实现试验列车及试验车位置查询、轨迹查询及运行里程统计功能。

（7）扣修列车的预检报告。根据状态修诊断决策综合判别系统输出的列车运用诊断结果，生成列车预检报告，包括故障清单、配件更换计划等，指导后续的修理工作。

（8）状态修调车作业跟踪。根据车辆技术状态数据中心提供的状态修车辆的位置信息、状态信息以及技术状态档案信息，跟踪检修列车进出修理基地时间、跟踪车辆休时各阶段的检修状态、跟踪车辆状态修过程中的位置，并可以查询、跟踪段内的调车作业计划情况。

（9）列车维修过程跟踪。实现生产作业过程动态监控功能，对作业过程全程监控，掌握车列分布情况、列车维修进度、车辆黄标方向、修竣车辆配件剩余寿命等生产信息。

（10）修竣车的运用组织。对修竣后欠轴的列车，包括故障甩车修竣后的车辆，根据列车中车辆关键零部件剩余寿命、黄标方向等列车属性对列车进行补轴处理，恢复编入符合条件的列车，并更新列车固定编组数据库。对满轴的修竣车，协调铁路装备公司计划调度，将修竣后的列车牵出，恢复运用状态。

（11）列车环线调向管理。由于列车长期单向运行造成车轮等零部件偏磨，影响运输安全。对列车进行环线调向管理，制订合理的状态修列车定期环线调向计划，并在生产指挥系统中进行环线调向工作的计划编制、进度查询、统计分析。

（12）汇集实际的扣修情况，为状态修验证试验提供实际扣修结果，并在生产指挥系统中提供验证跟踪查询功能。

（13）两级调度查询、报表系统建立。调研公司、分公司两级调度指挥情况、统计报表、数据分析需求，建立调度指挥报表系统，按照管理要求自动生成灵活、可扩展的生产指挥数据的实时综合查询报表，并可根据管理要求，设计调度指挥分析功能，对生产数据进行多维度的对比、分析，通过多种展示形式，达到辅助业务决策的目标。

（14）满足既有调度指挥功能。调研公司、分公司其他管理需求（包括生产计划、休时统计、残车统计、调车计划、回送车管理等），满足货车状态修调度指挥的管理信息化需要。

3）系统业务流程

生产指挥系统的扣修和补轴流程如图 7.25 和图 7.26 所示。

4）系统应用

生产指挥系统中列车状态预警界面如图 7.27 所示。

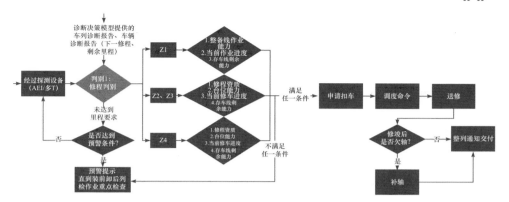

图 7.25　生产指挥系统的扣修流程图

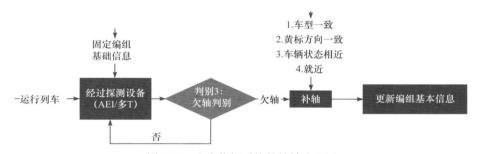

图 7.26　生产指挥系统的补轴流程图

图 7.27　生产指挥系统中列车状态预警界面

7. 诊断决策系统

1）简介

货车状态修诊断决策系统部署于车辆技术状态数据中心，实现零部件剩余寿命预测、车辆技术状态检测系统预测模型和车列健康诊断模型的建立、查询、修改等程序功能,实现车列修程诊断决策报告和车辆技术状态诊断报告的生成、查询、多条件对比分析等功能,以及报告数据的存储、备份、转储等数据管理功能。将车列修程诊断决策报告、车辆技术状态诊断报告返回给车辆技术状态数据中心和状态修生产指挥系统,以指导车辆修理和数据分析。

货车状态修诊断决策系统基于 SpringBoot、SpringSecurity、Jwt、Vue 的前后端分离软件开发架构,如图 7.28 所示。状态修诊断决策系统从数据中心的 Hbase 提取各类数据进行清洗和预处理,去除冗余数据,规范数据格式,通过数据治理过程完成数据建模,对数据进行融合和重组,形成面向业务分析的数据集。在智能分析层,基于多 T 检测数据和列车运行里程数据,对各零部件的直接测量值或基于检测数据的间接计算值与标准阈值或预期值进行比较,判定部件现在的实际状态,利用评估模型、预测模型、评分规则及评判指标对零部件、车辆及车列健康状态进行评估,基于诊断分析结果,对零部件故障及剩余寿命进行预测,形成车辆技术状态诊断报告和车列修程诊断报告,并将分析结果及列车检修信息返回给数据中心,形成数据闭环,为系统诊断评估模型优化提供数据支撑。用户在展示层查看车列、车辆及关键零部件的健康状态诊断报告和指标。

2)主要功能

铁路货车状态修诊断决策系统中与铁路货车及其零部件技术状态相关的数据包括零部件运行里程、列车运行工况、零部件检修、多 T 监测设备等,这些数据具有多源、异构、多维、多时空尺度、含噪等特点。这些数据从不同角度或层次上反映了零部件及车辆的状态,但仅采用某一来源数据很难给出准确的诊断结果,需要建立一种机制,一方面及时从各个系统新上传的数据中抽取所需数据,另一方面对这些数据进行清洗、转换、重组,实现面向货车状态修诊断决策的数据融合,保障数据的完整性、准确性,从而提高模型算法的准确性和计算效率。本系统对开源 Kettle 技术进行了扩展和改进,实现了货车状态修诊断决策的多源数据的抽取、清洗、转换、融合,并支持面向状态修诊断决策的需求进行数据的预处理和重构,形成数据集市,解决数据多源、异构、多维、多时空尺度、含噪等特点造成的数据完整性、一致性和准确性不易保证等问题,提高模型算法的准确性和计算效率。具体功能包括数据抽取和融合、货车状态监测设备数据处理、货车状态评估与预测、货车状态评估模型管理、系统维护等方面。

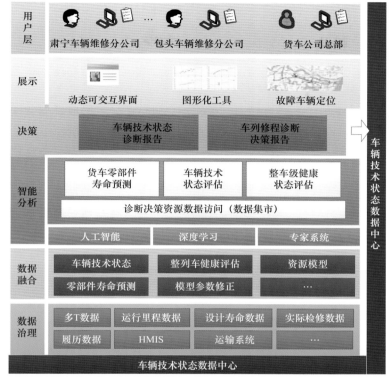

图 7.28　系统软件架构图

（1）数据抽取和融合。

原始数据存储于数据中心的大数据平台,诊断决策系统将根据业务应用需要,采用时间间隔触发和事件触发两种方式获取数据,然后对数据进行清洗等预处理,去除冗余数据，规范数据格式。

（2）货车状态监测设备数据处理。

根据诊断模型的计算规则,系统可重点对 THDS、TPDS、TADS、TFDS、TWDS等检测设备进行单 T 检测及多 T 检测,对零部件、车辆的技术状态计算相关指标、扣分值等。

（3）货车状态评估与预测。

货车状态的评估与预测主要从三个方面展开，即零部件健康状态评估及剩余里程预测、车辆技术状态诊断、车列修程诊断决策，然后将基于当前零部件、车辆和车列的健康诊断数据和修程预测结果及时生成最新的诊断报告，上传数据中心，为生产指挥系统提供状态修信息支撑。

（4）货车状态评估模型管理。

系统可提供各型货车主要部件的寿命预测模型、各型车辆的技术状态诊断分析模型、整列车的修程诊断决策模型、多T检测设备的相关参数及权重的管理。

（5）系统维护。

系统在运行时，会对各种访问和操作信息进行记录，形成日志文件，系统维护人员可对运行日志进行查询、下载等操作，及时发现本系统在运行过程中出现的问题及相关非法操作；系统可对全公司的所有多T设备的基础数据进行管理；对用户进行角色信息管理和管理权限的设置，提高系统安全性。

3）系统业务流程

铁路货车状态修诊断决策系统整体基于大数据平台搭建，由于铁路货车运行时产生大量数据，所以该系统通过基于内存的高性能并发缓存数据库将采集到的数据进行存储并用于故障诊断。这部分数据还会持久化到大数据平台分布式存储中，可以用于后续模型的训练和优化。数据预处理模块将并发缓存中存储的原始信号取出，然后进行截断和归一化，从而形成输入诊断模型的向量，通过模型判断故障的类别，并将结果通过系统页面展示，其结果提供给铁路货车状态修诊断决策系统作为维修决策建议的数据支持。将各关键零部件的状态结果汇总后，系统将给出整车的修程建议，完成整列车的状态修决策，并将整列车的评级和维修建议提供给检修部门进行维修参考。铁路货车状态修诊断决策系统逻辑流程如图 7.29 所示。

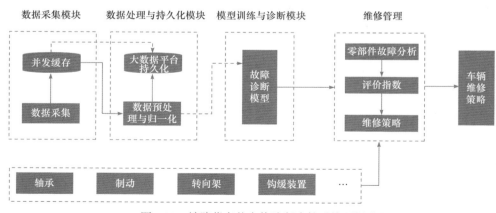

图 7.29　铁路货车状态修诊断决策系统逻辑流程

4）系统应用

状态修诊断决策系统的首页如图 7.30 所示，界面显示了进入修程和预计进入修程的各个车列的运行情况。

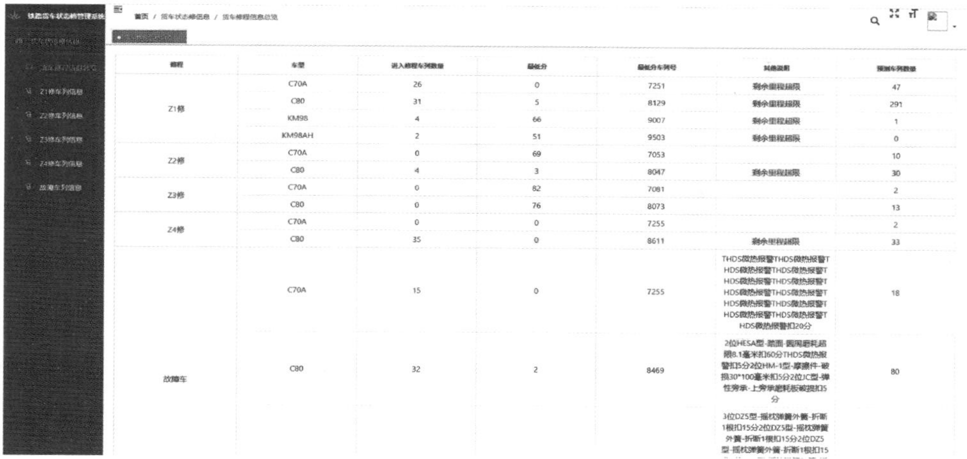

图 7.30　状态修诊断决策系统首页

7.3　铁路货车状态修自学习优化体系

当前处于大数据时代，数据是驱动业务机器学习发展的基础。自学习属于机器学习的一部分，被认为是机器学习发展的核心驱动力。自学习基于多层神经网络算法，即模仿动物神经网络行为，进行分布式并行信息处理，将单个感知器作为一个神经网络节点，以此类节点组成一个层次网络结构，称此网络为神经网络，当网络的层次等于或多于三层时，称为多层神经网络。自学习是指系统运行过程中通过评估已有行为的正确性或优良度，自动修改系统结构或参数以改进自身品质。本系统建设自学习优化体系，从运行数据中获得实用的信息，建设车辆或零部件的健康诊断模型，通过对健康诊断模型的不断优化指导状态修运行。

7.3.1　铁路货车状态修自学习优化内容

铁路货车状态修自学习优化体系（以下简称"自学习体系"）的核心内容是通过算法解析状态修业务数据，并进行学习优化，搭建状态修业务模型，对状态修业务做出决策和预测。通过大量的业务数据对模型进行"训练"，利用既有业务模型及训练集建立各类自学习模型，使用验证集评估并调整自学习模型，并根据验证集的结果选择性能最好的模型。在货车检修过程中会产生大量高价值业务数据，检修业务数据对状态修业务模型修正具有重大意义。自学习体系对模型进行评估，决定业务模型是否达到预期的效果，是否可以发布应用。自学习体系主要从两方面对模型进行评估：一是技术层面，从技术角度对模型效果进行评估；二是商业层面，对模型在状态修实际应用过程中的适应性进行评估。评估业务模型的好坏，关键在于该模型是否可以解决问题，例如，预测类的业务模型，状态修自学习优化体系通过预测值与实际值之间的接近程度，分析该预测模型的准确率，进而评估该模型是否达到预期效果。自学习体系通过对比状态修实际检测值与理论模型预测值，主要针对检修限度、寿命阈值、零部件质量缺陷与运行里程的对应关系等主要参数和关键指标进行差异化对比，并通过模型评估提出的模型优化策略，进而快速发掘模型选择或训练过程中的问题，不断迭代，对模型进行优化，系统针对性地选择合适的评估指标进行模型调整，保障业务模型的适用性和准确性，进而高效指导状态修的业务开展。

自学习体系通过对比货车检修过程产生的业务数据与状态修诊断决策综合判别模型、关键零部件剩余寿命预测模型、零部件失效规律模型、零部件分类、车轮技术状态评价模型等输出结果，分析关键指标数据差异，并对模型应用效果进行评估，对于不具备发布应用的模型，通过反馈关键指标数据的差异，推进模型优化，使模型具备应用能力。自学习体系根据发布的模型输出结果，结合状态修故障处理长期积累的业务数据，利用决策树建立状态修故障处理自学习模型及状态修自学习模型，对故障零部件实现自动诊断并推送针对性维修预案，初步实现状态修零部件智能化故障处理。

7.3.2　铁路货车状态修自学习优化体系建设

自学习体系由数据采集及处理、模型建立、模型评估三部分构成，整体模块及流程如图 7.31 所示。

数据采集及处理：通过车辆技术状态数据中心的数据资产管理，采集获取状态修业务相关的应用域数据，包括分析数据应用域、车列运用应用域、车辆检修数据应用域、零部件检修数据应用域、档案数据应用域、接口数据应用域、知识库数据应用域等，通过对状态修数据的整合、清理、抽取，对不符合实际情况的数据进行调整或剔除操作，保障状态修数据集的有效性，使状态修数据集符合状态修自学习优化体系的需要。数据集分为三部分，第一部分是较大的数据子集，用作训练集；第二部分通常是较小的子集，用作验证集；第三部分是较小的子集，用作测试集，其中测试集不参与任何模型的建立和验证。

模型建立：货车状态修业务数据挖掘工作的核心阶段，自学习体系完成对既有业务模型的适用性分析。利用既有业务模型及训练集建立各类自学习模型，同时对验证集进行评估，据此进行预测，进而对模型调优，并根据验证集的结果选择性能最好的模型。根据模型评估结果，对模型进行参数调整和优化维护，保障模型的准确性。

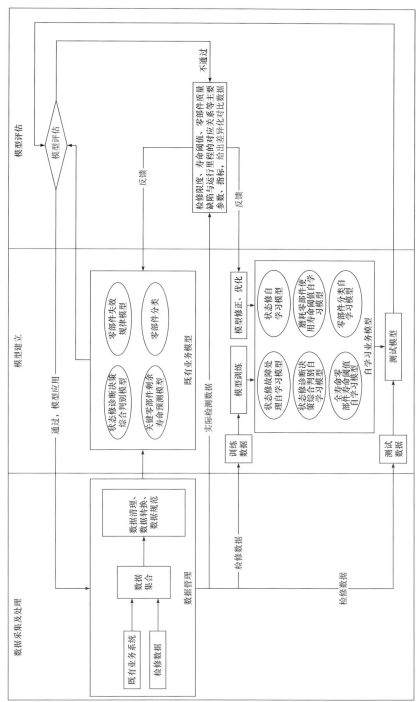

图7.31　自学习体系应用流程

模型评估：用于对状态修各业务模型进行评估，明确业务模型是否具备发布应用能力。根据实际检修过程中的检修数据与业务模型的预测、分类数据进行对比、分析，将对比差异数据及调整建议反馈给业务模型，对其进行优化、调整。

自学习体系从数据采集及处理到模型建立，再到模型评估，从模拟试验列车、验证试验列车过渡到正式状态修过程，实现常态业务数据的持续回馈与模型的不断优化，保障扣修修程决策的正确性，最终形成货车状态修模型的自学习过程。

根据状态修的实际需求，自学习体系建立状态修故障处理自学习模型、状态修自学习模型、状态修诊断决策综合判别自学习模型、磨耗零部件使用寿命阈值自学习模型、全寿命零部件寿命阈值自学习模型、零部件分类自学习模型。自学习算法主要分为监督学习、无监督学习和强化学习三种，各业务模型采用的算法如表 7.4 所示。

表 7.4　自学习体系建设内容

序号	模块名称	学习类别
1	状态修故障处理自学习模型	有监督-分类
2	状态修自学习模型	有监督-分类
3	状态修诊断决策综合判别自学习模型	有监督-回归
4	磨耗类零部件使用寿命阈值自学习模型	有监督-回归
5	全寿命零部件寿命阈值自学习模型	有监督-回归
6	零部件分类自学习模型	无监督-聚类

1. 状态修故障处理自学习模型

根据长期积累的状态修故障处理信息，结合零部件分类模型，按照零部件类别、生产日期、材质、零部件所属车辆诊断报告、车列诊断报告、多 T 故障预警数据、运行里程、剩余运行里程、零部件得分情况、历次检修记录、运用部位、故障类别、零部件失效概率等关键特征，运用决策树建立状态修故障处理自学习模型，实现对检修故障的自动诊断，并推荐针对性的维修预案。

2. 状态修自学习模型

状态修自学习体系通过检修过程中零部件故障类别、磨耗量、腐蚀量、损伤量等检测数据、维修数据、故障处理措施及检修流程数据的积累，建立状态修零部件检修故障处理模型，结合零部件所属车辆诊断报告、车列诊断报告、零部件分类模型等数据结果，将检修零部件健康状态与维修预案进行关联匹配，根据零部件健康状态、故障类别等关键特征指标，实现该零部件检修工位流水线自动配置，零部件按照检修工位流水线依次完成各个工位检修工作，减少人工干预，实现零部件智能检修管理。

3. 状态修诊断决策综合判别自学习模型

接收状态修诊断决策综合判别模型的输出数据，包括车列报告、车辆报告等。通过对比检修过程中实际列车扣修修程与车列报告预测修程，分析、评价车列报告修程预测的准确性；对检修过程中实际故障检修记录与车列报告重点检修内容、车辆报告建议重点检修零部件进行比较，分析、评价车列报告、车辆报告检修建议的精准性；对比检修过程中零部件更换信息与车辆报告中建议更换零部件信息，分析、评价车辆报告中零部件更换建议的实用性。通过实际检修内容与状态修诊断决策综合判别模型输出内容的对比，提供判别模型预测内容与实际检修内容的差异列表；通过持续对实际检修数据与模型输出理论值进行比较，为诊断决策模型提供阈值的校正建议，促进模型调优。

4. 磨耗类零部件使用寿命阈值自学习模型

接收零部件失效规律模型、关键零部件剩余寿命预测模型的输出数据，以轮轴踏面磨耗为例，将轮轴实际运行里程、现场测量的轮轴踏面磨耗值、轮径差、轮缘垂直磨耗、踏面擦伤深度、轮缘厚度等数值，与模型输出的轮轴踏面磨耗预测数值进行对比、分析，根据模型预测的磨耗数据与实测的磨耗数据构成差异列表，并将该表提供给零部件失效规律模型、关键零部件剩余寿命预测模型，为模型提供校正建议，促进模型调优。

5. 全寿命零部件寿命阈值自学习模型

分析全寿命零部件的运行里程、故障情况、实际寿命等，生成零部件寿命阈值数据与实测零部件使用寿命数据的差异列表，通过持续对实测数据与理论值进行比较，为全寿命零部件提供建议寿命阈值，为全寿命零部件寿命阈值调优提供参考数据，进而给出零部件寿命阈值的调整建议。

6. 零部件分类自学习模型

状态修按照寿命管理要求划分为全寿命类、使用寿命类、易损类三类零部件，通过将零部件的运行里程、磨耗值、故障、更换数量与零部件对应的检修里程、限度进行并联分析，构成不同类型零部件寿命里程或年限与实测值的差异列表，通过持续对实测数据与理论值进行比较，给出寿命管理体系三类零部件分类的校正调优策略，保障零部件分类的正确性、零部件检修周期匹配的一致性、状态修修程划分的合理性。

第 *8* 章

铁路货车状态修实践

8.1 国能集团铁路货车状态修实践

2016 年，国能铁路装备有限责任公司向国能集团申报了"神华重载铁路货车状态检修成套技术研究及装备研制"科技创新项目，于 2017 年 3 月获国能集团批复立项，经费预算 29024 万元。项目围绕着车辆动力学基础理论、零部件分类及其寿命管理、车辆健康状态综合智能判定、状态修修程修制研究等多方面开展系统的研究工作，下设 18 个具体的研究课题。

2018 年初，国能铁路装备有限责任公司联合中国铁道科学研究院、北京交通大学、西南交通大学、中国中车股份有限公司、哈尔滨铁路科研所科技有限公司、北京京天威科技发展有限公司等数十家科研机构组建研发团队，对所属各分公司铁路货车检修进行集中调研，对铁路货车各车型的车体、转向架、制动装置等主要零部件常见故障类型、故障部位及故障率进行检测和分析，详细掌握车辆关键零部件的磨耗及失效规律，识别出过度检测、过度分解与过度修理的项点，为铁路货车状态修零部件寿命管理体系和工艺规程研究提供了大数据支持。

2019 年 6 月，国能铁路装备有限责任公司开行 22 列试验及对比列，通过试验列的运用考核对理论研究类课题研究成果进行验证，持续对试验数据进行追踪与分析。

2019 年 7 月，国能铁路装备有限责任公司成功完成基于整列车闸瓦批量磨耗到限检查确认的首列状态修（Z1 修），标志着铁路货车状态修从理论研究转入实践运用。

2020 年 6 月 8 日，国能铁路装备有限责任公司分别完成了针对关键零部件磨耗到限、寿命集中到期检查等作业的 Z2 修样车试修及首辆鉴定工作。

2020 年 9 月 11 日，国能铁路装备有限责任公司完成了针对分解更换转向架橡胶件、空气制动装置和钩缓装置等作业的 Z3 修样车试修及首辆鉴定工作。各项检测结果符合技术要求，标志着铁路货车"状态修"技术走向成熟。

2020 年 10 月，国能铁路装备有限责任公司完成铁路货车状态修工艺规程体系编制。将状态修根据整列车的不同技术状态，具体细分为 Z1 修、Z2 修、Z3 修和 Z4 修。同时已建立起列车健康状态诊断模型和状态检测维修系统，由数据中心、诊断决策综合判别系统和生产指挥系统构成，可实时监控车辆运行健康状态与跟踪轨迹。HCCBM 根据诊断决策报告，确定列车修程和施修内容。诊断模型通过大数据分析，在维修中还可以不断自我修正，不断自我完善。

2020 年 10 月 28 日，货车状态修在国能铁路装备有限责任公司全面投入实际生产。

8.2 综合效益分析

铁路货车状态修是以充分提高车辆利用率为前提，基于铁路货车健康状态，智能决策修程修制的一种针对性检修模式。状态修模式的有效开展一方面通过提高检修效率降低检修成本，另一方面通过技术创新为公司创造更多收益，提高企业核心竞争力，进而推动铁路运输业及相关产业实现经济效益的提升，以促进整个社会的发展和进步。因此，对状态修的综合效益进行分析首先需明确状态修项目的总投资情况，进一步分析实施状态修产生的成本节约和效益提升。

8.2.1 状态修项目总投资

状态修作为创新性修制，必然产生大量的研究专利以及引进先进的技术设备，因此也会通过技术创新及设备更新改造产生技术创新乘数效益，技术创新效益由技术创新项目投入和设备更新改造项目投入带来。专利作为一种无形资产，具有巨大的商业价值，是提升企业竞争力的重要手段，还能在交易或转让中获得利润，实现长久创收。此外，先进的技术设备也将极大地提高生产效率，实现劳动、资本的最优配置。

状态修项目现已成功申请 74 项专利，该项目在服务于公司的同时也将带来极大的技术转让收入。在经济学中，索洛经济增长模型[1]是发展经济学中著名的模型，又称新古典经济增长模型、外生经济增长模型，是在新古典经济学框架内的经济增长模型。公司和个人可以通过储蓄进行投资，然后这些投资又会和劳动力一起发生"化学"反应，产生出新的社会财富。这个时候，劳动力和资本的比例是重要的，会对增长速度产生很大的影响。

结合柯布-道格拉斯生产函数[2]可知，状态修带来的技术水平增长将直接作用

于总产出的提升。图 8.1 为国能铁路装备有限责任公司的技术创新效益扩散路径
演化情况。技术创新效益来源于公司整体的技术进步，新技术的应用有利于降低
维修时间和人工、材料等成本费用，技术创新还会给公司创造可观的专利费，行
业内的知识扩散与溢出对促进同行业和相关行业的发展、提高产业创新能力等方
面具有显著的作用，进一步在社会层面对保护环境、促进区域经济的发展具有深
远意义。

图 8.1　技术创新效益扩散路径演化

　　经计算分析，状态修成套技术研究及装备研制重点项目所有研究课题立项投
入总金额为 13985.28 万元。此外，包括待招标和待启动的三个项目后所有项目投
入总金额为 26799.28 万元。国能铁路装备有限责任公司肃宁车辆维修分公司 Z2
修所有新购设备总投入为 571.59 万元。随状态修逐步开展和深入，将沿"状态修
技术进步—项目层面成本减少—产业层面协同发展—社会层面经济发展"这一过
程实现状态修技术溢出，对整个产业和社会发展具有重要意义。

8.2.2　状态修项目成本节约

　　状态修项目成本节约即测算实行状态修与实行计划修时相比成本的减少量。
首先通过建立计划修和状态修全寿命周期成本模型，分析业务流程与财务数据间
的逻辑关系，将计划修按时间跨度的业务流程进行的成本核算，转换为改革后状
态修按照走行里程确定修程修制的成本核算；然后在计划修全寿命周期成本计算
和状态修全寿命周期成本测算的基础上，将计划修及状态修两种模式下的成本进
行对比，得到状态修模式下的成本节约情况。

　　1. 计划修成本计算

　　基于现行的计划修修程修制，构建计划修全寿命周期成本计算公式，并计算
C80、C70、C64 三种车型成本，见表 8.1~表 8.3。其中，全寿命周期内 C80 型货

车计划修成本为 579124.90～601652.28 元/辆，C70 型货车全寿命周期检修成本为 513630.64～535218.27 元/辆，C64 型货车全寿命周期检修成本为 593042.23～722721.34 元/辆。

如表 8.1 所示，C80 型货车全寿命周期计划修成本构成为：厂修成本 23.98%，段修成本 37.44%，运用修成本 20.49%（列检成本 20.19%，临修成本 0.30%），再制造成本 18.09%（组装 E 轴成本 2.06%，检修 E 轴成本 7.33%，设备检修成本 1.86%，周转材料成本 6.84%）。

表 8.1　全寿命周期 C80 型货车计划修成本明细

指标			全寿命周期成本/（元/辆）		成本占比/%
			最小值	最大值	
厂修成本			144253.75	144253.75	23.98
段修成本			202746.45	225273.83	37.44
运用修成本	列检成本		121478.61	121478.61	20.19
	临修成本		1823.33	1823.33	0.30
再制造成本	轮轴轮对检修成本	组装 E 轴成本	12400.31	12400.31	2.06
		检修 E 轴成本	44092.13	44092.13	7.33
	设备检修成本		11169.09	11169.09	1.86
	周转材料成本		41161.23	41161.23	6.84
合计			579124.90	601652.28	100.00

表 8.2 列示了 C70 型货车全寿命周期计划修成本构成：厂修成本 27.48%，段修成本 40.33%，运用修成本 8.16%（列检成本 8.04%，临修成本 0.12%），再制造成本 24.03%（组装 E 轴成本 10.33%，检修 E 轴成本 3.92%，设备检修成本 2.09%，周转材料成本 7.69%）。

表 8.2　全寿命周期 C70 型货车计划修成本明细

指标		全寿命周期成本/（元/辆）		成本占比/%
		最小值	最大值	
厂修成本		147078.45	147078.45	27.48
段修成本		194288.70	215876.33	40.33
运用修成本	列检成本	43011.33	43011.33	8.04
	临修成本	645.58	645.58	0.12

指标			全寿命周期成本/（元/辆）		成本占比/%
			最小值	最大值	
再制造成本	轮轴轮对检修成本	组装 E 轴成本	55275.44	55275.44	10.33
		检修 E 轴成本	21000.82	21000.82	3.92
	设备检修成本		11169.09	11169.09	2.09
	周转材料成本		41161.23	41161.23	7.69
合计			513630.64	535218.27	100.00

表 8.3 列示了 C64 型货车全寿命周期计划修成本构成：厂修成本 10.13%，段修成本 62.80%，运用修成本 9.27%（列检成本 9.09%，临修成本 0.18%），再制造成本 17.80%（组装 D 轴成本 7.65%，检修 D 轴成本 2.90%，设备检修成本 1.55%，周转材料成本 5.70%）。

表 8.3　全寿命周期 C64 型货车计划修成本明细

指标			全寿命周期成本/（元/辆）		成本占比/%
			最小值	最大值	
厂修成本			73205.73	73205.73	10.13
段修成本			324197.78	453876.89	62.80
运用修成本	列检成本		65716.97	65716.97	9.09
	临修成本		1315.17	1315.17	0.18
再制造成本	轮轴轮对检修成本	组装 D 轴成本	55275.44	55275.44	7.65
		检修 D 轴成本	21000.82	21000.82	2.90
	设备检修成本		11169.09	11169.09	1.55
	周转材料成本		41161.23	41161.23	5.70
合计			593042.23	722721.34	100.00

2. 状态修成本测算

在业务流的成本构成要素分析和计划修全寿命周期成本计算模型的基础上，建立状态修全寿命周期成本测算公式，并测算状态修成本。以 C80 型货车为例，状态修单车全寿命周期成本测算结果如下所示。

由表 8.4 可知，全寿命周期内 C80 型货车状态修相比计划修，材料成本减少

39000 元,人工成本减少 72000 元,其他成本减少 16000 元,合计总成本减少 127000 元。其中人工成本节约幅度最大,占节约总成本的 56.69%;材料成本次之,占节约总成本的 30.71%;其他成本节约幅度最小,占节约总成本的 12.60%。由此可见,材料成本和其他成本还有很大的节约空间。

表 8.4　C80 型货车状态修相比计划修变动量

项目	人工列检 (较运用修)	Z2 修 (较段修)	Z3 修 (较段修)	Z4 修 (较厂修)	合计
工作减少量/%	40	70	30	20	—
材料成本减少值/元	1000	25000	5000	8000	39000
人工成本减少值/元	48000	15500	3000	5500	72000
其他成本减少值/元	4000	6000	2000	4000	16000
总成本减少值/元	53000	46500	10000	17500	127000

由表 8.5 可知,全寿命周期内状态修(包括在线修、Z1 修、Z2 修、Z3 修、Z4 修)的单车材料成本为 165862.60 元,单车人工成本为 144715.15 元,单车其他成本为 164074.53 元,合计 474652.28 元。

表 8.5　C80 型货车状态修单车全寿命周期成本计算

项目	计划修单车成本/元	变动值/元	状态修单车成本/元	成本变动幅度/%
材料成本	204862.60	−39000	165862.60	−19.04
人工成本	216715.15	−72000	144715.15	−33.22
其他成本	180074.53	−16000	164074.53	−8.89
合计	601652.28	−127000	474652.28	−21.11

数据来源:国能铁路装备有限责任公司内部财务报表。

3. 计划修和状态修成本对比

计划修现行的业务流程按照时间跨度进行作业维修,以 C80 型货车为例,计划修全寿命周期内共进行 10 次段修,2 次厂修,状态修全寿命周期内共进行 6 次 Z2 修、4 次 Z3 修以及 2 次 Z4 修。以计划修材料成本为基础,计算出状态修相较于计划修的材料变动数量,再结合变动材料价格定额即可算出状态修全寿命周期材料成本。

表 8.6 列出了各车型状态修的材料成本,C80 型货车 Z2 修材料成本为 4187.71 元,较一、二次段修减少 30.22%;Z3 修材料成本为 7048.29 元,较三次段修减少 17.38%;Z4 修材料成本为 25367.45 元,较厂修增加 4.97%。C70A 型货车 Z2 修材料成本为 5184.83 元,较一、二次段修减少 4.62%;Z3 修材料成本为 5956.09 元,较三次段修减少 9.61%。

表 8.6　各车型状态修材料成本统计表　　　　（单位：元）

状态修单车 材料成本		计划修 单车材料成本	材料成本 差异	产生差异的相关材料
C80				
Z2	4187.71	一、二次段修　6001.06	−1813.35	拉铆销及附属配件、橡胶垫和制动软管
Z3	7048.29	三次段修　8530.80	−1482.51	拉铆销及附属配件、交叉杆扣板和 U/X 型弹性垫
Z4	25367.45	厂修　24166.87	1200.58	撑杆、主动轴组成、拉铆销
C70A				
Z2	5184.83	一、二次段修　5435.73	−250.90	撑杆、轴箱橡胶垫和制动软管
Z3	5956.09	三次段修　6589.37	−633.28	交叉杆扣板和 U/X 型弹性垫、钩舌

数据来源:国能铁路装备有限责任公司沧州机车车辆维修分公司 C80 状态修材料消耗统计及 C70A 试验列数据。

铁路货车维修人工成本采用定额法并借助作业成本法进行计算。作业的完成需要耗用不同岗位的人员,以人员数量为资源动因,归集每一项作业的成本,以检修时间为作业动因,归集得到最终产品对象的成本,即各个车型某一修程的人工成本。

根据检修工艺标准,结合生产场地及流水线设置情况,分公司对检修岗位定员进行初步测定,得到 Z4 修与厂修岗位定员相比减少了 5.6%,Z3 修比段修减少了 4.67%,Z2 修比段修减少了 11%。考虑到国能铁路装备有限责任公司沧州机车车辆维修分公司厂修、段修基本由委外人员执行,选取该公司 2019 年厂修、段修单车委外成本和单车人工成本作为基准,委外成本完全受状态修的影响而比计划修下降,人工成本保持不变。C80 车型状态修与计划修人工成本对比见表 8.7,Z4 修比厂修单车用人成本节约 773 元,单车用人成本下降 4.16%;Z3 修比段修单车用人成本节约 191 元,单车用人成本下降 3.36%;Z2 修比段修单车用人成本节约 449 元,单车用人成本下降 7.91%。

表 8.7　C80 车型状态修与计划修人工成本对比

C80	状态修			计划修			状态修比计划修	
	单车委外成本/元	单车人工成本/元	单车用人成本/元	单车委外成本/元	单车人工成本/元	单车用人成本/元	单车用人成本节约金额/元	单车用人成本下降比例/%
Z4 修与厂修	13030	4792	17822	13803	4792	18595	773	4.16
Z3 修与段修	3890	1597	5487	4081	1597	5678	191	3.36
Z2 修与段修	3632	1597	5229	4081	1597	5678	449	7.91

8.2.3　状态修实施产生的效益

　　状态修实施产生的效益分为四个层面：①状态修模式的有效开展有助于改变传统铁路货车计划修模式存在的过度修、过度检问题，因此状态修的实施通过减少时间成本而产生时间节约效益；②状态修相比于原有计划修模式为车辆检修带来成本节约效益；③状态修的有效实施可促进国能铁路装备有限责任公司经济效益增加；④状态修在为企业创造价值的同时，也通过技术溢出逐步推动产业和社会效益提升。

　　1. 时间节约效益

　　状态修替代原有计划修后，可通过减少材料消耗、节省劳动力投入、削减管理成本等方式减少财务成本，并通过减少预检时间、不必要拆卸等方式降低时间成本。由检修时间节约产生的时间节约效益提高体现在两方面，即维修时间节约效益和运营时间增加效益。

　　时间成本的研究基于机会成本的测算，通过对比计划修与状态修耗时数据，计算状态修节省的时间，进而计算可能带来的收益。维修耗时由维修作业耗时、流水线传输耗时以及随机的流水线停顿耗时组成，其中流水线停顿耗时是指流水线中某环节因特殊维修状况而卡顿的耗时。

　　车辆的全寿命时长可以分为两部分，一部分为因车辆修理保养需要而产生的扣车耗时，另一部分为运营的可用时长。其中可用时长中用于运营的时长为运营时长，而真正产生经济效益的部分为有效时长。通过状态修可实现可用时长的增加，但有效时长增加与否与维修方式无关，而是取决于市场行情与运输管理。

　　扣车耗时包含调度耗时、等待耗时与维修耗时，从列车确定进厂维修被扣车开始直至出厂恢复运营为止均为扣车耗时。其中调度耗时包括故障确定、修程选择、线路调度、班组匹配等时间；等待耗时属于各环节之间的衔接等待耗时；维修耗时为实际维修时长。状态修可以通过增加维修效率进而减少维修耗时，然而可用时长的增长不仅依赖维修耗时的减少，合理的扣车计划、紧凑的维修节奏对减少扣车耗时同样起到巨大作用。通过扣车耗时节省出来的时间，同样需要合理的运输组织规划。

计算 C80 型货车全寿命周期修时节约时间，再根据单车效率效益表中单车日收益计算单车全寿命周期效益，理论上可以通过与全部 C80 型货车数量相乘得到全部 C80 型货车全寿命周期运营时间增加效益。维修公司单位时间价值可以由维修公司总成本除以总工时估算求得，按全部工作天数计算，可以估算出每个维修公司的单位时间（每日）成本，再根据 C80 型货车全寿命周期节约修时估算维修公司修时节约效益。运营时间增加效益与维修时间节约效益的和为状态修时间节约效益总额。维修公司时间节约效益总价值为 176819.51 万元，全部车辆运营时间增加效益总价值为 1234.59 万元。按照全寿命周期为 26 年计算，具体时间节约效益净未来值见表 8.8，贴现率为 4.9%的总修时节约效益净未来值为 345020.73 万元，贴现率为 4%的总修时节约效益净未来值为 303457.23 万元，贴现率为 3.5% 的总修时节约效益净未来值为 282921.82 万元，贴现率为 3%的总修时节约效益净未来值为 264020.29 万元，贴现率为 2.5%的总修时节约效益净未来值为 246616.63 万元。

表 8.8　时间节约效益净未来值

贴现率/%	4.9	4	3.5	3	2.5
净未来值/万元	345020.73	303457.23	282921.82	264020.29	246616.63

2. 成本节约效益

对计划修与状态修材料成本进行对比分析，将状态修业务流程与财务流程一一对应，通过对财务数据的计算找出价值高、用量大等需要重点管控的材料，并且针对相应的业务流程进行重点关注，从而促进业务流程与财务流程的融合。

以 C80 型货车 Z2 修为例，以段修作为比较基点，分别计算一次段修的材料消耗总成本与 Z2 修单车材料消耗总成本，比较一次段修总成本与 Z2 修单车总成本的差额，结果由高到低进行排序，筛选出前五名段修较 Z2 修材料消耗总额增加的情况，如表 8.9 所示。由此可知，相比于计划修，状态修模式下材料成本有了很大程度的节约，尤其是转向架中的轴箱橡胶垫、拉铆销和制动软管等材料。

表 8.9　C80 型货车 Z2 修段修较状态修材料总额相比增加量（前五名）

序号	物资名称/规格型号	段修材料消耗量/件	Z2 材料消耗量/件	单价/元	消耗总额增减情况/元	系统组成
1	轴箱橡胶垫/K6	1.56	0.107	242.21	351.98	转向架
2	拉铆销/DMXP36-75-T22	4	0.002	52.65	210.52	转向架
3	拉铆销/DMXP36-68-T22	4	0.051	52.21	206.17	转向架
4	拉铆销/DMXP28-65-T16	4	0.174	49.79	190.51	转向架
5	制动软管总成/980	1.4	0.046	100	135.4	转向架

数据来源：国能铁路装备有限责任公司沧州机车车辆维修分公司 C80 型货车 Z2 修材料消耗定额统计表及业财融合报告。

根据计划修和暂行的状态修工艺规程，以及 Z2 修成本写实数据和段修成本经验数据，分析 Z2 修和段修五大系统主要业务和班组人工成本变化，结合定员情况，Z2 修相比于段修用人节约较大的检修内容如表 8.10 所示。由表可知，Z2 修和段修相比，节约人员数量总共 18 人，其中钩缓检修节约 9 人，转向架检修节约 9 人（故障件处理和初始信息录入分别增加 3 人和 2 人）。

表 8.10　Z2 修与段修定员对比情况（12 项）

部件名称	工作内容	段修定员	Z2 修定员	增减变动
钩缓检修	钩尾框及缓冲器现车分解、组装	2	0	−2
	螺栓分解、组装	6	3	−3
	缓冲器与钩尾框分解	4	2	−2
	转动套、钩舌销、钩尾销探伤及检测	2	0	−2
转向架检修	斜楔及弹簧分解	2	0	−2
	翻转检查	2	0	−2
	正位检测	2	0	−2
	斜楔及弹簧组装	2	0	−2
	交叉杆分解、组装	4	0	−4
	故障件处理	0	3	3
	瓦托探伤及外观检查	2	0	−2
	初始信息录入	0	2	2

数据来源：国能铁路装备有限责任公司沧州机车车辆维修分公司内部资料。

3. 经济效益

为了定量分析国能铁路装备有限责任公司实施状态修收入情况，对公司的车型与走行公里数进行统计，并拆分出与走行公里数相关的公司收入。国能铁路装备有限责任公司的收入一方面与铁路货车的走行公里数相关，另一方面由于不同货车的载重不同、车型的不同也会影响收入。因此，需依据走行公里数与车型载重进行收入分摊。

结合国能铁路装备有限责任公司实际运行情况以及铁路货车的计划修修程修制，计算不同车型全寿命周期内计划修的单车收入。假设状态修与计划修每走行公里创造的收入相同，且重车使用率相同，计算不同车型全寿命周期内状态修的单车收入，进而得到收入增加百分比。由计划修转变为状态修三种车型货车收入增加百分比计算结果见表 8.11。

表 8.11　三种车型货车收入增加百分比

车型	全寿命周期内状态修的单车收入				全寿命周期内计划修的单车收入			货车收入增加百分比/%
	每走行公里收入/元	状态修全寿命周期走行里程/万 km	重车使用率/%	单车收入/万元	计划修年度单车收入均值/万元	计划修全寿命周期使用年限/年	单车收入/万元	
C64	1.98	480	21.09	200.44	7.32	24	175.68	14.09
C70	2.31	480	22.10	245.04	9.02	24	216.48	13.19
C80	2.64	480	37.94	480.78	17.55	24	421.20	14.15

由表 8.11 可知，三种车型货车每走行公里收入分别为 1.98 元、2.31 元和 2.64 元，C64、C70 和 C80 三种车型货车状态修全寿命周期走行里程为 480 万 km。根据经验估算出全寿命周期内计划修单车走行里程为 400 万 km，使用年限 24 年，所以每年走行约 166667km，根据已有重车走行数据可得，C64、C70 和 C80 重车使用率分别为 21.09%、22.10% 和 37.94%。假设状态修与计划修每走行公里创造的收入相同，且重车使用率相同，则 C64、C70 和 C80 三种车型货车全寿命周期内状态修的单车收入分别为 200.44 万元、245.04 万元和 480.78 万元。三种车型货车计划修年度单车收入均值分别为 7.32 万元、9.02 万元和 17.55 万元，则全寿命周期内计划修的单车收入分别为 175.68 万元、216.48 万元和 421.20 万元。因此，由计划修转变为状态修，使得 C64 型货车收入增加 14.09%，C70 型货车收入增加 13.19%，C80 型货车收入增加 14.15%，由此可知实施状态修是经济有效的。

4. 产业和社会效益

状态修作为一种创新的检修模式，有效改善了铁路货车检修的工艺流程，实现了检修成本的降低和运输效率的提高。在为企业带来经济效益的同时，状态修也对相关产业和社会产生积极影响。分别从状态修项目层面和公司层面对经济效益进行详细分析和预测，进而对状态修产业和社会效益进行分析，探究本项目对整个运输产业和社会产生的积极影响。对于产业效益分别从价值链、供应链和产业链三个角度进行展开分析，详细研究状态修对产业效益提升的推动作用，并从环保效益和区域经济发展两个方面，深入分析状态修产生的社会效益。

1）产业效益

在产业效益方面，状态修从价值链、供应链、产业链三个方面带动相关企业及整个产业的发展。从价值链角度，国能铁路装备有限责任公司内部通过实行状态修等不断产生增值效应，首先状态修项目产生的价值将在本项目层面开始增值，进而由状态修这一技术创新驱动价值扩散到维修公司，以带动维修公司层面价值提升，随之扩散到国能铁路装备有限责任公司层面，在企业内部构成不同层次的价值链，从而通过状态修的实施为企业源源不断地创造价值。从供应链角度，国能铁路装备有限责任公司与其上下游企业之间构成供应链条，状态修模式的实施使得铁路装备公司提高对上游零部件供应企业的产品质量要求，提高对上游技术设备供应企业的产品需求，提升运输服务质量，并提高下游货物运输需求企业的经济收益和货运服务需求，进一步扩散到整个国能集团层面的供应链，推动供应链上各个企业发展。从产业链角度，国能铁路装备有限责任公司与其上下游涉及的相关产业构成产业链条，铁路装备公司作为技术创新者，研发并采用状态修模式，逐渐吸引其他铁路运输企业及其他相关产业采用这种技术，进而形成规模效益，促使状态修在整个铁路运输产业的推广运用，并推动整个产业链条上相关产业的发展。状态修有助于企业内部价值链的完善和发展，不断促进公司价值链实现价值增值，以提高企业竞争力，增加利润；公司价值链的不断增值为状态修促进核心企业技术创新提供资金支撑，进一步带动整个供应链上下游企业的进步，提高整个供应链的供应效率；价值链和供应链的发展又促进各产业间相互联系，对相关产业产生一定扩散和溢出作用，进而提高整个产业效率，带动整个产业链的发展。

2）社会效益

在社会效益层面，状态修对环境保护和区域经济发展具有重要意义。从环境保护角度，状态修能够有效地减少维修零部件的更换，相对提升零部件的使用率，从而大幅降低零部件生产过程中的能源消耗及废气/废水排放，同时带动相关生产企业进行技术革新，提高社会整体的环保效益。从区域经济发展角度，实施状态修可以优化企业内部业务结构，加速人财物等资源的流动和配置，带动当地经济发展；吸引相关产业的集聚，进而产生集聚效益，并提升地区发展水平；有效提升车辆检修效率和业务运营效益，进而带动东部、中部、西部跨区域协同发展。

8.3　展　　望

离散制造型企业的产能不同于连续型企业主要由硬件（设备产能）决定，而主要以软件（加工要素配置的合理性）决定。对于同样规模和硬件设施的不同离散制造型企业，因其管理水平的差异导致的结果可能有天壤之别，从这个意义上来说，离散制造型企业通过软件方面的改进来提升竞争力更具潜力。如果说应用软件对连续型企业的作用是辅助性的，而对于离散型企业则起到决定性的作用。利用大数据、人工智能建立货车运用扣修、健康诊断模型，利用物联网技术跟踪货车关键配件的检修、运用全寿命轨迹，利用大数据、机器人技术实现货车配件的智能选配及自动抓取配送工作，利用智能检测技术实现货车检修数据的自动采集等多种铁路货车检修和新技术的契合点及落脚点已经成为可能。智慧货车检修体系是未来铁路货车检修的主要发展方向。

智慧货车检修的这棵大树分为三层，其架构如图 8.2 所示，树冠是智慧检修调度层、树干是检修过程执行层、树根是智能设备采集层。智慧检修调度层汇集全路货车及关键零部件的检修、运用、故障数据，利用大数据、机器学习等技术精准分析，形成货车检修生产计划及各修程的货车数字检修预案。检修过程执行层准确采集铁路货车运用、扣车、入线、整车及关键配件检修过程数据，利用物

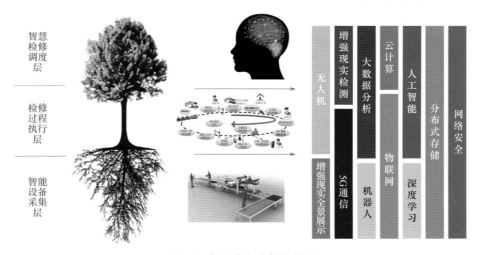

图 8.2　智慧货车检修架构图

联网技术全寿命、全过程跟踪关键配件的运用检修过程。同时向上接收智慧检修调度层的检修计划和检修预案信息，进行实际完成情况的采集，并与计划及预案进行对比，向下接收智能设备采集数据。智能设备采集层结合货车检修流水线，利用智能机器人、智能检测技术进行货车检修过程中无人值守实时的数据采集。

工业互联网、无人机、增强现实、先进传感器、5G 通信、云计算等智能技术的蓬勃发展，必将催生检修模式不断升级，推动管理流程再造，不断促进检修与互联网的深度融合。

未来货车"智慧检修"的发展将呈现以下要点：

（1）需要掌握铁路货车全部零部件寿命与参数。通过先进传感器的预先植入或具有自感知的智慧零部件的应用，当服役过程中实际参数偏离安全限值时，货车关键零部件具有自检测、自诊断、自预警的功能。

（2）实施数据共享。对铁路货车从生产、运营到维修，深入开展数字化管理，全面实施铁路货车全寿命周期的数据追踪与共享，充分利用大数据挖掘技术，智慧开展维修维保工作。

（3）实现铁路货车自动运营管理功能。增强现实技术具有场景识别功能，结合通信和导航技术，可自动引导铁路货车进行运营与维修。

（4）实施精准排故。增强现实技术使人与物体之间没有距离，通过增强现实检测、增强现实远程全景展示、增强现实实时传输等技术，实现货车运营人员、现场维修人员、技术支援人员等综合"会诊"，精准识别故障，制订检修方案。

（5）实现无人化过站维修。逐步实现货车 Z1 修整备线的无人化，进一步降低人力成本。

通过不断构建分布式、网络化、平台型的智慧型维修生态圈基本机制体系，形成网络效应，形成以生态圈覆盖为导向的货车管理规模扩张、资源精准配置，让铁路货车状态更稳、成本更低、效率更高。

参 考 文 献

[1] Solow R M. 经济增长理论[M]. 朱保华, 译. 上海: 上海人民出版社, 1994.

[2] Paul A S. Paul Douglas's measurement of production functions and marginal productivities[J]. Journal of Political Economy, 1979, 87(5): 923-939.

附　　录

16H 型钩舌部分条件失效概率

上次探伤里程/万 km / 再次行驶里程/万 km	0	35	36	37	38	39	40	41	42	43	44	45	75	76	77
1	0.01	0.01	0.01	0.01	0.01	0.01	0.01	0.01	0.01	0.01	0.01	0.01	0.03	0.03	0.03
2	0.02	0.01	0.02	0.02	0.02	0.02	0.02	0.02	0.02	0.02	0.02	0.02	0.05	0.05	0.05
3	0.02	0.02	0.02	0.02	0.03	0.03	0.03	0.03	0.03	0.03	0.03	0.03	0.08	0.08	0.08
4	0.02	0.03	0.03	0.03	0.03	0.04	0.04	0.04	0.04	0.04	0.04	0.04	0.10	0.10	0.11
5	0.02	0.04	0.04	0.04	0.04	0.05	0.05	0.05	0.05	0.05	0.05	0.06	0.13	0.13	0.13
6	0.02	0.05	0.05	0.05	0.05	0.05	0.06	0.06	0.06	0.06	0.07	0.07	0.15	0.15	0.16
7	0.02	0.06	0.06	0.06	0.06	0.06	0.07	0.07	0.07	0.07	0.08	0.08	0.18	0.18	0.18
8	0.02	0.06	0.07	0.07	0.07	0.08	0.08	0.08	0.08	0.09	0.09	0.09	0.20	0.20	0.21
9	0.03	0.07	0.08	0.08	0.08	0.09	0.09	0.09	0.10	0.10	0.10	0.10	0.22	0.23	0.23
10	0.03	0.08	0.09	0.09	0.09	0.10	0.10	0.10	0.11	0.11	0.11	0.12	0.25	0.25	0.26
11	0.03	0.09	0.10	0.10	0.10	0.11	0.11	0.11	0.12	0.12	0.13	0.13	0.27	0.28	0.28
12	0.03	0.10	0.11	0.11	0.11	0.12	0.12	0.13	0.13	0.14	0.14	0.14	0.29	0.30	0.31
13	0.03	0.11	0.12	0.12	0.13	0.13	0.13	0.14	0.14	0.15	0.15	0.16	0.32	0.32	0.33
14	0.04	0.12	0.13	0.13	0.14	0.14	0.15	0.15	0.16	0.16	0.17	0.17	0.34	0.35	0.35
15	0.04	0.13	0.14	0.14	0.15	0.15	0.16	0.16	0.17	0.17	0.18	0.19	0.36	0.37	0.38
16	0.04	0.15	0.15	0.16	0.16	0.17	0.17	0.18	0.18	0.19	0.19	0.20	0.39	0.39	0.40
17	0.04	0.16	0.16	0.17	0.17	0.18	0.18	0.19	0.20	0.20	0.21	0.21	0.41	0.41	0.42
18	0.05	0.17	0.17	0.18	0.19	0.19	0.20	0.20	0.21	0.22	0.22	0.23	0.43	0.44	0.44

上次探伤里程/万 km / 再次行驶里程/万 km	0	35	36	37	38	39	40	41	42	43	44	45	75	76	77
19	0.05	0.18	0.19	0.19	0.20	0.20	0.21	0.22	0.22	0.23	0.24	0.24	0.45	0.46	0.46
20	0.05	0.19	0.20	0.20	0.21	0.22	0.22	0.23	0.24	0.24	0.25	0.26	0.47	0.48	0.48
21	0.06	0.20	0.21	0.22	0.22	0.23	0.24	0.24	0.25	0.26	0.26	0.27	0.49	0.50	0.50
22	0.06	0.22	0.22	0.23	0.24	0.24	0.25	0.26	0.26	0.27	0.28	0.29	0.51	0.52	0.52
23	0.06	0.23	0.23	0.24	0.25	0.26	0.26	0.27	0.28	0.29	0.29	0.30	0.53	0.54	0.54
24	0.07	0.24	0.25	0.25	0.26	0.27	0.28	0.29	0.29	0.30	0.31	0.32	0.55	0.56	0.56
25	0.07	0.25	0.26	0.27	0.28	0.28	0.29	0.30	0.31	0.32	0.32	0.33	0.57	0.57	0.58
26	0.08	0.27	0.27	0.28	0.29	0.30	0.31	0.31	0.32	0.33	0.34	0.35	0.58	0.59	0.60
27	0.08	0.28	0.29	0.29	0.30	0.31	0.32	0.33	0.34	0.34	0.35	0.36	0.60	0.61	0.62
28	0.09	0.29	0.30	0.31	0.32	0.33	0.33	0.34	0.35	0.36	0.37	0.38	0.62	0.63	0.63
29	0.09	0.31	0.31	0.32	0.33	0.34	0.35	0.36	0.37	0.37	0.38	0.39	0.64	0.64	0.65
30	0.10	0.32	0.33	0.34	0.34	0.35	0.36	0.37	0.38	0.39	0.40	0.41	0.65	0.66	0.67
31	0.10	0.33	0.34	0.35	0.36	0.37	0.38	0.39	0.39	0.40	0.41	0.42	0.67	0.67	0.68
32	0.11	0.35	0.35	0.36	0.37	0.38	0.39	0.40	0.41	0.42	0.43	0.44	0.68	0.69	0.70
33	0.11	0.36	0.37	0.38	0.39	0.40	0.41	0.41	0.42	0.43	0.44	0.45	0.70	0.70	0.71
34	0.12	0.37	0.38	0.39	0.40	0.41	0.42	0.43	0.44	0.45	0.46	0.47	0.71	0.72	0.72
35	0.12	0.39	0.40	0.41	0.42	0.42	0.43	0.44	0.45	0.46	0.47	0.48	0.73	0.73	0.74
36	0.13	0.40	0.41	0.42	0.43	0.44	0.45	0.46	0.47	0.48	0.49	0.50	0.74	0.75	0.75
37	0.14	0.41	0.42	0.43	0.44	0.45	0.46	0.47	0.48	0.49	0.50	0.51	0.75	0.76	0.76
38	0.14	0.43	0.44	0.45	0.46	0.47	0.48	0.49	0.50	0.51	0.52	0.52	0.76	0.77	0.78
39	0.15	0.44	0.45	0.46	0.47	0.48	0.49	0.50	0.51	0.52	0.53	0.54	0.78	0.78	0.79
40	0.16	0.46	0.47	0.48	0.49	0.50	0.51	0.52	0.52	0.53	0.54	0.55	0.79	0.79	0.80
41	0.16	0.47	0.48	0.49	0.50	0.51	0.52	0.53	0.54	0.55	0.56	0.57	0.80	0.80	0.81
42	0.17	0.48	0.49	0.50	0.51	0.52	0.53	0.54	0.55	0.56	0.57	0.58	0.81	0.81	0.82
43	0.18	0.50	0.51	0.52	0.53	0.54	0.55	0.56	0.57	0.58	0.59	0.60	0.82	0.82	0.83
44	0.19	0.51	0.52	0.53	0.54	0.55	0.56	0.57	0.58	0.59	0.60	0.61	0.83	0.83	0.84
45	0.20	0.52	0.53	0.54	0.55	0.56	0.57	0.58	0.59	0.60	0.61	0.62	0.84	0.84	0.85

续表

上次探伤里程/万 km　再次行驶里程/万 km	78	79	80	81	82	83	84	85	115	116	117	118	119	120
1	0.03	0.03	0.03	0.03	0.03	0.03	0.03	0.03	0.05	0.05	0.05	0.05	0.06	0.06
2	0.05	0.06	0.06	0.06	0.06	0.06	0.06	0.06	0.10	0.10	0.11	0.11	0.11	0.11
3	0.08	0.08	0.08	0.09	0.09	0.09	0.09	0.09	0.15	0.15	0.15	0.16	0.16	0.16
4	0.11	0.11	0.11	0.11	0.12	0.12	0.12	0.12	0.20	0.20	0.20	0.20	0.21	0.21
5	0.13	0.14	0.14	0.14	0.15	0.15	0.15	0.15	0.24	0.24	0.25	0.25	0.25	0.26
6	0.16	0.16	0.17	0.17	0.17	0.18	0.18	0.18	0.28	0.29	0.29	0.29	0.30	0.30
7	0.19	0.19	0.19	0.20	0.20	0.20	0.21	0.21	0.32	0.33	0.33	0.33	0.34	0.34
8	0.21	0.22	0.22	0.22	0.23	0.23	0.24	0.24	0.36	0.37	0.37	0.37	0.38	0.38
9	0.24	0.24	0.25	0.25	0.25	0.26	0.26	0.27	0.40	0.40	0.41	0.41	0.42	0.42
10	0.26	0.27	0.27	0.28	0.28	0.29	0.29	0.30	0.43	0.44	0.44	0.45	0.45	0.46
11	0.29	0.29	0.30	0.30	0.31	0.31	0.32	0.32	0.47	0.47	0.48	0.48	0.49	0.49
12	0.31	0.32	0.32	0.33	0.33	0.34	0.34	0.35	0.50	0.50	0.51	0.51	0.52	0.52
13	0.33	0.34	0.35	0.35	0.36	0.36	0.37	0.37	0.53	0.54	0.54	0.54	0.55	0.55
14	0.36	0.36	0.37	0.38	0.38	0.39	0.39	0.40	0.56	0.56	0.57	0.57	0.58	0.58
15	0.38	0.39	0.39	0.40	0.41	0.41	0.42	0.42	0.59	0.59	0.60	0.60	0.61	0.61
16	0.40	0.41	0.42	0.42	0.43	0.44	0.44	0.45	0.61	0.62	0.62	0.63	0.63	0.64
17	0.43	0.43	0.44	0.45	0.45	0.46	0.46	0.47	0.64	0.64	0.65	0.65	0.66	0.66
18	0.45	0.45	0.46	0.47	0.47	0.48	0.49	0.49	0.66	0.67	0.67	0.68	0.68	0.68
19	0.47	0.48	0.48	0.49	0.50	0.50	0.51	0.52	0.68	0.69	0.69	0.70	0.70	0.71
20	0.49	0.50	0.50	0.51	0.52	0.52	0.53	0.54	0.70	0.71	0.71	0.72	0.72	0.73
21	0.51	0.52	0.52	0.53	0.54	0.54	0.55	0.56	0.72	0.73	0.73	0.74	0.74	0.75
22	0.53	0.54	0.54	0.55	0.56	0.56	0.57	0.58	0.74	0.75	0.75	0.76	0.76	0.76
23	0.55	0.56	0.56	0.57	0.58	0.58	0.59	0.60	0.76	0.77	0.77	0.77	0.78	0.78
24	0.57	0.58	0.58	0.59	0.60	0.60	0.61	0.62	0.78	0.78	0.79	0.79	0.79	0.80
25	0.59	0.59	0.60	0.61	0.62	0.62	0.63	0.63	0.79	0.80	0.80	0.80	0.81	0.81
26	0.61	0.61	0.62	0.63	0.63	0.64	0.65	0.65	0.81	0.81	0.82	0.82	0.82	0.83

上次探伤 里程/万 km 再次行驶 里程/万 km	78	79	80	81	82	83	84	85	115	116	117	118	119	120
27	0.62	0.63	0.64	0.64	0.65	0.66	0.66	0.67	0.82	0.83	0.83	0.83	0.84	0.84
28	0.64	0.65	0.65	0.66	0.67	0.67	0.68	0.69	0.83	0.84	0.84	0.85	0.85	0.85
29	0.66	0.66	0.67	0.68	0.68	0.69	0.70	0.70	0.85	0.85	0.85	0.86	0.86	0.86
30	0.67	0.68	0.69	0.69	0.70	0.71	0.71	0.72	0.86	0.86	0.86	0.87	0.87	0.87
31	0.69	0.69	0.70	0.71	0.71	0.72	0.73	0.73	0.87	0.87	0.87	0.88	0.88	0.88
32	0.70	0.71	0.72	0.72	0.73	0.73	0.74	0.75	0.88	0.88	0.88	0.89	0.89	0.89
33	0.72	0.72	0.73	0.74	0.74	0.75	0.75	0.76	0.89	0.89	0.89	0.90	0.90	0.90
34	0.73	0.74	0.74	0.75	0.76	0.76	0.77	0.77	0.90	0.90	0.90	0.90	0.91	0.91
35	0.74	0.75	0.76	0.76	0.77	0.77	0.78	0.79	0.90	0.91	0.91	0.91	0.91	0.92
36	0.76	0.76	0.77	0.78	0.78	0.79	0.79	0.80	0.91	0.91	0.92	0.92	0.92	0.92
37	0.77	0.78	0.78	0.79	0.79	0.80	0.80	0.81	0.92	0.92	0.92	0.93	0.93	0.93
38	0.78	0.79	0.79	0.80	0.80	0.81	0.81	0.82	0.93	0.93	0.93	0.93	0.93	0.94
39	0.79	0.80	0.80	0.81	0.82	0.82	0.83	0.83	0.93	0.93	0.94	0.94	0.94	0.94
40	0.80	0.81	0.82	0.82	0.83	0.83	0.84	0.84	0.94	0.94	0.94	0.94	0.94	0.95
41	0.82	0.82	0.83	0.83	0.84	0.84	0.85	0.85	0.94	0.94	0.95	0.95	0.95	0.95
42	0.83	0.83	0.84	0.84	0.85	0.85	0.85	0.86	0.95	0.95	0.95	0.95	0.95	0.96
43	0.84	0.84	0.84	0.85	0.85	0.86	0.86	0.87	0.95	0.95	0.95	0.96	0.96	0.96
44	0.84	0.85	0.85	0.86	0.86	0.87	0.87	0.88	0.96	0.96	0.96	0.96	0.96	0.96
45	0.85	0.86	0.86	0.87	0.87	0.88	0.88	0.88	0.96	0.96	0.96	0.96	0.96	0.97